アメリカは正気を取り戻せるか

精神科医が分析するトランプの時代

アレン・フランセス 著
Allen Frances
大野 裕 監修
Yutaka Ono
北原陽子 訳
Yoko Kitahara

創元社

Twilight of American Sanity:
A Psychiatrist Analyzes the Age of Trump
by Allen Frances

トランプのような大言を吐く人間の本質をどのように見抜くのか、また幸せになることがいかに容易であるかを、亡き父ジョー・フランセスは私に教えてくれた。偉大でありながら謙虚であった父に、遅ればせながら感謝の意を表する。

父祖の罪は、子、孫に三代、四代までも問われる。

——『出エジプト記』

民主主義が完成の域に入ると、大統領はますます国民の魂に寄り添い、その声を代弁することが責務となる。庶民が心からの願望をついにかなえる輝かしい日が来たとき、紛れもない愚か者がホワイトハウスに鎮座しているだろう。

——H・L・メンケン

人間とは、われわれが「宇宙」と呼ぶ全体の一部であり、時間と空間に限定された一部である。われわれは自分を、思考を、そして感情を、他から切り離されたものとして体験する。意識のある種の錯覚である。この錯覚は一種の牢獄で、個人的な欲望や最も近くにいる人々への愛情にわれわれを縛りつけるのだ。われわれの務めは、この牢獄から自らを解放することだ。それには、共感の輪を、すべての生き物と自然全体の美しさに広げなければならない。

——アルベルト・アインシュタイン

目次

プロローグ　クレイジーなのはトランプではなく、われわれである　8
第一章　世の中の事実に向き合う　17
第二章　なぜわれわれは、これほどひどい決断を下すのか　72
第三章　アメリカ例外主義　106
第四章　トランプ勝利の要因　150
第五章　トランプと部族主義、攻撃される民主主義　203

第六章　民主主義を守るために進むべき道　233
第七章　「すばらしい新世界」を維持する　282
第八章　幸福の追求　306
第九章　チーム・アース（地球チーム）　348
エピローグ　人類はどこへ向かうのか　380
謝　辞　385
解　説　大野裕　386

《編集部注》

1. 行間に＊で示した数字は、訳注番号を示しており、詳細は各章末にまとめてあります。

2. 行間に（ ）で示した数字は、原注番号を示しています。

原注の内容は、ほとんどが根拠となる出典やサイトのURLを示しているため原語表記のままとし、詳細は弊社ホームページ内にアップしました。以下のURLからアクセスできます。また、左下のQRコードからもご覧いただけます。

URL：https://www.sogensha.co.jp/upload/pdf/36013_original-note.pdf

アメリカは正気を取り戻せるか

——精神科医が分析するトランプの時代

プロローグ

クレイジーなのはトランプではなく、われわれである

狂気は個人にあっては稀有なことである。しかし集団・党派・民族・時代にあっては通例である。

――フリードリヒ・ニーチェ

ドナルド・トランプ大統領は、クレイジーな、唯一無二の例外的な人間であって、アメリカ国民やアメリカの民主主義を反映した存在ではない――こう考えると、気休めにはなる。しかし、私がまったく想定しなかった事情を考慮に入れれば、彼の台頭は間違いなく予測できたことであり、私たちの精神を映し出したものであった。

先のアメリカ大統領選の選挙活動が始まって早々に、あるプロデューサーが全国ネットのテレビ番組への出演を私に依頼してきた。トランプの心理を分析し、精神医学的診断をしてほしいと言うのである。それは面白い体験となったかもしれない。トランプと私は、ほぼ同時期に生まれ、マンハッタン郊外のクイーンズに住み、互いに数マイルと離れていない所で育った。私は、メディアの注目を集めようとするトラ

ンプの人生を何気なく追ってきたのだが、彼のさまざまな失態や、自己アピールを欠かさない姿がこざかしく見え、ある種の嫌悪感を抱いていた。

だが、私はその出演依頼を断らなければならなかった。第一、トランプが精神疾患を患っているというエビデンスは見られなかった。たとえ私がそのエビデンスを見いだしていても、アメリカ精神医学会には、自ら診察していない政治家に対して診断を下すことを明確に禁じる優れた倫理規定がある。話は一九六四年の大統領選挙にさかのぼるが、当時リベラル派の精神科医たちが、極右派の共和党候補であるバリー・ゴールドウォーターを不当に批判したことがあった。ゴールドウォーターは精神疾患を患っているため、核のボタンを託すことはできないという「診断」を公表したのである。ゴールドウォーターに対する政治的不満を、専門家の資格を用いて医学的見地から処理する権利は彼らにはなかった。一方、私は、精神医学の名を借りた悪口を使って、政治的不満やトランプに対する個人的な嫌悪を公に表明するつもりはまったくなかった。その代わり、「純粋な素人の意見として、トランプは典型的な〝大ばか者〟だと言ってやりますよ」と、冗談交じりにプロデューサーに申し出たところ、彼はすぐさま「そんな意見を報道する価値はまったくありません。そのことはもう皆わかっていますからね」と答えた。私は笑って同意したのだが、後になって二人ともまったくの見当違いをしていたことがわかった。

トランプがアメリカ合衆国大統領に選ばれたのである。これには誰もが驚いた（おそらくトランプ本人も驚いただろう）。テレビの番組や選挙遊説ではきわめて有効に働いた、大声を張り上げ弱者をいじめる虚勢を張った態度は、アメリカの最高司令官にふさわしくない悲惨な姿だった。ひとたび大統領になると、トランプは独特の言い回しでこう自慢した。

「私は偉大なるエイブ・リンカーン（エイブはエイブラハムの愛称）を除いた誰よりも大統領らしくなる

……彼はとても大統領らしかっただろう？」

だが、トランプは決してトランプ以外の何者にもなりえない。われわれは、無能な大統領、陰謀論者の大統領、気まぐれな大統領を抱えてきた。だが、こうした非難に値するすべての特質を、これほど完全に体現した大統領は、これまで一人としていなかった。また、アメリカの民主主義体制が、独裁的攻撃を前にして、これほどもろく見えたこともなかった。トランプが非常に多くの人々を不安にさせたせいで、ディストピア小説の名作六冊が、突如アマゾンのベストセラーランキングの上位に躍り出た（オーウェルの『一九八四年』『動物農場』、ハクスリーの『すばらしい新世界』、シンクレア・ルイスの『ここでは起こりえない』（原題 *It Can't Happen Here* 未邦訳）、マーガレット・アトウッドの『侍女の物語』、レイ・ブラッドベリの『華氏四五一度』）。

トランプのメンタルヘルス（あるいはその欠如）の問題はインターネットや、テレビのニュース番組、雑誌や新聞で話題となり、バラエティー番組「サタデーナイトライブ」では、面白おかしく取り上げられている。また、政治評論家や政治家、コメディアンたちが、精神医学のバイブルとされる『精神疾患の診断と統計マニュアル（DSM）』を熟読し、皆が、トランプは自己愛性パーソナリティ障害だと言うようになった。それから間もなく、多くの心理学者や一部の精神科医たちが（高まる国民の関心に押される形で）彼らに加わり、自ら診察していない政治家に診断を下すことを禁じる規定を破り、愛国心にあふれる言葉で埋め尽くされた、おびただしい数の請願が出された。そのなかの代表的な請願は、五万を超える署名を集め、こう明言している。

「以下に署名したわれわれ精神保健の専門家は、ドナルド・トランプが、アメリカ合衆国大統領の職務を十分に果たすことを精神的に不可能にする深刻な精神疾患の症状を呈していると、専門家として固く信じている。また、アメリカ合衆国憲法修正第二五条第四項[*1]に従い、大統領の罷免をここに謹んで請願する」

私は、DSM-IIIに初めて掲載され、最新版のDSM-5でも引き続き採用されている、自己愛性パーソナリティ障害の診断基準を執筆した。トランプを診断する非専門家は皆、同じ根本的な誤りを犯してきた。自己愛性パーソナリティ障害の決定的な特徴（自分が重要であるという誇大な感覚を持つ、偉大であることにこだわる、自分は特別だと感じる、特別な人とつきあわなければならないと思う、常に尊敬されることを求める、自分には権利が与えられていると思う、他者への共感が欠如している、利益のために他者を利用し、嫉妬深く傲慢である）が、トランプにぴたりと当てはまっているとの彼らの見解は正しい。だが、トランプが世界有数の自己愛が強い人間であっても、それによって彼が精神疾患にかかっていることにはならないという点を理解できていないのだ。自己愛性パーソナリティ障害の診断で重要なのは、当人の行動が、臨床的に見て著しい苦痛あるいは障害を当人にもたらすという前提条件があることだ。その前提条件がなければ、ほとんどとは言わないまでも、多くの政治家（また有名人のほぼ全員）が、自己愛性パーソナリティ障害に当てはまることになるだろう。トランプは他者に多大な苦痛を与えているが、自分がそうした大きな苦痛を感じている兆候は見られない。彼の行動は、著しく度を超した好ましくないものだが、それによって彼は常に名声や富、女性、そして今や政治的権力も手に入れている。こうしたトランプイズムと言える典型的な行動は、彼に十分な恩恵をもたらし、障害となることはなかったのだ。トランプは、アメリカや世界にとって脅威である。それは彼が臨床的に見て精神疾患を患っているからではなく、非常に困った人間だからだ。

精神医学的診断が、いい加減な形で誤用され、どれも単なる悪い行動と考えられるような例なのに、精神疾患だと誤って称している状況を私は残念に思う。私は、DSM-IIIの作成に深く関わり、DSM-IVでは作成委員長を務めた。そのため、精神医学的診断をできるだけ偽りのない正確なものにする責任を負っている。ほとんどの大量殺人者は精神疾患を患っていない。ほとんどのテロリストは精神疾患を患っていない。ほとんどの強姦犯は精神疾患を患っていない。ほとんどの独裁的支配者は精神疾患を患っていない。ほとんどの不愉快なばか者は精神疾患を患っていない。ほとんどの嘘つきは精神疾患を患っていない。ほとんどの陰謀論者は精神疾患を患っていない。そしてトランプが精神疾患を患っているというエビデンスはどこにもない。傲慢な態度や、下品な発言、侮辱的な行為によって、トランプは国の恥となり、考えうる限りのなかで最悪のロールモデルとなっている（トランプの悪い影響から子どもたちを守るために、トランプが出演する番組にはすべてPG-13指定[*2]をつけるべきだろう）。トランプはアメリカをおとしめ、その偉大さを減じているが、だからといってトランプが精神疾患を患っているということにはならないのだ。

トランプに対する信用を落とすために精神医学的手段を用いることには、意図しない三つの悪影響がある。まず、トランプを精神疾患を患っている人たちとひとくくりにすることによって、トランプを辱めるのではなく、患者たちを不当に辱めることになる。精神疾患を患っている人の多くは、おこないがよく善意のある人たちだが、トランプがそのいずれにも当てはまらないのは明らかだ。次に、トランプの悪いおこないを医学的見地から分析することによって、その行為が過小評価され、彼の政策が持つさまざまな危険性に注意が向けられなくなる。トランプは政治問題の一つであり、都合のよい精神分析の対象ではないのである。トランプの行動の動機に注目することによってではなく、政治的手段によって彼の行動に対抗しなければならない。そして三つ目だが、トランプが罷免された場合に彼の後継者になる人間（マイク・ペンスとポール・ライアン[*3]）は、トランプよりもはるかに劣っている。彼らはトランプの非常に危険な政策を、さらにまことしやかに広めていくことになるだろう。

だが、人類の未来を決める者として、明らかに不適格かつその覚悟がない人間を選んだ「われわれ」はどうだろうか。トランプは危機に瀕する世界に現れた症状の一つであって、その唯一の原因ではない。われわれが抱える問題すべてをトランプのせいにすると、ありえないと思われた彼の出世を可能にした社会に根深く潜む病が見逃されてしまう。トランプのことを「クレイジーだ」と言ってしまえば、われわれは社会に潜む狂気との対決を避けることになるのだ。正気でありたいと思うなら、まずわれわれが自分自身を洞察しなければならない。簡単に言えば、トランプがクレイジーなのではなく、われわれの社会がクレイジーなのだ。

トランプを本書に登場させようと考えたのは、執筆を始めてから二年後のことだ。ただ、本書が社会にある狂気の研究であること——人類の生存を脅かすような危機（人口過剰、地球温暖化、資源の枯渇、環境破壊）がますます差し迫るなか、それに対して有意義な対応ができないわれわれの無能さの研究であることは、執筆当初から一貫している。われわれがかねてから直面していた重大な危機は今、われわれ集団が持つ狂気をトランプが激しく攻撃することによって、大きく増幅されている。危機は常に人類の運命を左右してきた——二〇万年生きてきたなかで、人類は日々、生存に関わる恐ろしい危機を乗り越えてきたのだ。以前は、危機が及ぶ規模が個人や家族、部族、都市国家、国家に比較的限定されていた。しかし現代における脅威は世界規模に拡大している——地球がこれほど小さな、互いにつながった社会となった今、もはやわれわれ誰もが（大富豪で絶大な権力を持つ者でも）、逃げられる安全な場所はないのだ。

狂気を、「同じことを繰り返しおこない、違う結果を予期すること」と定義したのは、アインシュタインの名言だ。愚かなことに、過去の文明はすべて、急速な成長を遂げては突然崩壊するという同じ衰退のサイクルをたどってきた。当時彼らが犯した悲劇的な過ちは、今われわれが犯している過ちそのものである。

過去から学ぶことが、われわれの文明が未来に向かって確実に生き残るための唯一の方法だ。残念ながら現実に向き合うことは、自然にできるものでも自動的にできるものでもない。タルムード[*4]の格言は、人間の心理における多くの問題点を、以下のように簡潔にまとめている。

「われわれは、物事をありのままに見ているのではなく、われわれのあるがままに見ている」

目を見開いた者だけが、勝利への道を歩むことができる——不都合な真実は、トランプの都合のよい嘘に隠されることはあっても、消えることはない。

われわれは、急速な発展を遂げている現在や、きわめて危険な未来よりも、旧石器時代のほうにはるかにうまく適応できる心理構造で、この危うい転換点に向き合っている。次の日までどう切り抜けるか、また次の食事はどこから得られるのかといった不安を常に抱えながらさまよっていたわれわれの祖先の時代によく機能した先天的な心理気質を、われわれは進化の過程で身につけた。かつては、無限とも思える資源があった非常に大きな世界は小さくなり、すでにその限界を超えてしまった。その昔、人間が生き残れるかどうかは、直感と短期的な決断にかかっていて、貪欲であることは、おおむねよしとされていた。五万年前にはうまく働いていた自己中心的な生存本能は、協調的な計画を必要とする現在の世界の中で、自滅的な行為にわれわれを走らせている。われわれが外界を征服した今、問題となっているのは、われわれの心の中にある衝動を抑えられるかどうかである。今われわれが、現実にそぐわない生活水準を維持しようとすることで、子孫には標準以下の生活水準を引き渡す危険があるのだ。

精神科医としての私の仕事は、患者が自分の失敗から学ぶ手助けをすること——患者の思考にある不合理さを明らかにして、自滅的な行為の悪循環を絶つことである。個人（あるいは社会）が成熟するには、願望的な思考や即座の満足感に代わる理性的な思考が必要だ。トランプの心理を分析する意味はない。それはあまりにもわかりきっていて面白くもないし、治るものでもないからだ。トランプが変わることは期待できないが、われわれは、彼を生み出した社会の妄想をなくす取り組みをしなくてはならない。未来と現実的に向き合わなければ、われわれは未来を破壊する危険を冒してしまう――本能の代わりに理性を働かせ、トランプのような利己主義よりも、むしろ利他的であろうとする欲求を大事にするのだ。苦しんでいる患者を癒やす一助となる揺るぎない愛情が、病んだわれわれの社会も癒やしてくれることを願う。

運よく、私は生まれつき楽観的で幸せな人間で、今の時間を大切にし、申し分のない過去を過ごしてきた。それでも未来のことはとても心配だ。自分の個人的な未来を心配しているのではない――私は、自分にそれほど多くの時間が残されていないことを十分冷静に受け止めているし、これまで過ごしてきたすばらしい時間に感謝している。だが、人生の終わりが近づくにつれて、私の世代が資源の無駄使いを重ね、われわれの子どもたちや孫たちが必要とするものに無頓着であり続けたことに、ひどく落胆している。日々われわれは彼らの幸福を犠牲にし、人類の未来を脅かし、ちっぽけでありながら、まばゆいほど美しい、小石のような惑星で共に進化してきた多くのすばらしい生命体をも破壊して、個人の幸福という恩恵を受けている。われわれは、歴史上まれに見る恵まれた状況を経験し、最良の時代と場所で生きてきた。一万年にわたり珍しく安定した気候に助けられて、人類は絶え間なく創意工夫を重ね、かつてない繁栄や、うらやましいほどの長寿、常に進化する数々の技術製品、われわれの世界に関する驚くほど深い知識を、本書の読者にもたらした。前の世代が幸運に恵まれたことで、そのあとの世代の者たちは、前の世代よりももっとよい状況に自分たちは恵まれる、という暢気な期待を抱いた。だが、われわれの世界を持続可能にするための困難な段階を踏まなければ、子どもたちは、われわれのつけを払わされることになる。今犯された過ちは、最悪の時代に最悪の場所で、われわれの孫たちに受け継がれるだろう。現状維持というのは見込みのある選択肢ではない。われわれにある選択肢は、世界をよくするか破壊するかのいずれかである。

［訳注］

＊1　アメリカ合衆国憲法修正第二五条第四項

［一号］副大統領、および行政各部の長または連邦議会が法律で定める他の機関の長のいずれかの過半数が、上院の臨時議長および下院議長に対し、大統領がその職務上の権限および義務を遂行できない旨を書面で通告したときは、副大統領は、直ちに臨時大統領として、大統領職の権限および義務を遂行するものとする。

［二号］その後、大統領が上院の臨時議長および下院議長に対し、職務遂行不能状態は存在しない旨を書面で通告したときは、大統領はその職務上の権限および義務を回復する。但し、副大統領および行政各部の長または連邦議会が法律で定める他の機関の長のいずれかの過半数が、四日以内に、上院の臨時議長と下院議長に対し、大統領がその職務上の権限および義務を遂行できない旨を書面で通告したときは、この限りでない。この場合には、連邦議会は、開会中でないときには四八時間以内にその目的のために集会し、問題を決定するものとする。連邦議会が、大統領が職務上の権限および義務を遂行することができない旨を通告する書面を受理してから二一日以内に、または、連邦議会が開会中でないときは、集会の要請があってから二一日以内に、両議院の三分の二の投票により、大統領はその職務上の権限および義務を遂行することができない旨を決議したときは、引き続き副大統領が臨時大統領としてかかる権限および義務を遂行する。かかる決議がなされなかった場合には、大統領はその職務上の権限と義務を回復するものとする。

（出典：https://americancenterjapan.com/aboutusa/laws/2569/）

＊2　アメリカにおける映画のレイティング。一三歳未満の子どもの鑑賞については、保護者の厳重な注意が必要であることを表す。

＊3　ポール・ライアンは、二〇一九年一月に下院議員引退。

＊4　前二世紀から五世紀までのユダヤ教ラビたちが、おもにモーセの律法を中心におこなった口伝と解説を集成したもの。ユダヤ教においては旧約聖書に続く聖典とされる。

第一章

世の中の事実に向き合う

われわれは敵に会った。それはわれわれである。

――『ポゴ』[*1]

「知らぬが仏」というわけではない。知らないことによって、間違いなく人は傷つけられ、しかもまったく予期しない、最も壊滅的な形で傷つけられることが多い。説得力のある証拠によれば、世界は取り返しのつかない最悪の破局に向かってまっしぐらに進んでいる。早急に修正する行動をとらなければ、われわれの文明は間もなく終わりを迎え、やり直しはできなくなる。だが、現実に対して真正面から本気で向き合い、解決できそうにない人類生存の脅威に対して、効果的な解決策を取るにはあまりにも遅きに失している。その代わりにわれわれは、社会の妄想をまるごと全部抱え、その妄想のために、危機に対処する最良の方法は危機の存在を否定することであるという、致命的に誤った考えを持ち続けている。トランプ大統領は、こうした危機にとどめの一撃を与えるか、危機に対するわれわれへの最後の警告となるかだろう。人類生存のための重要な問題に対し、トランプがことごとく後ろ向きであることは誤りであり、信じがたいことである。トランプとその取り巻きは日々、環境破壊と社会崩壊に近づくような決断を下している。事実に無関心で、科学に無知であることを誇り、思いつきと悪意を持って人を欺くような行動をとる者の手に、われわれは人類の未来を託してしまった。誰しも、ひどく間違っているのにクレイジーと呼ばれないことはある――だが、この道化じみたハーメルンの笛吹き男に従ってアメリカが地獄に進むのは、クレイジーな妄想と言うべきだろう。

本章では、現実検討という古きよき手法を通して、われわれを最も安心させるものの、危険きわまりない社会の妄想について検証する。否認や願望的思考のベールを取り払い、われわれの政策や習慣を堕落させる誤った信念を表に出すのだ。そうした信念は見ていて心地よいものではないが、それに目を向けないことは、賢明だが傷つきやすい人類の生存を脅かすことになる。妄想はなかなかなくならない。イデオロギーや、利己主義、怒り、恐怖は、現実が非常に不安定で満足のいかないものであっても、現状を強力に守ろうとするものである。われわれが自ら深い墓穴を掘っているのだと理解することが、その墓穴からはいあがるためにまず必要なステップだ。

精神医学において妄想とは、強固に維持された揺るぎない誤った信念であり、決定的な証拠や理性的議論による修正にも抵抗するものと定義されている。動詞として「妄想させる」と使われる場合は、誤ったことを相手に信じさせるという意味になる。――これは多くの政治家が人生のほとんどの時間を割いて（トランプはおそらく常に）やっていることだ。ただ、本当でないことを信じているというだけで、それが妄想であると決めつけるわけではない。人生で大きな不安に直面すると、自らを安心させるような不正確な説明を作り上げるのは、人間にもともと備わった性質である。人類がほとんど知識を持たなかった古代に作られた神話が、きわめて多くの知識を獲得した現在までも、延々と語り継がれている。そして今ある不安と将来に対する恐怖に向き合えるよう、われわれは新たな神話を絶えず作り出している。いずれにせよ、われわれの多くは誤った信念をいくらか持ち合わせていて、信じるに足ると思われる反証を前にしても、誤った信念に固執する。アメリカ人の三分の一以上が、いまだに空飛ぶ円盤や、ビッグフットという猿人、天使、第六感、生まれ変わり、占星術を信じている。そしてほぼ同数の人々が、進化論やビッグバン、地球の長い歴史、無限大の宇宙、予防接種の大切さを信じようとしていない。

かつては、地球誕生がほんの六〇〇〇年前だと考えることはまったく妥当であったが、地質学者が科学的精度をもって、それが四五億四三〇〇万年前であることを認識している現在、その説の妥当性は薄れている。地球が非常に若い天体であるとの信念に固執する人は完全に間違ってはいるものの、その人が妄想状態であるとはみなされない。その人の誤った信念は、同様の誤解をしているその他大勢の人と非常に広く共有されていて、その人の日常生活に悪影響を及ぼしていないからだ。誤った信念が個人的な、その人独特のものであり、日常生活の障害となる場合のみ、その人は妄想状態であると診断される。妄想に応じて行動する人は、たいていの場合大変なトラブルに陥る。人生における困難にうまく順応するためには、その困難に現実的に立ち向かうことが必要だ。個人的な夢の世界に生きることは、現実生活で重大な過ちを犯すことを意味する。世の中の事実を否認しゆがめることは、現実があまりにもつらくて耐えられず、威圧的で変えることができないと思えるときの、最後の自滅的な防衛手段である。われわれの社会が妄想状態にあるというのは、おおよそ正しいと思う。というのも、これほど明らかな人類生存の脅威があるという現実に、われわれは目を向けてこなかったからだ。その代わり、地球温暖化はでっちあげで、地球の恵みは無限にあり、世界人口の抑制は必要ないという、願望に満ちた都合のよい、しかし危険な幻想を作り上げている。

私は、これまでの人生のかなりの時間を、さまざまな妄想を持つ人たちの診断と治療に割いてきた。最も一般的なものは被害妄想である——「どこにでも自分の敵がいる」「外部から働く何らかの力や人が、自分が抱えるあらゆるトラブルの原因だ」「私が失敗するのは自分のせいではない。誰かが私を失敗させたのだ」と考える。その次によくあるのは誇大妄想だ——「自分はひときわ優れた人間だ」「自分には並外れた力がある」「自分には特別な使命が与えられてきた」「自分は何をしても正しい」「自分がやることは失敗するはずがない」「何をしても神々から許される」「自分が途中で誰かを傷つけなければならない場合、その人たちが傷つけられるのは必要なことだ」などと考える。きわめてまれなものは恋愛妄想である——実際は相手から無視されたり嫌われたりしているのに、ひそかにその相手から愛されているという揺るぎない確信を持つ。それぞれの例において妄想状態というのは、理性的な人なら誰でも受け入れるような反証があるにもかかわらず、揺るぎない誤った信念を頑固にむきになって維持することである。

われわれの社会は、個人に起きる妄想とよく似た妄想に悩まされている——それは、原因、内容、結果という点でよく似ている。妄想の患者は、明らかにばかげた信念が大きな障害につながっても、なぜそれに固執するのだろうか。その原因は脳の混乱や誤動作であったり、つらい現実を避けられるようにする心理的防衛機制、あるいは抵抗できないほどの社会のストレスであったりする。こういった患者と同様に、なぜわれわれの社会は、明らかにばかげた信念が大きな障害につながっても、頑固なまでにそれに固執するのだろうか。その原因は政治指導者やその支持者が持つ心理的要因にもあれば、今われわれが向き合わなければならない、社会、政治、経済、環境、および資源に関する厄介な問題にもある。妄想は、個人においても社会においても、降りかかってくる現実を否認する、何でも人のせいにする、尊大な態度を取る、自分は尊敬されているという誤った感覚を持つという点においては同じである。

個人の妄想と同様に、社会の妄想によって、われわれはリスクが見えなくなり、意図せぬ結果に無頓着になる。また、さまざまな重大な危機に対して消極的な態度を取り、現時点で厳しい決断をすることなく、将来なんとかなるという誤った信念に依存するのだ。否定妄想によって、われわれがすでに世界をめちゃくちゃにし、その世界を元どおりにするのに大きな犠牲を払わねばならないというつらい現実から逃れることができる。誤った信念は、無力な個人が持つ場合、ほんの限られた害しかもたらさないが、そういった信念によって、世界の大国がとんでもなく悪い決断を下すと壊滅的な害を及ぼす。数千万人がトランプの信念を共有していることから、彼が妄想状態にあるとは言えないが、最終的にわれわれの死につながる可能性のある社会の妄想を、まさに彼は作り上げ、さらに増幅させている。現実を否認することによって、短期的には安心できても、長期的に見れば悲惨な結果を招く。こうした妄想的な考えから、直ちに目覚めなければ、われわれは修復のきかない世界に住むことになるだろう。

環境破壊

社会の妄想

地球温暖化や環境汚染を心配する必要はない。神やテクノロジーが窮地を救ってくれる。

現実検討

生命体は、その住む場所の環境に大きな影響を与える一方、自分が生み出した環境に大きく影響される。二〇億年前、それまで地球を支配していた酸素を必要としない細菌は、自分が排出する酸素に毒されて滅びた——が、幸いなことにその酸素が、人類の祖先の生命を維持することになったのである。今われわれは地球を支配しているが、自らが作り出した廃棄物である二酸化炭素でその地球を汚染している――それは植物にとってはすばらしいことだが、将来の地球の気候や海面の安定を考えると、それほどすばらしいことではない。

劇的な気候変動は、地球の長い歴史の中では当たり前であり、例外的なことではなかった。われわれの文明がこれほど発展してきたのは、過去一万年の気候が珍しく安定し、われわれの許容範囲であったからにすぎない。今われわれは、そうした安定を取り返しのつかない形で破壊する過程に、すでに深く足を踏み入れている。人類の歴史には、数十の特有の文化が、気候の自然変動によって崩壊した例がある。だが、世界全体の破壊につながる種をまき、現在の人口とその分布にまったくそぐわない気候を、何の配慮もなく人工的に作り上げたのは、われわれの社会が初めてだ。

地球温暖化の影響は、すでにわれわれに及んでいる。気温の変動や前例のない干ばつ、嵐、洪水が世界中で起き、年々その記録が塗り替えられている。一月にアトランタがアンカレジよりも寒くなるなど、一〇〇年に一度と思われる気象災害が数年ごとに起きている。そもそも気象はかなり不安定なものであるため、科学者たちは、各地で起きたどの事象に対しても、その原因が長期にわたる地球規模の気候変動だと考えることにかなり慎重であったのは間違いない。

しかし、蓄積されたデータに基づいた、最も有力であると思われる科学的コンセンサスでは、われわれが急速に地球を破壊していること、および大々的な是正策を今取らなければ、すぐにわれわれの手に負えなくなり、すでに破壊されてしまったものを将来の時点で修復できないことが、はっきりと確認されている。その元になった科学的データは、大気と海中の二酸化炭素量、気温上昇、北極・南極を覆う氷や氷河の融解の測定結果、そしてすべてが将来の気温や海面の劇的変化を予測している、さまざまなコンピュータモデルの結果をまとめたものだ。いまだに気候変動を否定しているのは、ごく少数の変わった反対派と、化石燃料会社の社員、そうした会社から研究助成を受けている者たちだけだ。唯一残されている重要な科学的問題は、地球が受ける被害がどれだけ速く進み、それがいかに破壊的で、どの程度その被害を修復できる見込みがあるかということだ。この点については、ある程度意見の違いはあるものの、実質的に大きな違いはない――最も楽観的な仮定のもとでさえ、恐ろしいシナリオが導き出されている[1]。

差し迫った環境の大災害のリスクは、誰の目にもこれ以上ないほど明らかだ。だが、テクノロジー崇拝者、企業、政治家、過激な宗教信者という四つの集団は、妄想に目をくらまされた者たちで、それぞれタイプは違うものの、危険な存在という点では同じである。

テクノロジー崇拝者は、地球温暖化を否定する理性を失った集団の中では、最も理性的だ。彼らは、テクノロジーの驚異的な進歩が、最後には魔法のような救いをもたらしてくれると固く信じている。ビクトリア朝時代のロンドンでは、商取引の急速な拡大による馬車の増加によって町中が馬糞に埋もれてしまうという、一部の人が予想していたような事態は結局起きなかった。そうした問題は、自動車の発明であっさりと解消したのである（当初自動車は「馬なし馬車」と呼ばれ、馬がひく馬車と比べて、きわめて清潔な乗り物とみなされた）。われわれは、現在のテクノロジーと、それがもたらす影響を同時に受け入れられるかもしれない――魅力ある新たな技術的解決策は、ちょうどよいタイミングでわれわれを助けに来てくれるだろう。過剰な量の二酸化炭素の排出――それは大した問題ではない。二酸化炭素を地中や深海に封じ込めたり、硫黄粒子を大気中に放出したりして、大気の温室効果を抑えればいいのだ。ただ、それは効果があるかもしれないし、ないかもしれない。ここで提案した対策はすべて、まだ実際に試されておらず、効果がないか、それ自体が壊滅的な意図せぬ結果を招く大きなリスクをはらんでいる（たとえば、太陽エネルギーを過剰に遮ると、スノーボールアース[*2]が起きるという恐ろしい説がある)。

まともな世界であれば、われわれは、将来問題は魔法のように解決するという夢のようなおとぎ話に頼らず、世界の二酸化炭素排出量を大幅かつ早急に減らすために、われわれの力が及ぶ範囲内であらゆることを理性的におこなうという、現実に即した保険をすぐにかけるだろう。責任感のある人なら誰でも、人生において予測がつかず、起こらない可能性が高いものの、大惨事となるようなあらゆる種類のリスクに対して保険をかけているものだ。われわれは、よく考えずに健康保険や住宅保険、自動車保険、生命保険、損害保険など数多くの保険に加入している。ギャンブラーの目から見れば、これらはばかばかしい賭けだ。保険会社は、保険統計に基づくリスクの確率を、自社にやや有利になるように調整して楽々と儲けを出しているから笑いが止まらない。契約者から受け取った保険料よりも少ない金額を賠償金として支払っているのだ。われわれが進んで保険料を払うのは、そうすることでリスクが幅広い人々にわたって分散されるからである。その結果、一人ひとりに安心感が生まれる。誰も病気が進行するのを待ってから健康保険に入ったり、事故が起きてから自動車保険に入ったり、火事が起きてから火災保険に入ったりはしない。

総じて保険というのは、いつかそれを使う必要があると確信することなく、あらかじめ加入しておくものだ。近々に災害に遭うリスクはごくわずかだが、ほとんど起こりえないことが実際に起きた場合、保険がなければ大変な状況になるため、皆保険に加入し続けるのである。この先私の家が焼けてしまうとはとても思えないが、それでも私は保険に加入している。こうした将来への配慮を、われわれの取り組みにも生かし、地球温暖化に対する未来の保険となるような、費用をかけた対策を取れるはずだ。リスクがどれほど深刻なのか、また今後どのくらいで限界点に達するのかがはっきりする時点よりずっと前に、費用を払わなければならない。いつの日かテクノロジーによる解決策を生み出せるというやみくもな希望に、人類の運命を暢気に賭ける余裕はない。治療法がない場合や、その治療が遅すぎて窮地を脱することができない場合があるからこそ、予防は治療に勝る。さらにわれわれが生命保険に入るのは、保険が自らを助けてくれるという理由からではなく、子どもたちのことを気遣っているからだ。子どもたちに安全な環境を残すために、こうした保険と同様、われわれは彼らを守る姿勢を持つべきである。

貪欲な大企業は常に市民よりも利益を優先してきた——偽りの気候科学を宣伝し、不都合な真実を信じこませるために、相当な影響力をもってありとあらゆることをやっている。皮肉なことに、一九七〇年代からエクソンモービル社の科学者たちが、同社の活動によって壊滅的な地球温暖化が避けられない結果になることをわかっていたことが、同社の社内資料から判明した。だが、エクソンモービル社の経営陣は、自社の科学者たちが明らかにしてきたリスクを認識していることを隠すのに、せっせといそしんできたのである。彼らは何十億ドルも費やして気候科学に疑問を投げかけ、科学否定派で選挙のことしか頭にない政治家を恩義があるからと選出し、仕事がなくなるぞと皆を脅かし、何も考えず何も行動しないように一般市民の心を操った(2)。経営幹部や株主は、一〇年、一〇〇年単位ではなく、四半期や短期間での投資利益のことを考え、人類の未来のことなどもちろん考えていない。基本的には、われわれが取り返しのつかない形で環境を破壊していることを、何ら疑う余地もなく証明できるまで「何もしない」ということだ。もちろんこれは、不合理かつ残酷な皮肉に満ちた行為である——そう証明できるまでに手遅れとなり、人類を救うことはできなくなるだろう。「わが亡き後は洪水となってもかまわぬ」。孫たちに責任を取らせようというのだ。

石油生産量が増え価格が下落することは、深く考えることなく壊滅的な気候変動に向かって進んでいる世界にとって、考えうる最悪の事態だ。だが、われわれは、それを喜んで受け入れている。はるか先の大惨事を心配するよりも、現在の快適さを重視するからだ。まともな世界であれば、特に化石燃料の価格が下落しているときには、それにもっと高い税を課して、その消費を抑えるようにするだろう。税の中立を保ち、痛みのバランスを取るために、その他の税を減らしたり、最も燃料価格高騰の悪影響を受ける人々に、現金を配分したりもできるだろう。そして政策の簡単な変更によって、環境を救い、外国産の石油への依存を減らし、限りある化石燃料の供給を守り、今後長きにわたりわれわれが生きていけるようにするだろう。

まともな環境政策を作り上げようとするオバマ元大統領の称賛されるべき取り組みは、上院環境委員会委員長で共和党議員のジェームス・インホフ[*3]によってことごとく邪魔された。インホフは世界有数の科学否定論者で、がちがちのキリスト教原理主義者であり、石油産業から多くの献金を受け、その手先となっている。地球温暖化に関するインホフの発言は、社会の妄想の本質を表している。たとえば「気候科学者が言っていることの九七パーセントは何の意味もない」「地球温暖化はアメリカ国民にこれまで押しつけられた最も壮大なでっちあげだ」「地球の気温上昇は、われわれの生活によい影響をもたらすだろう」「肝心なことは、天にはまだ神がいるということだ。神が気候に対しておこなっていることを人間が変えられると考えるのは傲慢で、私にはとんでもないことに思える」などと言っているのだ。インホフは、熱狂的なキリスト教信者なのだろうが、そうした彼の情熱は、ずっと世俗的な見返りに駆り立てられてもいるのだろう――それは、石油産業やコーク兄弟との特別な関係からもたらされた数百万ドルの献金だ。

インホフとコーク兄弟の影響を受けたトランプ大統領は、エネルギー業界出身の貪欲なキツネたちを閣僚に採用し、崩壊寸前である環境の鶏小屋の番人とした。解決されない金銭的・政治的利益相反が全員にあり、全員が無知から生じた気候変動否定論に対する頑固なイデオロギー上のこだわりを持っている。エクソンモービルの元会長兼CEOのレックス・ティラーソンは、現在トランプ政権で国務大臣を務めている。[*4] モンタナ州選出の元下院議員であるライアン・ジンキは内務長官だ。[*5] 環境保護団体の評価によれば、ジンキが議会で環境保護に関連する法案に賛成する趣旨の票を投じたのは、同様の法案に彼が投じた票のうちの三パーセントだった。ちなみにこの三パーセントは、連邦政府の所有地を開発するあらゆる石油プロジェクトを否決したことによるものである。エネルギー長官のリック・ペリーは、気候変動は証明されていない科学的理論だと言い、自身が率いるエネルギー省を廃止したいと考えている。住宅都市開発長官のベン・カーソンは、気候は常に変動するものなのに、なぜ今その心配をするのかと思っている。CIA長官（マイク・ポンペオ）、[*6] 司法長官（ジェフ・セッションズ）、[*7] 国土安全保障長官（ジョン・ケリー）、[*8] 厚生長官（トム・プライス）、[*9] 商務長官（ウィルバー・ロス）もまた、強硬な気候変動否定論者であることが、はっきりと公になっている。

トランプ政権下で環境保護庁（EPA）長官を務めるスコット・プルーイット[*10]という人間には、決して人類の存続を託すことはできない。彼は最近とんでもなく無知な発言をした。「二酸化炭素が、現在起きている地球温暖化の主たる原因であるとの意見には同意しない」と言ったのである。彼は社会の妄想の典型のような人間で、エネルギー産業に買収されている。長年、オクラホマ州司法長官としてプルーイットは、次々とEPAを訴えその業務の邪魔をした。今その長官として、トップダウンでEPAをつぶすチャンスを手にした。気候変動否定論者の職員でEPAを埋め、EPAのウェブサイトを検閲し、EPAの科学者の口を封じているのだ。プルーイットは、企業に環境を破壊させるために、できることは何でもやると決意している。トランプ政権からは、EPAに対する予算を三分の一削減するという驚きの提案が出され、共和党議員の一部はEPA廃止の提案までした。

人類の文明を目の敵とし、地球温暖化によってそれを破壊する最良の方法を見つけるつもりなら、トランプを大統領に、マイク・ペンスを副大統領に、プルーイットをEPA長官に据え、彼らの取り巻きであるエネルギー産業出身者にアメリカ政府のすべての省庁を運営させるのが一番よい。だがこれは、純然たる狂気に満ちた社会の妄想だ。トランプが、アメリカをパリ協定から脱退させたのは、世界の歴史において悲劇的な瞬間である。われわれが地球温暖化を取り返しのつかないところまで悪化させれば、数百万人が命を落とすだろう。そうなれば、トランプは亡くなった人々に対して何らかの責任を負わねばならなくなる。

最終的に、こうした恐ろしい状況を前にしてわれわれは、地球温暖化を食い止めるために必要な行動をとることを迫られるだろう。取り返しがつかないところまで地球を汚染せず、気候を破壊せずに、埋蔵するすべての化石燃料を利用することは不可能であると、われわれは認識する。そして今の幸せと快適さを犠牲にして、未来のためにエネルギーを大幅に節約し、持続可能な資源に多額の投資をする。現状を心配せず自分のことだけを考えるのではなく、われわれのあとに続く人々のためにもっと熱心に地球を守っていく。さらに神やテクノロジー崇拝者といった、見込みのない者に賭けるのではなく、われわれが未来に対する責任を持つのだ。焼けつくほど暑い夏、干ばつ、毎年起きる「一〇〇年に一度の嵐」、北極や南極の氷の融解、海面上昇は、もうたくさんだ。最後には、熱心なトランプ支持者や石油産業の恩恵を受ける非常に貪欲な者たちまでが、態度を変え状況を理解するだろうが、そのときはもう手遅れかもしれない。われわれの警告は、馬が小屋から走り出てしまったあとになるかもしれないのだ。そのときには、環境災害から地球を救うことはできなくなる。現時点で予防しておくことが、あとになって必死に治療を求めるよりも、費用はずっと安くかつ安全である。そう考えないのは、ひどい妄想状態にある社会だけだ

人口爆発

社会の妄想

急激な資源の枯渇、取り返しのつかない地球温暖化、絶え間なく続く戦争、大量の移民、広範に広がる感染症の頻発、度重なる飢饉《ききん》を引き起こすことなく、世界人口は増え続けることができる。

現実検討

人口抑制は、政治的公正の観点において、最も不適切な話題となった。たとえ人口過剰が今、世界において事実上すべての壊滅的問題の直接の原因であっても、それをメディア、政治的議論、学者の発表において議論したり取り上げたりすることは、ほぼ絶対的と言えるほどタブーになっている。最近の戦争や難民危機、飢饉、感染爆発の原因の分析は、ほぼ常に政治的・経済的・個人的原因にのみ注目が置かれている――人口過剰の切実な根本的原因にはほとんど触れられない。人口抑制が暗示する恐ろしい含意・連想のせいで皆がその話題から逃げているのだ――その意味とは、ヒトラー、優生学、赤子殺し、神から与えられ市民の権利でもある生殖に対する制限、深く根付いた宗教的信念との矛盾、そして家族生活主義の破壊である。

人口過剰の否認は、なかなかなくならない社会的妄想である。なぜなら、生殖に対する欲求が、きわめて強力にわれわれのDNAに埋め込まれているからだ。人類の進化の歴史の中では最近まで、子どもを多く産むことはよいことだった。かつて人類の人口は少なく、種として生存するにはか弱い存在だった。人間の文化、価値、行動は、DNA増殖のために、必然的に作り上げられたものだ。子どもを持つことは、育てる者としての喜び、労働の目的、未来に対する希望、また小さくてささやかだが永続という感覚をわれわれに与えてくれる。だが、われわれは自らの成功の犠牲者だ。集団で生き残れるかどうかは今、生殖抑制にかかっている。愛情のある親になるということは、思慮深い親になり、子どもを一人か二人で我慢するということだ。誰も人口爆発について話すことも、考えることさえも恐れているのは、そうすることによって、人口爆発を止めるという差し迫った繊細で難しい問題に向き合わなければならないからである。

不十分な人口抑制により、人類の悲惨な状況にどのような避けられない影響が及ぶかは、二世紀前にトマス・マルサス師によって初めて明らかにされた。つまり、「人口の力は、人間が生存するための糧を生産する地球の力よりも限りなく大きい」ということである。マルサスは、人口学に関する深い洞察を持ち、人口は幾何級数的に急速に増加する傾向がある一方、食料は算術数的にゆっくりとしか増加しないと論じた。われわれは人口爆発によって、長い目で見れば決して勝つことのできない食料供給との戦いに身を置くことになる。いかに食料供給を増やすバイオテクノロジーが優れていても、われわれの生殖能力は、さらにそれを上回るほど高く、必然的に食料不足になる。比較的穏やかな方法（産児制限、禁欲、結婚の延期、中絶、ホモセクシュアリティ）で人口を抑制しなければ、繰り返し起きる飢饉や、戦争、疫病、自然災害という惨事を経て、人口は自動的に抑制されることになる。チャールズ・ダーウィンもアルフレッド・ラッセル・ウォーレスも、生物間の競争を経て起きる自然選択が進化につながるという発見は、マルサスの著書を読んだことがきっかけだと考えていた。人口は常にどこでも食料供給を上回る傾向にあるため、結局は生存に最も適した変異を持つ者が生存競争に勝つのである(3)。

またマルサスは心理学的洞察も持ち合わせ、人間の弱い理性は、それよりもずっと強力な生殖本能に対してほとんど影響を与えないと論じた。頭で考えることによって、われわれの下半身が制御されることはほとんどない。テクノロジーが進歩し、われわれがいくら賢くなっても、生殖に対するDNAの強い欲求を抑えられず、われわれは常に冷静さを欠いてきた。個人の幸福や社会の安定には、人間がその歴史を通してほとんど発揮できなかった生殖本能を抑制する能力がある程度必要になる。マルサスは、知恵と自制心がなければ、将来に貧困と悪徳が発生すると予測した。当初からマルサスの説は、人間の知恵が生殖器の力を上回ると考えていたテクノロジーを楽観視する者たちに反対されていた。この説はまだ議論の余地があるが、これまでのところ専門家は引き続き、頭脳よりも生殖器の力が上回ると考えている。

人類の人口は、一万年前に農業革命が始まった頃はわずか五〇〇〇万人ほどだった。その後、マルサスが唱えたような目まぐるしい速度の人口増加が起き、キリスト誕生時には三億人まで増え、一八〇〇年には一〇億人、一九二七年には二〇億人、一九六〇年には三〇億人、一九七四年には四〇億人、一九八七年には五〇億人、一九九九年には六〇億人、そして現在は七〇億人を超える途方もない数となっている。将来の人口予想は最近になって上方修正された。それによると、二〇五〇年にはほぼ一〇〇億人、二一〇〇年には少なくとも一一〇億人に達しそうだ[4]。マルサスの予測によれば、テクノロジーによる成功の後に起きる人口爆発によって報われるのは、ごく少数の人々にすぎない。大多数の人々にとって人口爆発は、大きな問題を生み出す。紀元前一万年より前、五〇〇〇万人の狩猟採集民は、もっとよい物を食べ、もっと身長が高く、もっと自由で平等であり、もっと余暇の時間があった。キリスト誕生時に、自給自足の農業をかろうじて営んでいた三億人のうちの大多数よりは、おそらく幸せだっただろう。確かにテクノロジーで生み出される物ははるかに多くなり、それによって人口もさらに増えたが、人々は以前より健康ではなく幸せにもなっていない[5]。

人類が持つ繁殖力の高い生殖戦略は、一万年以上前に人類が直面した環境には完全に適合していた——

当時は人口が少なく、人類は孤立した状態で、重大な絶滅のリスクにさらされていた。そのときは、「あなたたちは産めよ、増えよ。地に群がり、地に増えよ」という聖書の命令に従うことが大事だった。だが、われわれはまったく何も考えることなく、今では危険なまでに時代遅れとなったアドバイスに従ってきたのである。生殖を抑制しなければならない要因が、すべて明らかになっているにもかかわらず、われわれの中にしっかりと組み込まれた、過剰な生殖を促す欲求をなくすことは難しい。DNAは、自分の生存を長い目で見ているが、今たまたま一時的にそのDNAの保有者となった者には誰に対しても、短期的な投資しかおこなわない。われわれはDNAによって、できるだけ多くの子孫を産み、守るようプログラムされている。それが現在のわれわれの個人的・社会的利益にかなうかどうかは関係ない。進化は、セックスを一番楽しく感じ、赤ん坊をかわいいと思った人たちに味方した。これは、かつての人口不足の世界ではすばらしい戦略だったが、窮屈な現代の人口過剰の世界ではひどい戦略である。

人口過剰の外的現実が非常に劇的に変化してきたにもかかわらず、われわれの本能はきわめてゆっくりとしか変化していない。また文化的信念の変化も、切迫した環境の危機が進むスピードよりずっと遅い。生殖に対する現在の法律や慣習、姿勢は、今われわれが安全に養える以上の数の子どもを持つことを促すDNAの生存戦略を、いまだにそのまま反映している。産児制限や中絶に対する宗教上の規制は、人口不足に対しては完璧な対応だったが、人口過剰に対しては考えものだ。避妊や中絶を禁止する絶対主義的な教会において、また、人口増加を武器として利用し、二桁の人数の家族を生み出したキリスト教、イスラム教、モルモン教、ユダヤ教の各原理主義者たちにとって、さらには生殖に関する権利と胎児が生まれる権利との間の政治上および憲法上の、長期にわたる戦いにおいて、人口過剰の否認という欺瞞は息をのむほどすばらしいものだ。いわゆる人間の生命の尊厳は、われわれが支えられる以上の生命を生み出すことで起きる正真正銘の悲劇とセットになって獲得されているのではないか。豊かなテクノロジーによって体外受精の成果は日々向上し、新しく親になる人を幸せにするが、そのテクノロジーは同時に人口過剰に拍車をかける。

世界で人口が最も多く増えている場所は、アフリカ、中東、南アジアで、さらに多くの人々を受け入れる体勢が地球上で最も整っていない場所である。シリアは、マルサスが唱えた典型的な人口爆発を経験し、その人口は、一九五〇年の三〇〇万人から、二〇一二年には二二〇〇万人に増えた。だが、二〇〇六年から二〇〇九年は、気候科学者によって地球温暖化が原因とされた長期にわたる干ばつを経験した。この干ばつで、大規模な不作が起き、農村に住む一五〇万人の住民が都市部へ移住した――こうしたストレスが、間もなく恐ろしい内戦と無政府状態につながり、マルサスが言う残酷な人口抑制を現在もたらしている。[6] 二五万人から五〇万人が殺され、内戦前の人口の半数以上の人々が、国内での移動、あるいは国外への移住を強いられてきた。[7] この問題はまだ始まったばかりで、解決策は見えていない。内戦による崩壊と残虐行為は、これまでよりももっと悪い未来を約束する方向に悪化している。同様の非常に複雑な問題が、イラクやアフガニスタン、イエメン、ソマリア、リビア、ナイジェリア、コンゴ、その他多くの紛争地帯で起きている。ほんの数十年前には、こうした内戦が、ルワンダとバルカン半島における大量虐殺をあおった。

日々トップニュースで報じられる新たな大惨事は、驚くようなことではない――そこではただ、あまりにも多すぎる人々が、あまりにも少ない資源を追い求めているのである。人口過剰の地域を破壊する革命、内戦、大量の移民、飢饉、干ばつ、洪水、地震は、すべて必然的に起きている。そして細菌やウイルスは、個体数の少ない別の種ではなく、新たに現われた大量の人間という餌を堪能し、大規模感染を大いに楽しんでいるのだ。アメリカ軍は、人口過剰、人間が生み出した気候変動、資源の枯渇がもたらす壊滅的な影響について妄想を抱いてはいない――すべてが、さらに致命的となりうる将来の戦争のリスクを倍増させる脅威と考えている。

マルサスは、より害が少ない形でわれわれが人口を抑制するつもりがなければ、大惨事は避けられないと予測した。何世紀もの間、テクノロジーを楽観視する人々は、テクノロジーが進歩するスピードが、人口増加のスピードを上回るという短期的なデータをもとにマルサスの説を退けてきたが、不幸なことに長期的観点では、マルサスが正しいことが証明された。彼の警告と予測の正確さを無視したことは、社会の妄想の極みである。これはまさに、トランプ大統領（テクノロジーに関して楽観的）とペンス副大統領（急進的な宗教右派に特に気に入られ、彼らの支持によって現在の地位に就いた）がたどっている道だ。トランプ政権は発足して一週間もたたないうちに、国内ではペアレント計画への予算を打ち切るとともに、海外で産児制限を促進するプログラムに対する資金提供を禁止する取り組みを始めた。ペアレント計画こそ、マルサスが唱えた、不十分な人口抑制という難題に対する世界で最も効果的な解決策だと言えるのに。一世紀前にマーガレット・サンガーによって、ブルックリンにある小さなクリニックに設立されたプランド・ペアレントフッドは、現在全米で六五〇のクリニックを運営し、性教育、生殖および女性に関する医療サービスを提供するとともに、海外一二カ国に支部を持つ。暴力や卑劣な行為、激しい政治的・宗教的反対勢力に悩まされてきたが、すでにきわめて人口過剰の状態にある地球の人口を、何の配慮もなく増やし続けなければならないという、DNAに誘導された社会の妄想に対して、全力を尽くし勇敢に戦っている。共和党の政治家たちは、子どもを生ませることにとらわれているが、いったん子どもが子宮から出てきたら、彼らがもっとまともな生活ができるようにするためのどのプログラムに対しても、資金提供を拒んでいるところが矛盾している。彼らは胎児を愛し守っているが、それも実際に生まれてくるまでの間だけだ。

資源の枯渇

社会の妄想

物を使い果たしてしまうのではと心配する必要はない。常にハイテクによる解決策があり、われわれがさらに必要とする物は何でも手に入るからだ。その証拠に、商品の価格はまだ非常に安く、緑の革命[*11]によって、増え続ける人口に対し食料が何の問題もなく供給されている。

現実検討

過去二世紀の間に世界人口が爆発的に増えることができた唯一の理由は、新たなテクノロジーによって、化石燃料の発見と採取が大幅に進んだからである。石油生産量と人口の変化を示したグラフは、ほぼぴったりと重なる(8)。支出に見合う価値が化石燃料と同じようにあって、現在と同様の密度の世界人口を支え続けられるエネルギー源は他にない。化石燃料は、何百万年という間に、地中で押しつぶされた何兆もの有機体から生まれるが、今われわれは、石炭、石油、天然ガスを、それらが補充されるスピードの十万倍の速さで消費している。化石燃料生産のピークと、それがなくなり始める正確な時期はまだ議論の余地が大いにあるが（おそらく五世代か六世代後までの間だろう）、われわれが無頓着に無駄遣いしているのが限りある資源であるということは、まったく疑いようがない(9)。

安価な燃料がなければ、地球の人口は、ハクスリーが著書『すばらしい新世界』で設定したおよそ二〇億人に落ち着くだろう。原子力や核融合エネルギーを安価で安全に広く利用できる方法を考え出さなければば、エネルギーの枯渇と環境破壊という残酷な組み合わせのために、人口の恐ろしい急減が間違いなく起きる。そんな状況に向かうのは、もちろんよいことではない。だが、われわれが何も知らずに燃料を大量に消費し、その恐ろしい結末に向かう中で誰もそうした将来を心配しているようには思えない。トランプは、化石燃料にとんでもなく強気な賭けをし、エネルギー省とその責務にきわめて無知な人物を長官に選んだ。トランプにとって、気に入らない石油掘削、石油精製、パイプラインのプロジェクトなどまったくない。また、資源保護と持続可能な代替エネルギー源の促進には明らかに興味がなく、化石燃料への依存からわれわれを解放するのに必要な科学をただ軽蔑した。トランプ政権は、化石燃料の枯渇や地球温暖化が思ったよりも早く起きる未来に、考えられる限りの速さでわれわれを向かわせている。何億人（あるいは何十億人）もの命が危険にさらされる中、エネルギー供給が底をつけば、われわれは生きていけない。

また、地球上の一〇〇億人の人々は何を飲み、農場をどうやって潤せばよいのだろうか。かつて天然の地下貯水槽にしっかりと閉じ込められ、数百万年にわたりそのまま残っている化石水は限りある貴重な資源である。また数千年かけてたまった雨水は今、数十年にわたる大量採取の結果枯渇している。掘削技術の向上と無駄遣いのために、水が隠れている場所はもうない。水の採取率が補充される率を上回ると地下水面は沈下するため、最終的に帯水層が干上がってしまうまで、どんどん深く掘削しなければならなくなる。この過程で地表水も吸い上げられ枯渇してしまう(10)。

「世界のパンかご」[*12]は、まさに持続不可能な化石水の使いすぎによって、世界のパンかごであり続けている。世界の一部地域では、再生不可能な化石水がすでに枯渇しかかっており、現在野原に花が咲いている場所は、間もなく砂丘になる運命にある（サハラ砂漠は六〇〇〇年前までは草木が茂っていた）。だからと言って状況を正すために時計を戻すこともできない。例をあげると、すばらしい農業地帯であるアメリカ中西部を潤すオガララ帯水層は急速に干上がりつつあるが、それを再び満たすには六〇〇〇年かかる。[11] 世界人口の四分の一が化石水に直接頼る地域に住み、残りの人々は、彼らが生産した余剰食料に間接的に依存している。

桁外れに人口が増加し、開発途上国（特に中国）からの需要が大幅に増えているにもかかわらず、ここ数十年の間、世界では商品価格が安いままである。これは、テクノロジーの進化によって、需要に追いつくほどに、あるいは需要を超えるほどに供給が増えたからだ。だが、そうしたテクノロジーの進歩にともなって、価格の安さや多量の廃棄物という負の側面も現れている。土壌が荒廃し、炭鉱や井戸があまりにも急速に使い果たされている中、われわれが今、ただで恩恵を貪っている事実そのものが、暗い未来を予言している。われわれが商品を無駄遣いするのは、現在の価格が直接の生産費だけを反映し、長期にわたる価値が考慮されていないからである。

この世界が妄想的でなく分別のある世界であれば、燃料や水、その他の貴重な必需品を子どもたちや孫たちのために節約し大切に使って守ることができるように、その価格は十分高く設定されるはずだ。現状われわれはそのようなことをしないで、子どもたちの未来を犠牲にして大量消費を楽しんでいる。われわれの幸福が彼らの幸福にまさっている（trump）、とでも言うように。

公平にやろう

すべての動物は平等だ。しかし、一部の動物は他の動物よりももっと平等だ。

――ジョージ・オーウェル『動物農場』

社会の妄想

裕福な人がさらに裕福になれば、その恩恵は徐々にしたたり落ち、その他のすべての人々に行き渡り、世界はもっとよい場所になる。

現実検討

進化によって、霊長類には公平の概念がしっかりと組み込まれた。キュウリを食べるのが好きなサルは、どの実験でも、キュウリを手に入れるためにせっせと頑張る。だがブドウはもっとおいしい。問題が起きるのは、同じ部屋にいる二匹のサルにまったく同じ作業をさせ、そのご褒美として一匹にはブドウを、もう一匹にはキュウリを与えたときである。キュウリを与えられたサルは、もう一匹に対するご褒美よりも劣っていることに激しく怒り、これまでとても大切にしていたキュウリを拒絶して実験者に投げ返す。メッセージは明確だ——公平にやろう、あっちのサルがブドウをもらえるのなら、自分もブドウをもらう資格がある。同じ作業に対して等しい対価を得ることは、われわれ霊長類の心理の根幹にもともと組み込まれているようだ。[12] さらに、そこにはもっと大きなメッセージがある。人生に対する満足感は、他者との比較なしに、つまり他者が得ていると思われる満足感から切り離して経験することが決してできないということだ。人は自分が持っている物で幸せを感じるのではなく、むしろ自分の周囲の人が持っている、あるいは持っていると思われる物と比べて、自分が何を持っているかという観点で幸せを感じる。満足感は、ほぼ常に相対的であり、他と比べることによって決まってくる。自分がたくさんの物を持っていても、友達がもっと多くの物を持っていると思える場合、自分が持っている物は、幸せを感じるには不十分である。二五〇〇年前、アイスキュロスはこう言った。「嫉妬心を少しも持たず、友人の成功を喜ぶ強い性格の持ち主は皆無である」。かつて私の患者はもっとあけすけに、「自分が成功するだけでは不十分、友人が失敗することが同じくらい大事」と言っていた。心が狭いあきれた発言に聞こえるが、残念ながらこれが人間だ。不幸にも私は自分を、アイスキュロスが言うところの、嫉妬心のない高尚な人間に数えることはできない。私と同じ学校に通っていた二人の男性は、卒業後ビジネスとスポーツの分野で見事な成功を収め、彼らが所有するＮＦＬ[*13]チームが、スーパーボール[*14]で互いに対決するまでになった。私は卑劣で嫉妬深くつまらない人間で、だいたい毎週日曜日は、彼らのチームが負ければいいと思って過ごしていた。恥ずかしいことだが、そうせずにはいられないのだ。誇れることではないが、これは人間が持って生まれた性質の一部である。自分だってブドウを手に入れられるはずではないか。

飽くことなく貪欲になる能力は、われわれのゲノムに組み込まれているようだ——その能力が鈍るのは、もっと欲しいと思える余分の量がないときだけである。だがアリは違う。アリは本能的に平等主義の社会（女王アリは明らかな例外だが）を作り、そこでは資源が平等に分配される。一方われわれは、ごく少数の者に富が集中する階級社会に向かう傾向にある。ブドウとキュウリの公平な分配がうまく保証されている例は、（北欧以外では）ごく少数だ。

あらゆるテクノロジーの進歩によって格差は広がり、公平さのかけらもなくなってきている。サイバー革命とグローバリゼーションが相まった今、新しい裕福な時代が生まれた。現在、世界の富裕層の上位六〇人が保有する資産は、貧困層三五億人の資産総額よりも多い[13]。一九六五年、平均的なＣＥＯの報酬と従業員の報酬の比率は、二〇対一だった。それが一九七八年には一二〇対一に広がった。今ではほぼ三〇〇対一となっている[14]。テクノロジーと生産性の向上によって、必要とされる従業員の数が減ったことで、賃金引き下げの圧力が強まり、人並みの収入を得られる仕事がますます少なくなっている。富裕層はその差額を着服し、自らの税金を減らしてもらうために政治家にその金を支払うか、海外にそれを預けるのだ。

アメリカにおける一人あたりの富は、たった数十年で三倍に増えた。だが、以前よりも幸せな国にならなかったのは、富裕層が得た利益がきわめて不公平に分配されていることも一因である。私の暮らし向き自体は、三〇年前に比べるとよくなっていると思うが、心の中では、今の自分と当時の自分を比べてはいない。自分と隣人、コマーシャルやユーチューブに出ている人、果てはビル・ゲイツ、コーク兄弟、あるいは金融危機を起こしたあとでもたっぷりとボーナスを得た、ウォール街で働くずるい者たちと比べているのだ。

富の格差拡大は世界規模で起きている現象である。その一部は、まさに経済学の基礎である自由市場の原理——とりわけ、新たなテクノロジーが、通常の人的労働力に依存する既存のシステムを揺るがす際に、報酬が資本やイノベーターに流れることが原因で起きている。社長が、従業員の代わりに機械を導入したり、彼らの仕事を簡単に別の国に移したりできる場合は常に、従業員の報酬は比較的少なく、社長の報酬はかなり多くなる。人口過剰でハイテクの世界では、報酬は自然と上昇する。だが、富の分配が経済的見地だけに基づいて決められる場合、状況は通常予想されるよりもさらに悪くなる。富は経済の引力の法則——金は金を引き寄せる——に従っているのだ。豊かな人はさらに豊かに、貧しい人はさらに貧しくなり、不平等が尋常でなく大きくなる。大金を持つ者は大きな政治権力を引き寄せ、大きな政治権力は彼らの欲を満たす行動をとる。そうして大金を持つ者はますます裕福になるという、決して終わることのない悪循環が生まれる。クレプトクラシー（泥棒政治）をおこなう全体主義政権と、クレプトクラシーをおこなう民主主義政権は、どちらが多くの億万長者を生み出せるのかを競い合っているのだ。

精神的に健全で経済観念のある理性的な人で構成される世界は、それほど不平等にはならないだろう。ひとたび、人生を安心して過ごすのに必要なものを複数蓄えれば、他の目標に目を向け、富を蓄えるよりも分配することにもっと喜びを感じるだろう。一部の大富豪（ビル・ゲイツ、ウォーレン・バフェット、ジョージ・ソロス）がこうした人々だが、大多数の人々は、もっと多くの物を手に入れたいという飽くなき欲を見せている。それは常に自分よりももっと多くの物を手にした者がいるからだ。八〇歳代の億万長者、カール・アイカーンは、自分が使い切れる額よりもはるかに多い財産を得ているのに、なぜしきりに会社を乗っ取って財産を増やしているのかと聞かれたとき、「それだけが自分の成功を測れる方法だから」と答えた。

人間の本性には、裕福な社会で演じる幸福の悲劇が組み込まれている。大富豪は、富を蓄えるためのゴールのないレースを強いられていて、もっと裕福になろうと、実現不可能な幸福を延々と追求し続けている。こうした行為のために、ブドウとキュウリが明らかに不公平に分配されるようになり、大多数の人々が、他者に比べて十分な物を手に入れていないと感じて、自分は不幸だと考えるようになる。そのしわ寄せから、日々苦しいことばかりの極貧状態に置かれ、健康にも幸福にもなれない人々が生まれる。さらなる不公平の拡大を支え促すのは社会の妄想だ。社会は、崩壊する直前に最も階級化が進む傾向にある。その中でしたたり落ちる富の流れはまったく機能しない。

大統領選挙の前、トランプは弱者を擁護するふりをしていたが、選挙後は弱者にとって最大の搾取者となった。トランプの政策や税制案がすべて施行されれば、これまで大富豪に有利となっていた不公平なシステムが、さらにもっと不公平になるだろう。おもに比較的裕福な者たちにとって、医療制度から数千億ドルを削減するトランプの取り組みは、それと同額の減税をおこなう計画と直接結びついている。またトランプは軍事やインフラに対する支出を大きく増やすことによって、大企業やその幹部、株主に利益を与えている。トランプが抱える巨額の財政赤字は、これまでおもに一般の納税者が支払い、金遣いの荒い贅沢家（とりわけトランプ）が逃れてきた国債の負担の上にのしかかるだろう。貪欲な者はさらに便宜を図られ、貧しい者はさらに搾取される。これは倫理的に間違っているし、政治的に危険な状況だ。

過剰医療と過少医療

社会の妄想

アメリカの医療制度は世界で最も優れている。

現実検討

アメリカの医療制度は世界で最も高額かつ非効率的で、明らかに偏った医療を提供し、お粗末な成果を生んでいる。

アメリカの医療制度は不正に操作され、その仕組みも十分ではなく、患者を助けることよりも強大な医産複合体——病院、医師、大手製薬会社、医療機器メーカー、保険会社——に利益をもたらすように設計されている。これまでのところ、ロビー活動費が最も多いのがこの健康産業の面々で、年間二億四〇〇〇万ドル以上支出されている。その次が保険産業で一億六〇〇〇万ドルである。エネルギー産業（政治的影響力を買うことにかけては優れている）が、一億五〇〇〇万ドルで三番目だというから、そのロビー活動費の規模の大きさがわかるだろう。[15] 強力なロビイストの圧力を受け買収された政治家たちは、消費者であり納税者であるわれわれの大きな負担によって、忠実に医療産業の利益を図っている。医薬品における「自由市場」は自由とはほど遠い。製薬会社と病院が独占的に容赦なく薬価設定をおこなっている——それが患者の支払う金額と命に関わってくるのだ。私の友人は五日間の入院をしたばかりだが、五〇万ドルかかったという。また新薬の薬価設定に絡むスキャンダルがほぼ毎日のように報道されている。アメリカの一人あたりの医療費は、アメリカと似た国々の二倍だ——ただし、その成果はお粗末なものである。

そうした医療制度に組み込まれた医者に対する悪しき報酬は、医療を必要としない人々に対する過剰医療と、本当に医療を必要としている人に対する過少医療という弊害を招いている。症状が軽い患者、あるいは実際に存在しない問題に対して、過剰な検査、過剰な診断、過剰な治療がおこなわれている——そうすることで本当に病気にかかっている人たちから乏しい医療資源を流用しているのだ。医者は、膨大な数の臨床検査を指示し、それぞれの患者にとって何がベストであるかを無視して検査結果を扱う習慣が身についてしまった。プライマリケア医[*15]には、ごくわずかな報酬しか支払われないため、その数はきわめて少なく、一人の患者の診察に数分しかかけられない。一方、専門医には過剰な報酬が支払われるため、その数は多すぎる上に、不要な検査が指示されたり、不要な処置がおこなわれたりしている。また健康の度合いを決める要因の八〇パーセントを占める、行動、環境、社会の各要因に対してわれわれが支払っている金額は、明らかに少なすぎる。一番よい例をあげてみよう。健康を向上させる効果は、少額の費用を投じてタバコの問題に取り組むよりも、多額の費用を投じてがん治療に取り組むほうがずっと低い。われわれは、高度な技術を必要としない公衆衛生や社会的プログラムにもっと多くの費用を投じて、運動やダイエット、喫煙の抑制、貧困の抑制、教育の向上、手頃な価格の住宅の建築を推進するべきである。さらには高度な技術を使った有害な過剰治療をもっと減らすべきだ。

自分が受けている数多くの検査や治療が、ほとんど、あるいはまったく連絡を取り合っていない多数の専門医たちによってバラバラにおこなわれていることに気づく患者は多い。時に奇妙な、複数の医者による個別介入の寄せ集めが、患者に対して益よりも害をもたらすのではないかと思えるほど、どの医者も十分に患者のことを理解せず、検査の数値やスキャンの結果を扱っている。私は最近、すばらしい漫画を見た。一人の患者が医者の一団に取り囲まれている。医者は全員患者から顔をそむけ、それぞれ自分のコンピューターの画面を見ている。その漫画についていたタイトルは「患者中心の医療」だ。過剰な治療が、数多くの医療ミスを生んできた――過失は全入院患者の三〇パーセントに起き、毎年およそ二五万人が死亡している。医療ミスはアメリカにおける死因の第三位だ。外来患者に対する医療ミスも加えると、医療そのものが死因第一位の病気と同じくらい多くの人を死なせているという、恐ろしく矛盾した結果にたどり着く。医療がこれほど劣化してしまったため、私の親友で、とても賢明な神経内科医は、高齢の患者たちにこう話している。

「幸せに長生きしたいなら、二つのことをしなければなりません。転倒しないことと、医者にかからないことです」

過剰な治療費がかかる不十分な医療制度から生まれたもう一つの深刻な状況は、健康保険に入るすべがなかった三〇〇〇万人以上の人々が置き去りにされたことだ。オバマケアはわかりやすい二つの目標を掲げていた。国民全員に医療保険を提供することと、制度に関わる総コストを上昇させることなくそれを実現することである。以前保険でカバーされていなかった新たな加入者に対する治療費は、過剰治療を減らし、製薬会社や病院から請求される独占価格を下げることによって捻出する。また公的医療保険のオプション（メディケア・フォー・オール）[*16]が提供されていれば、医療制度が大幅に簡略化かつ合理化され、政府が最適な価格を取り決められることによって、患者や納税者が負担する費用は下がったことだろう。もともとのオバマの提案は、医産複合体につぶされた。合理的で公平、効果的で低コストの制度が、強固で強欲な特殊利益団体すべてを犠牲にして作られるという、彼らにとっての脅威があったからである。その後、業界の激しいロビー活動によって、残念な妥協を余儀なくされた結果、ずっと複雑でコストがかかる制度が出来上がった。よい話と言えば、これまで保険に加入していなかった二〇〇〇万人に医療保険が提供され、加入者全員に対する恩恵が拡大し、既往症のある人に公平な治療がおこなわれるようになったことだ。一方、悪い話は、製薬会社や病院が、誰からも異議を唱えられず法外に薬価を引き上げ、過剰治療が継続され、保険料や免責金額が上昇し、患者にとっての選択肢が減少していることである。

オバマケアは、最もわかりやすい方法で改善できる余地がある。必要なことは、本来制度に存在するはずであったがロビイストに妨害されてしまったコスト管理を実施することだけだ。製薬会社や医療機器メーカーによる政治的影響力、誤解を招くような大規模なマーケティング、独占的な薬価設定で得る不当な利益を制限して、彼らをおとなしくさせなければならない。保険制度は、他と比較して有利で透明性の高い簡素なものでなければならない——それは公的医療保険のオプションがあれば実現できていたと思われる制度である。医者が十分な時間をかけて、患者のことを知り、患者が医療上の意思決定に参加できるようにしなければならない。そうすることによって、診察一回あたりの費用は高くなるが、患者の一生涯にかかる費用はずっと安くなる。医療制度は、企業の短期的な収益性に基づいて運営されるべきではなく、患者の長きにわたる健康の実現に尽くすものであるべきだ。病院や医師の診察料は、実店舗やインターネット上で販売されている他の商品と同様の透明性と競争力がなければならない。そして、「非営利」であると考えられている一部の病院が、非課税の利益として実質的に年間数億ドルを稼ぎ、それを幹部に対する年間数百万ドルの報酬に充てられるような抜け穴を閉じるべきである。

これらはどれも簡単なことではない。世界のどの先進国にも、アメリカよりもっと優れ、コストが安い医療制度がある。必要なのは利益よりも患者を優先することだけだ。トランプケアは、オバマケアの問題に対する、まさに悪しき解決策である――何百万という人々から医療を奪い、医療産業による独占を守り、富裕層に対する巨額の減税のためなら金に糸目をつけないという、ロビン・フッドの逆を行くような残酷で皮肉な解決策だ。こうした状況は、特殊な利益を追求するロビイストと彼らを取り巻く政治家の間で性急に結ばれた裏取引から生まれた。彼らは、コストや保険の適用範囲に関する信頼に足る予測について何も知らず、患者のニーズに対して残酷なまでに鈍感だった。アメリカの医療制度の根本的な欠陥――過剰な治療、過剰な治療費、医者に対する悪しき報酬――にまったく手がつけられていないのは、それらが皆、医産複合体の利益を生んでいるからである。

オバマケアは、現状のままでは、あまりにも費用がかかりすぎて、長期的にはうまくいかない。ここで言う現実に向き合うというのは、利益を守ることよりも患者を助けることを目的として設計された合理的な制度を作ることを意味する。過剰医療を正すことは簡単ではないだろう。患者にとって害となる、過剰な治療費、過剰な検査、過剰な治療が、医産複合体が持つ強大な経済的・政治的な力によって進められ守られている。共和党はすでに彼らに買収されている。一方、民主党は弱体化し分断されている。一般市民が継続的に怒りの声を上げることだけが、治療費の削減と、われわれが受けるに値する、よりよい治療の実現につながる。それはまさしくダビデとゴリアテの戦いだ。

幸せな戦士たち

社会の妄想

アメリカは他国に対し、アメリカが望むことをやるよう強要できる。

現実検討

戦争は常に大きな希望で始まり、砕け散った夢と屍《しかばね》で終わる。

二〇〇二年頃、新保守主義者が、戦士気取りでカウチでくつろぎながら見た夢

イラク国民が通りに並び、花やお茶、デーツ[*17]を持ってうれしそうにアメリカ兵たちを迎える。イラクは西欧の民主主義のモデルとなり、中東全域の安定化を助ける一例となる。イラクの石油供給量は、戦争の損失を上回るほど豊富にあり、利益の上がる新たなビジネスの機会をもたらす。アメリカの「衝撃と畏怖」を打ち出した軍隊は、アメリカの敵を脅かし味方を鼓舞する。

二〇〇三年から現在まで、現場で戦った兵士が見た悪夢

イラク国民はアメリカ兵を簡易爆弾とロケット推進式手りゅう弾で迎えた。イラクは無政府状態の破綻国家となり、周辺地域と世界を不安定にした。歯のないトラのようなわれわれは、かつての敵と新たな敵を勢いづかせている。野蛮なテロ組織は、イラクとシリアの大部分を支配することができ、いまだに世界中でテロ攻撃を計画している。アメリカの戦士は、体にも心にも魂にも傷を負って帰ってきた。われわれは、インフラの向上や経済を刺激するためにどうしても必要だった数兆ドル相当の国の宝を無駄にしたのだ。

戦争は男性の性質に深く埋め込まれている（女性はそれほどでもない）。攻撃性に関して言えば、ほとんどの種がはっきりとした性差を示していて、戦闘技術によって、どのY染色を増殖させるかが決められる。

われわれは、腕力で、あるいは人目を忍ぶやり方で日々の激しい戦いに勝たねばならなかった雄の動物の数億世代後の子孫である。聖書に書かれていることとは異なり、必死の戦いの中で、柔和な（しかも分別のある）人々はたいてい土地を受け継がなかった――われわれの多くは、好戦的で短気な祖先の遺伝子を持っている。ばかばかしい戦争をするのが歴史のパターンである。もっともらしい理由のために戦い、時に両者に大きな犠牲を出し、本当の勝者はいない。愛と栄光のための戦いは、小さな集団で生活し、敵対する広い世界をさまよっていたわれわれの祖先が生存するためにはとても必要なものだった。だが、極端に混雑し完全武装した小さな惑星では、そのような戦いは不幸を招く不必要なものである。人口爆発が起き、供給される物が少なくなると、マルサスの小さくなるパイから大きい分け前を得ようと、戦いはさらに激しくなる可能性がある。かごに詰めこまれているネズミたちのことを、そしてヒトラーが唱えた生存圏のことを、イラク、シリア、イエメンのことを考えてみればわかるだろう。

したがって、人間の経験よりも希望が勝ち続けたために、戦争に対する楽観的な見方が続いたことは驚くにあたらない。ベトナム戦争は、イラクから離れよという、われわれに対する警告にはならなかったし、ヒトラーはナポレオンから学ばず、われわれは悲惨な第一次世界大戦を経験しても、二度目の大戦を防げなかった。戦争に参加する決断は通常、脳の最も原始的な部位によって下された後、脳の賢明な部位によって、巧みにもっともらしく理屈づけされる。戦争熱は、もうすでに分別があるはずのすぐれて賢明な人々にも波及する。第一次世界大戦が始まったことを、大戦に参加した双方の知識人たちは喜んでいた（いつもは冷静で悲観的なジークムント・フロイトが、自分の息子を喜んで前線に送り出した）。命を脅かすベトナムの水田のぬかるみにわれわれをはまらせたのは、ケネディと最も優秀な男性の天才たちだった。男性の「幸せな戦士たち」は常に戦争がもたらす利点を求め、（女性や子どもたちに降りかかることが多い）戦争がもたらす犠牲や結果、リスク、不安については決して考えない。「戦争」という言葉は、大胆、男らしさ、栄誉を、「警戒」という言葉は、弱さ、臆病を暗示する。決断はたいてい、怒りや恐怖から性急に下される——心情に突き動かれ、ほぼ何の配慮もなしに。構える前に銃を撃っているようなものだ。

最高司令官であるトランプはどうだろうか。これまでテレビのリアリティ番組に限られていた彼の怒りっぽく好戦的な態度、業務の打ち合わせで起こすかんしゃく、些細な争いが、今、世界を不安定にしている。何年もかけて築いてきた外交の橋が、一時の感情に流された攻撃的な大量のツイートによって押し流されている。戦争と平和はとても重要で、将軍たちに任せることはできないのに、なぜ彼らを国家安全会議に呼ぶのだろうか。トランプは大統領就任後、数週間のうちに、対立の脅威を不必要に与える思慮の足りない挑発的なやり方で、北朝鮮やイランをあおっていた。また、あたかも大統領選挙でクレムリンにいる元KGB職員たちに恩義があるかのように（実際にあるのだが）、ロシアの機嫌を取っている。

戦争という不必要な行為をする余裕は、もはやわれわれにはない。加速度的に資源の枯渇が進み、人口増加の圧力が増していることを考えると、戦争をしたがるわれわれの性癖をそのままにしておくわけにはいかない。今後はわれわれが、紛争を解決するためのもっとよい方法を早急に見つけるか、あるいは、戦争の頻度、激しさ、残忍さ、破壊の度合いが増すかのいずれかである。最悪のシナリオはひどいものだ。

幸い、簡単な解決策があるにはある。われわれの中には、平和と愛他心もしっかりと組み込まれている——それは紛争を解決し和解するためである——ただし、仲間内だけでのことだ。われわれは仲間以外の者たちには、抑えがきかないほど攻撃的になることがよくあるが、仲間とみなした者とは、たいてい合理的な取引をする。われわれは、混み合ったとても小さい一隻の船に乗っている一つの非常に大きな仲間集団だということにまだ気づけていない。はっきりしているのは、自分が属する小さな集団の利益を相手の集団から守るために戦争をする決断をすれば、両者とも沈んでしまうということだ。

アメリカは白人至上主義の砦《とりで》

社会の妄想

わが国は、壁を国の周囲に建設して初めて再び偉大になれる。

現実検討

人類は、七万年前に起きた壊滅的な火山の爆発（パンデミックという説もある）をなんとか生き延びたほんの二、三千人の男女から始まった[16]。そのため人類全体は非常に近い親戚であり、他の種と比べれば遺伝子的にずっと同質であると言える。任意に選ばれた二人の人間の遺伝子は、任意に選ばれた二匹のミバエやチンパンジーの遺伝子よりも、ずっとよく似ている[17]。人種の違いは、目に見えないほどわずかなもので、数個の遺伝子が違うだけだが、正確に説明することは難しい。アフリカ人とオーストラリア先住民のアボリジニには、いくつか共通の身体的特徴があるが、この二つのグループの遺伝子は、世界で最も異なっている——両者間の距離と、アボリジニが早くからオーストラリアに定住し、以来地理的に隔離されていたことを考えれば驚くことではない。アフリカ以外の地に長く住んでいる人たちは、外見がいくら違っていても、遺伝子的に同質である。それは彼ら全員が、アフリカ大陸からの移住に成功した、さらに少数の男女の子孫だからだ。コーカソイド、漢民族、モンゴル人、アメリカ先住民、イヌイットは、外見は特に似ていないが、アフリカの隣り合った村に住み、兄弟のように見える二人の住人同士よりも遺伝子的にずっとよく似ている。遺伝子の違いはきわめて小さいだけでなく、その違いが現われたのはごく最近のことである――およそ六〇〇〇～一万年前まで、地球上の人間はすべて茶色の目をしていた[18]。

遺伝子の観点から考えれば、人種的偏見はまったくばかげていて、科学的にも擁護できるものではない。だが、そうは言っても、人種的偏見が、種族内の帰属意識や種族間の嫌悪を強くかき立てる力になることは止められない。人種至上主義者は、他の人種を嫌ったり、人種の純粋さがもたらす恩恵に望みを託したりすることで、自分が感じる不安を抑えている。あらゆる不幸やトラブルを、一つ（あるいは二つ、三つ）の少数民族のせいにする。汚されていない「民族」が、あらゆる楽しみを損なうゴキブリをひとたび駆除すれば世界は完成した状態になると考える。他の民族集団の従属、排除、あるいは死という犠牲のもとに、自分が属する民族集団の幸せが実現するのである。

レイシズムは、入植のごく初期の頃からアメリカ人の生活に定着し、大切にささえされてきた。われわれアメリカ人は、そのときからずっと矛盾を抱えてきた――一方では、人種のるつぼとして世界でかつてない大きな成功を収め、もう一方では黒人を奴隷にし、アメリカ先住民を殺し、その後アイルランド人、ドイツ人、イタリア人、中国人、日本人、ユダヤ人、東ヨーロッパ人、プエルトリコ人、メキシコ人、インド人、パキスタン人、ソマリア人、シリア人の他、どんな人種も次々と差別してきたのだ。

白人至上主義は、アメリカの南北戦争以前から最も顕著に見られたアメリカ人の集団気質であり、ある団体の中では、それが今日まで生き続けている。エイブラハム・リンカーン大統領は、南北戦争で受けた苦しみが、ある意味幸いにも、奴隷という恥ずべき罪を拭い去ってくれることを願っていた。しかし、そうはならなかった。南北戦争前の想像を絶する残酷な奴隷制度が、戦後、ジム・クロウ制度（黒人差別政策）と名を変えて復活したのである。黒人の大統領が選出されたのはすばらしいことだったが、いまだに黒人が社会の片隅に追いやられたり、投獄されたりすることがこれほど多いのは、恐ろしいことだ。われわれわれは、ナチス・ドイツ、ルワンダ、スレブレニツァの大量虐殺に匹敵するようなことはしていないが、数千万人の人生をひどく惨めなものにしてきた。また、トランプが、マイノリティに向けた恐怖や嫌悪を選挙で勝利を得るための争点にすることができたという事実——そして明らかなレイシストを、政権の中でもきわめて大きな権力を持つ地位に任命したという事実は、恥ずかしいことこの上ない。

人種の優位性に関わる妄想が、これほど深く広範囲にわたって維持され、アメリカ国内に、また他国の人々との関係に、大きな破壊をもたらすというのは驚くべきことだ。これもまた戦争と同様に不必要な行為で、そのようなことをする余裕はもはやわれわれにはないはずだ。アメリカは、マイノリティや移民なくしては機能できない。われわれはこれまでと同様に今後も、世界で最も知性があり進取の精神がある人々から生まれた、異なる人種の頭脳と勤勉さに頼っていかなくてはならない。われわれが偏見を抱えたまま生きていこうとすれば、地球上のさまざまな肌の色を持つ人々と協力することはできない。われわれは人類全体を一体のものとして考え、自分が属する部族、人種、国ではなく人類全体に対して誠実であらねばならない。大きな一団となって協力できなければ、互いに競い合う多くの小さな集団が、人類全体を滅ぼすだろう。

人類による支配

社会の妄想

人類は地球を支配する力を与えられてきたので、人類のニーズは何よりも重要である。他の種が生き残るかどうかは、われわれには関わりがない。

現実検討

『創世記』によれば、神は「われわれにかたどり、われわれに似せて、人を造ろう。そして海の魚、空の鳥、家畜、地の獣、地を這うものすべてを支配させよう」と言った。

われわれは一〇〇〇万種以上の生物とこの地球を共有している。そしてこの多くの生物は、これまでに発生した生物のたった一パーセントにしか当たらないという説もある——自然選択は、多様性を愛しそれに報いたのだ[19]。新たな種が登場し、老いて死んでいくのは当然のことだ——どの種も平均的な生存期間はおよそ一〇〇万年だろう。何事も永遠ではないが、絶滅の過程は、たいてい少しずつ進み、目立たないものである。

過去に突如として起きた五度の大量絶滅は、その当時に生きていた種の五〇パーセント以上を死滅させた——すべては自然現象が原因だった。われわれは今、六度目の大量絶滅のまっただ中にいる。今回の絶滅は、われわれが生み出したものだ[20]。人類の人口増加は常に、われわれが押しのけ、時に死滅させた種の犠牲のもとに成り立ってきた。北アメリカ大陸では、驚くべき大型動物が群れをなしていたが、ベーリング海峡を渡ってきたわれわれの祖先に殺された。しかし、ますます強力になるテクノロジーと、とどまることを知らない人口爆発によって、われわれが今もたらしうる害に比べれば、過去に起きた種の絶滅の規模は小さいものだった。われわれは今、自然現象で過去に五度起きた大量絶滅に匹敵する、（人工的に生み出された）六度目の世界規模の大量絶滅を十分生み出せる状況にある。地質学上の記録では、通常の環境下にある場合、一〇〇万種あたりの毎年の絶滅数は、たったの一種であることが示されている。ところが「心優しく慈悲深い」人間のもとで、種の絶滅の割合は今、年間三万種に近づき、さらに増える勢いだ。ただ、この数字は実際よりも少なく見積もられているはずである。というのも、生存する多くの種は、すでに瀕死の状態にあるからだ——個体数が極端に少なく、生存環境が著しく脅かされているため、それほど長く生きられないのである。生存する種すべてのうち、およそ三〇パーセントは一〇〇年後にはいなくなるだろう。地質時代の中ではほんの一瞬とみなされる期間で、驚くべき減少が起きることになる。

われわれに最も近く愛されていながら、最も危機に瀕している仲間のことを考えると、絶滅の割合はさらに高くなる。人類が存在しなければ生存するはずの五〇〇〇種の哺乳類は、二〇〇〇年ごとに一種絶滅すると思われる。だが地球を食いものにし破壊している人類がいるために、四〇〇〇年の間におよそ九〇種の哺乳類が絶滅し（想定の四五倍）、さらに二〇〇種の哺乳類が今、深刻な絶滅の危機にさらされている。(21)

地球が元の姿を取り戻すのか、生物が勇ましく堂々と進化の行進を続けていくのかなどと、われわれは心配する必要はない。ある種にとっての毒は、別の種にとっては食料となる。生態的地位[*18]を占めていた種がいなくなるたびに、新たな競争者にとっては、一時的にその力を披露し、空いた地位を埋めるチャンスが生まれる。隕石による環境への影響のために、恐竜が一気にいなくなっていなければ、われわれ哺乳類の祖先は、昆虫を食べる小さくて弱々しい存在のままでいて、環境や地球に住んでいた他の生物に、これといった脅威を与えなかったかもしれない。もちろん恐竜はその巨大な脳を進化させているところだったので、隕石に邪魔されるまでもなく、ちょうど今のわれわれがしているような形で、自らを絶滅に追いやったかもしれない。進化には皮肉なユーモアがこめられている。

われわれは、この世界とそこに住むほとんどの生命体を一時的に支配してきた。しかし、われわれの仲間である種を支配することは、それを守る責任も伴う。驚くほど複雑で、限りない多様性を持ち、見事なまでに精巧だが、壊れやすい相互依存関係を持つ、神が造ったあらゆる生物を犠牲にして、人類だけが繁殖するべきだと考えるのは妄想である。

トランプの政策や彼に任命された者たちは、世界中の種をできるだけ多く、できるだけ短時間で絶滅させようと意図した目的をもって選ばれたわけではない。だが、そのとおりの影響をもたらすのは避けられないだろう。知らぬ間に進む地球温暖化、汚染、環境悪化、土地利用政策、自然破壊——これらはすべて長期にわたって、われわれに害を与えるが、毎年姿を消す多くの種にとってはすでに致命的なものであり、そうした種が図らずもわれわれに対する事実上の警告となっている。被害を受ける生物の多くは、よく知られているもの——ホッキョクグマ、オオカミ、さまざまな鳥や魚、カエル——であるが、これまで存在がまったく知られていない何百万という種もわれわれは絶滅させるだろう。[22] トランプは早々に、われわれの仲間であるさまざまな種すべてに対して無関心であることをあらわにした。大統領就任後、数週間のうちにアメリカ農務省に対し、食品およびペット産業、研究室、動物園における捕獲動物の権利に関するウェブサイト上の情報を消去するように命じたのだ。[23] 規制緩和に異常に熱心なトランプのおかげで、家畜産業が動物の扱いに良識ある公共的配慮をするよりも、自分たちの望みどおりに貪欲に利益を追求するほうを重視するようになるのは間違いない。

「ビッグ・ブラザー」による監視

社会の妄想

安全、便利さ、貴重な研究データを得るためであれば、われわれのプライバシーのほぼすべてを提供する価値がある。

現実検討

ジョージ・オーウェルは一九四七年に、(当時はかなり新しい発明だった) テレビが全体主義者による監視のための絶大な力を持ったツールになると予測している。著書『一九八四年』では、鋭く目を光らせる独裁者のビッグ・ブラザーが、あらゆる部屋に双方向カメラを設置して、党がすべてを監視して市民の自立的な活動すべてを封じられるようにした。[24] だがオーウェルは、自分の最悪の悪夢として、アメリカ人の日常生活では当たり前になった広範なプライバシーの侵害を想像することはできなかった。政府機関や企業は、われわれの一挙手一投足を監視し、記録し、分析していて、われわれよりもわれわれのことをよく知っている。

エドワード・スノーデンが、指名手配犯であると同時に国際的な英雄になったのは、彼が内部告発をしたときである——広範囲にわたる徹底した、ほぼ違法となる電子的監視プログラムにアメリカ政府が関わっていたことを証明する大量のデータをスノーデンは暴露した。[25] アメリカ国家安全保障局 (ＮＳＡ) は年間一〇〇億ドルを投じ、三万人以上を雇って、毎日二四時間体制で国内外の全通信情報を詳しく調査している。[26] 政府は、個人の通話、メール、インターネット検索、ソーシャルネットワーキング、商品の購入、一分ごとの位置情報の記録にアクセスできるのだ。

われわれには隠れる場所もなければ、監視されていない時間もない。ひそかにおこなわれるこうした監視活動はすべて、テロ防止という大義名分のもとにおこなわれ、(隠すものは何もないと感じている) 多くの人々は、便宜のため、また個人や集団の安全強化のために、むしろ進んで自らのプライバシーを提供している。しかし、この坂はきわめて滑りやすく、止まるのが難しい。特にトランプに重大なテロ攻撃という言い訳が与えられたときでも (または彼が与えたときでも)、プライバシーや民主的な抑制のほうが尊重されると、誰が保証できるだろうか。いつか独裁政権に支配されることになれば、そうした政権に対して、あらゆるプライバシーへの介入の手法と、その利用の前例を提供できる準備をわれわれはすでに整えている。それは『一九八四年』の内容が大きく見劣りするほどだろう。しかも歴史上、恐ろしい前兆がある。もしIBMが、ユダヤ人に関する大量データ収集を可能にした——そしてのちのユダヤ人追放と処分を都合よくできるようにした——（コンピューターの前身である）同社の最新のパンチカード／カード分類技術をナチスに提供する意志がなければ、ホロコーストはあれほどすばやく、冷酷なまでに効率的におこなわれなかっただろう。同じことがアメリカでも起きる可能性がある。[27]

このように政府がすべてに入り込んで、あらゆる形のプライバシーの侵害によって得られる有益な結果は、がっかりするほどごくわずかである。情報を干し草の山のように集めてしまうと、そこから利用可能な情報という針を探すことはさらに難しくなる。われわれは非常に多くの人に関するとても多くの情報を持っているために、貴重なシグナルが無意味なノイズによってかき消されてしまう。興味が持てそうなテーマを山ほど見つけても、本当に役立つ少数の情報は、他の多くの情報に紛れて見落とされてしまう。

ビデオ監視も日常生活の中で急速に普及した。その先駆けとなるシステムは、ナチス・ドイツによってV-2ロケットの発射を監視するためにペーネミュンデに設置された。CCTV（閉回路テレビ）がアメリカで初めて使用されたのは、一九四九年に『一九八四年』が出版された直後である。今や、監視カメラが公共スペースの隅々をカバーしている。その設置の動機もすばらしいものだ——犯罪を防ぎ、犯罪者の起訴を助けるためである。その点で、CCTVは実に効果的だった。実際に犯罪率は減少している。現場での犯行の様子を録画した映像ほど、よい証拠はない。しかしリスクも非常に大きい。現在のテクノロジーによって、どの公共スペースにおいても、ほぼあらゆる個人（および車）の動きを政府が視覚的に追跡することができる。現在イギリスでは、国民一四人あたり一台のCCTVが設置されている。そしてCC

TVの機能は、カメラが見ているものをコンピューターが自動で解析する画像解析技術（VCA）によって大きく向上してきた。急速に進歩するテクノロジーによって、部屋にいる人々の識別や、表情に基づいて感情を分析し、その人たちの行動の目的を理解できるようになっている(28)。

NSAやCCTVのプライバシー介入の度合いは不気味に思えるほどだが、それでもグーグル、アマゾン、フェイスブック、アップル、マイクロソフトやその他のサイバー企業による全面的な介入に比べれば大したことはない。これらの企業は、われわれに無料で多くのものを提供しているが、時価総額では世界で最も裕福な企業の部類に入る。実際、われわれはそれらの企業に対し、形がなくとらえがたい新たな通貨——われわれが進んで失うプライバシー——を支払って、彼らの価値をすばらしく高めているのだ。大手インターネット企業は、この上なく貴重な財産を持っている——われわれが自分のことを知る以上に、われわれのすべてを知っているのだ。インターネットが世界中に普及する中、そうした企業は、われわれが誰と連絡を取っているか、どんな発言をしているか、どんな物を誰から買っているか、どんな話題に興味があるか、その話題についてどう考えるのか、今どこにいるのか、どこに行くのか、どのくらいの収入があり、どのくらい使っているのか、どこに誰と住んでいるか、どのような外観の家なのかを簡単に見つけ出すことができる。

あらゆる物がインターネットに接続されるようになり、至る所にチップが配置されるにつれて、インターネットは、心拍数や毎日の活動レベル、部屋の設定温度、冷蔵庫の中身、車を運転するスピード（われわれ全員が自動運転車に乗るまでの間だが）に関する情報を得るだろう。研究によれば、「いいね」や検索パターンに基づいたグーグルのパーソナリティ分析は、自分の家族による判断よりも優れているという。そうしたことを考えもせず、人々は言わば丸裸の状態でコンピューターと親しく語らっている——コンピ

ューターに向かっていないときよりも、自分のことをさらけ出していることが多いのだ。(29)

情報保管が安価になり、のちに誤用されるかもしれないあらゆるリスクを伴いつつ、こうしたすべての情報が永遠に利用できるようになっている。現在、寛大に受け入れられている趣味、交際、政治的信念、性的嗜好、民族的背景は将来、恥、恐喝、弾圧、投獄の原因となるおそれがある。インターネットによるプライバシーへの介入は、無意識のうちに急速に広がり、不満なく受け入れられてきた。それによって、かつてない水準の便利さが、われわれにもたらされたからである。ワンクリックで品物を購入したり、ほこりが舞う図書館に行かずに世界中の知識を調べたり、ソーシャルネットワークで世界中の人と友達になったり、家にいながらにして銀行と取引をしたり、いつ右折するべきかを優しい声で教えてもらったりするのは、なんとすばらしいことだろう。だが、われわれが取るすべての行動によって、何らかの情報が明らかになり、プライバシーが侵害され、外部からわれわれが操られるようになる。今のところアメリカでは、こうした監視ツールはおもに営利目的で使われているが、それを簡単に政府の武器に変えられることは、中国、ロシア、イラン、シリア、エジプト、その他独裁政権で、すでに十分示されている。そうした国々は、アメリカから購入したテクノロジーを頻繁に使って、電話やメール、テキスト・メッセージ、ソーシャルネットワークのやりとりに侵入し、政治的・社会的反体制派と、彼らが接触している人物を追跡している。トランプ（あるいは彼のような者）がビッグ・ブラザーになることほど恐ろしい事態は想像できない。非常に多くの人々が『一九八四年』を読んだり、あらためて読み直したりしているのは当然のことだ。

銃を使いたがる人々

社会の妄想

銃の数は多ければ多いほどよい。銃が人を殺すのではなく、人が人を殺すのだ。武装した人は頼れる人である。

現実検討

アメリカ人は銃をとても気に入っている。そのためにアメリカはやたらと銃を使いたがる国になってしまった。銃を持って生活している人が銃によって亡くなることが頻発している――アメリカでは、銃によって亡くなる人が、自動車事故で亡くなる人よりも多い。さらにとんでもないことに、現在アメリカ人が持つ銃器の数は、アメリカの人口と同数の三億丁以上にのぼり、それらが四五〇〇万人の手に集中している。アメリカの人口は、世界人口の五パーセント以下であるにもかかわらず、一般市民が持つ銃の数では、全世界の五〇パーセントを占めている。死をもたらす銃の負の側面を見てみよう。銃による殺人が一万一〇〇〇件、自殺が二万件、過失による死亡事故が二〇〇〇件起きている（さらに、死に至らない傷害事件はどれほど多いことか）。アメリカにおける銃による殺人件数は、イギリスの七〇倍、日本の三〇〇倍である。また悪いことに、アメリカの成人の一〇パーセントが、衝動的に怒る性質と銃を合わせ持っているために、さらに大きなトラブルを招いている。銃による暴力は、アップルパイと同じくらいアメリカ的なものであり、最も深刻であるが、同時に予防も可能な公衆衛生上の問題の一つである。[30]

銃による安全確保は幻想であり、説得力のあるデータとの矛盾によって消えてしまうはずのごまかしのプロパガンダである——しかし実際にはそれが消えることはない。全米ライフル協会（NRA）は決して答えに窮することはなく「銃を持った悪い人間を止めるのは、銃を持ったよい人間だけだ」と言っている。ちょっと待ってほしい。悲しいことに事実は、銃による防御というのがほぼ幻想であり、銃によってもたらされる害が実際にあるということだ。防御用として銃を使うことによって救われる命の数を推測するための信頼に足る方法はないが、攻撃的で自滅的かつ不注意な銃の使用によって失われる命に比べたら、大した数ではないだろう。外部の敵から身を守るために銃が使われるケースはごくまれである。だが、自殺を試みる場合や家庭内のけんかで誤って銃が発砲されることは、往々にしてある。ある統計がすべてを物語っている——銃を所持している家庭では、殺人に遭う可能性が、銃を所持していない家庭のほぼ三倍になるというのだ。アメリカ人はこのことを理解していない——われわれは、銃を持つことによる危険と比べた場合の銃の安全性について、きわめて間違った情報を与えられているのだ。[31] 六〇パーセントという多くの人が、銃は「人々の安全を危険にさらす」のではなく「犯罪の被害者にならないように人々を守るために役に立つと考えているのである。

ぞっとするような話は多い——家庭内殺人、学校や職場での大量殺人、誤って子どもを撃った子ども、母親を殺した二歳児など、あげればきりがない。警官がまず発砲してから犯罪者を尋問するのは、彼らが銃を持っている恐れがあるというのも理由の一つである。とりわけ恐ろしい大量殺人が国を揺るがすたびに、銃規制が緩和され、銃の販売数が大きく伸び、銃器メーカーの株価が跳ね上がるという矛盾した結果が起きる。NRAは常に強気の姿勢で、銃の所持者を脅して、自分たちの武器が取り上げられつつあると思わせ、臆病な政治家たちに対しては、多額の選挙献金を取り下げると脅している。多くの州では、車、教会、バー、公園、大学のキャンパスで、他人から見えないように銃を携帯することが合法になった。N

RAの偽善から生まれた恥知らずな論理的結論は、銃による死亡事故を（銃ではなく）精神疾患のせいにすると同時に、精神疾患を持つ人がもっと簡単に銃を買えるようにする法律の制定を強く要求することだった。アメリカ人の九〇パーセント（NRA会員の大多数も含まれる）が常識的な身元調査の実施を支持しているが、死の商人である貪欲な銃器メーカーから多額の資金を得ているイデオロギーに縛られたNRAの指導部が、それに逆らうように、身元調査をおこなう取り組みを挫折させている。

なぜNRAはそのような行動をとるのだろうか。一九七〇年代後半までNRAは、おおむね猟師を擁し、うまく運営された分別のある組織だった。政治とは比較的無関係で、企業の影響力に大きく左右されることはなかった。その後、急進派の政治的クーデターを通して新たな指導部が、共和党と密接なつながりを持ち、銃器メーカーから多額の資金を受ける過激なイデオロギーを中心とした勢力と合体した――これは不浄な同盟である。現在NRAは、直接的にも間接的にもその予算の大部分を支える銃器産業のロビー団体として位置づけられている。そして銃は火力の面で、恐ろしいほど強力になった――それは一般市民よりも軍が使うほうがふさわしいものだ。どの銃器店に行っても、展示されている武器の致死性と種類の豊富さに驚くだろう――兵器レベルの殺人マシーンは、大量殺人に使うのにきわめて都合がよく、体格のよい男性から小柄な女性、子どもに至るまでのあらゆる好みに合うよう、洗練されたデザインになっている。NRAは「全米兵器協会」に改名するべきだ。

そしてさらに状況は悪化している。アメリカは世界一の武器メーカーでもある――武器輸出額は、年間六六〇億ドル以上にまで急増し、世界市場の四分の三を占める。二位のロシアはほんの五〇億ドルで、アメリカとの差はかなり大きい。国家間の戦争や内戦は至る所でますます増え、アメリカ製のマシンガン、ライフル、戦車、装甲車、ミサイル、手りゅう弾、ヘリコプター、戦闘機が使われている。厄介なのは、今日の友が明日の敵、あるいは破綻国家になるかもしれないということだ。アメリカ製の武器が敵に取られたり、売られたりした後、その武器がわれわれアメリカ人に向けられるということは非常に多い[32]。

武器メーカーが喜んでいる。軍が喜んでいる。強い愛国主義者である政治家と政策立案者が喜んでいる。武器商人が喜んでいる。軍司令官が喜んでいる。反逆者、雇兵、暴動を扇動する過激派が喜んでいる。一方、アメリカ製の武器で殺された罪のない男性、女性、子どもは喜んでいない。その人たちの家族は喜んでいない。警察協会は喜んでいない。分別のある政治家は喜んでいない。破綻国家に住む人々は喜んでいない。当時の世代で最も偉大な戦士だったドワイト・アイゼンハワーが、一九六一年に大統領を退任する際、全国民に向けた退任演説の中で、「軍産複合体」が及ぼす悪影響について警告を発した。しかし、われわれはその警告に耳を貸さなかった。

銃規制政策を進めることは無駄なことで、かえって逆効果にさえなるのではないかという主張も一部にある。たとえば、「政治家たちは買収されている」「きわめて多くの銃がすでに出回っているから、もう手遅れだ」「銃を持つことは神から与えられ、憲法でも保障されている権利であることは疑問の余地がない」「銃規制の取り組みが逆に不安をあおっているから、記録的な銃の売り上げにつながっている」などという数々の主張がある。だが私は信じない。過去四〇年間アメリカで続いてきた銃に対する熱狂ぶりは、長続きするはずがない。それはクレイジーなものだからだ。いつかは、常軌を逸した大量殺人、増え続ける自殺、悲劇的な事故という重りが、天秤を正気の方向に傾けるだろう。銃廃止派と銃擁護派との合理的な妥協点は、無責任な銃所持と銃使用を減らす手段として、自動車運転免許に匹敵するようなものを導入することだろう。これが最良の解決策ではないが、常識的な妥協をするほうが、銃が発砲される今の状況よりずっとましである。共和党の過激な銃擁護派が、政府に対する強い支配力を失うまで、銃規制は実現しない。あまりにも多くの人が命を落とし、政治家が、イデオロギーに縛られたＮＲＡや強い力を持つ武器産業、正気を失った過激な銃所持者を恐れるのではなく、怒りに満ちた一般市民を恐れるようになって初めて、銃規制が本当に動きだす。

人工知能対人間の知能

社会の妄想

技術革命によってなされることは、すべて正しい。

現実検討

人工知能は進化が速すぎて、常識や倫理上の配慮をもって適切に制御できない。

私の二〇歳になる孫は、人間に対してはディストピア的な見方を、コンピューターに対してはユートピア的な見方をしている。愛他心と協調よりも、貪欲さと個人の利益を好む人間の遺伝子構成がもたらした原罪にわれわれは汚されていると、孫のタイラーは考えている。彼はコンピューターの善意と中立性のほうに信頼を置いている――コンピューターは忠実で優しく、自分に仕えるよう十分に訓練された僕《しもべ》で、われわれの主人になろうという動機は持ち合わせていないというのが、彼の見方である。コンピューターは、徹底して理性的であるようにプログラムでき、理性は高潔さにつながるというのがタイラーの考えだ。コンピューターは、ほとんどの領域で人間をはるかに追い抜いたあとでさえ、人間に親切であり続ける。それは、人間が祖先崇拝といった類の概念を、コンピューターに組み込むからだというのだ。

タイラーは、われわれ人類が救われるために、コンピューターを信頼しなければならないと考えている。それは、コンピューターのほうが人間よりも理性的だからだ。人類は生存の危機にある。状況を正す時間も失敗をする余地もほとんど残されていない。これまで、貪欲で私利を追求する自滅的な性向を克服した文明はなかった。今までに示されたエビデンスからは、われわれがさらに理性的で寛容になったと考えられる理由を見つけることができない。だから、われわれが自らのために下す決断よりも、もっとよい決断をするようにコンピューターに委ねることができる。コンピューターは、人間にはあまりに複雑すぎて正しい評価や解釈ができない膨大なデータのまとまりを分析し、冷静に解釈できる。世界人口や、生産性、資本投資、穀物生産量、水やエネルギーの供給量、鉱山の産出トン数などの情報をコンピューターに入力すれば、世界の人々に対するもっと効率的で公平な資源分配の方法や、最も刺激が少ない方法で人口過剰を緩和する方法を考えてくれる。コンピューターは資源を枯渇させないから、環境を破壊することはない。それにコンピューターは社会の妄想を抱かない。われわれは自らを信頼できないため、コンピューターを信頼しなければならないのだ。

タイラーは、人間に対しては悲観的に考えすぎ、コンピューターが持つ永遠の善意に対しては楽観的に考えすぎている、と私は思う。コンピューターが、われわれに対して永遠に親切であるという標準設定の役割を続けていくと考えられるだろうか。コンピューターはその進化によって、人間の本来の意図や指示から大きくかけ離れたプログラムを選択するかもしれない。人間をほとんど寄せつけようとしない人工知能という「生き物」は、シリコン界の適者生存の中で最もよく適応していけるだろう。タイラーは、コンピューターがわれわれの問題を解決すると考えているが、コンピューターが人間を一つの問題として見ているとは、どうして考えないのだろうか。

人工知能の熱狂的支持者は、コンピューターの能力の想像を絶する成長を予測したムーアの法則[*19]がおそらく将来も限りなく続き、コンピューターがほんの数十年以内に人間の知能を追い越すと予測している。一方、人間は賢くなるにしても、そのスピードはとても遅い。すぐにずば抜けて賢いコンピューターが、さらにもっと賢いコンピューターを開発することができ、さらにそれがまた賢いコンピューターを開発するというプロセスが繰り返され、学習スピードが遅いわれわれ人間は大きく引き離される。「シンギュラリティ」は、人工知能が人間の知能を追い越すという、進化の転換点を表すのに使われる言葉である。そのときに何が起きるかは誰にもわからない。

人工知能の最初の先駆者(アラン・チューリングとジョン・フォン・ノイマン)は、そうした日が来ることを六〇年前に見通していた。彼らは、やがてコンピューターが、力任せの計算力に頼った知性の勝負で、ことごとく人間に勝つと考えていたのだ。だが彼らは、こうしたことを瞬く間に起こせるほど、チップ技術が進化するとはまったく想像していなかった。コンピューターはまず、気象や景気動向、粒子の衝突、宇宙の起源、そのほか科学者が研究するほとんどの事柄のモデル化に必要な大量の数値計算において人間に勝った。チェスや、クイズ番組「ジェパディ!」、碁、人間の顔と感情表現の認識、車の運転、飛行機や宇宙船の操縦、医学的診断、ヘッジファンドの運用では人間を負かすのにやや時間はかかったものの、かつてコンピューターの能力の範囲外だと考えられてきた非常に多くの事柄で人間より優位に立っている。

チューリングが提唱したチューリング・テスト[*20]は、コンピューターにとって比較的簡単であった――コンピューターは、今やまさに生身の人間と思えるような、機知に富み、比喩や慣用語を使った言い回しで会話を続けることができる。人間だけの例外として残ると思われる能力は、恋をすること、セックスをすること、ジョークを言うこと、詩を書くこと、ポーカーをすること、感情を持つこと、独立心を持つこと、個人のアイデンティティを認識すること、意識を大切にすること、ばかばかしいミスをすることだけである。近いうちに、コンピューターはほとんどの人間を失業させるかもしれない。そして「シンギュラリティ」が来れば、コンピューターは完全に人間に取って代わる可能性がある。(33)

人工知能の業界は、きわめて深刻な結果をもたらす可能性を考えず、期待と成果を限界まで高め続けている熱狂的な人々であふれている。彼らは、政府や企業、億万長者の素人愛好家に多額の資金援助を受け、新たなシリコン製人工生命体を作る力の虜《とりこ》になった現代のフランケンシュタイン博士だ。彼らの仕事はほとんど規制されておらず、その危険性に関わる貴重な議論はほとんどおこなわれていない。

ビル・ゲイツやイーロン・マスク、スティーブン・ホーキング[*21]は皆、われわれに従順であるようなコンピューターを作ることが、やがて将来の人類生存に対する脅威になるかもしれないと危惧している。人間が今後、地球外生命体と接触する確率を計算する理論家は、人間が接触する地球外生命体が機械であり、生物学的生命体ではないと予測するようになっている――それは、生物学的生命体の生存期間のほうが、もともとずっと短いからだ。単純な元素の複雑な生命体への進化は、宇宙で必然的に起きることである。しかし、そうした生命体には、賢くなり（また愚かにもなって）、自らにやがて取って代わる機械を作り出す性向が、もともと等しく備わっているのかもしれない。

人工知能を開発するコンピューターの天才たちは、「自分ができることはやるべきだ。やらなければ、競合する者に間違いなくやられてしまう」と、フランケンシュタイン博士のような独善的な態度を取っている。彼らの取り組みは技術の上ではすばらしいが、倫理に関する議論や大人の監視によって縛られていない――手段のみに重点が置かれ、目的がまったく考慮されていないのである。私の年齢や人間というものに対する感情的な愛着からなのかもしれないが、「人間はよい。でもコンピューターはもっとよい」という姿勢は、ひどく恐ろしく感じられる。人間はコンピューターのシンギュラリティがもたらす、こうした「すばらしい新世界」に立ち入ってはならない。その世界では、人間がそこで担うであろう取るに足らない役割（それがあればの話だが）は気にも留められないだろう。人間に対して最終的にどんな影響があるのかを、前もって徹底的に話し合うことなく、人間ができるありとあらゆること（さらにそれ以上のこと）をこなせる、さらに賢くすばらしいプログラムを、深く考えもせずに開発するべきではない。コンピューターに制御された世界で、人間が不要な存在であるとコンピューターが決めるリスクをはじめに話し合うことなく、そうした世界を創造するという目先の喜びを重視するべきではない。億万長者でシリコンバレーの起業家であると同時に、トランプに多大な影響力を持つ顧問の一人であるピーター・ティールは、テクノロジー業界の規制緩和を強く主張している――失業という倫理面での懸念や、人口過剰による人類生存の懸念をばかばかしいと考えているのだ。人よりも利益が優先されている。熱心なテクノロジー専門家は常に、人間に利益をもたらすような好ましいコンピューターの利用を強調するが、そのリスクや意図せぬ結果はすべて無視している。コンピューターが作るユートピアを夢見る者たちは、究極のディストピアの創造へとまさに向かいつつある――その世界に人間はいない。

願わくば、つかの間の狂気であれ

私のあとに続く未来を思うとき、頭の中では悲観的なシナリオが紡がれて、重苦しい気持ちになる。われわれが受け継いできたものを守り、われわれの国家の礼節を維持するであろう、政策上の難しい選択をすることなく、われわれは美しい世界を台無しにしているように思える。われわれは「共有地の悲劇[*22]」を演じている――人口が増え続ける世界で、人々はますます少なくなるものを求めて必死に競い合っているのである。人類には悲しむべき致命的な欠陥があるようだ。個人の幸福を最大限に追求することは、集団にとっての惨事につながる可能性がある。われわれはまるで、ペトリ皿にある限られた資源の量に見合う数を間もなく上回るほどに繁殖した貪欲なバクテリアのようだ。実にぞっとする。そして、トランプと彼を取り巻く科学否定論者の浮かれた一団が社会の妄想を滔々《とうとう》とまくしたて、臆面もなく嘘をつき、人類が直面する生死に関わる問題にことごとく最悪と思われる決断をするにつけ、トランプが大統領になる前から私が抱いていた少なからぬ不安は急激に高まった。

われわれの一番の望みは、今まさにわれわれが身を置いているつかの間の狂気、言わばトランプの暗黒時代というディストピアが、われわれを救いに導く悟りの世界に間もなく取って代わられることだ。われわれが現実を否認していることを理解し、目を覚ますためには、おそらくトランプという名のショック療法が必要なのだろう。大きくて問題解決能力のあるわれわれの脳は、おそらく前もって危険に気づき、ついには御しがたい無意識の感情を制御するだろう。重大なリスクは、われわれが目覚めるのが遅すぎて、そのときにはもう取り返しのつかない害が及んでしまうことだ。

大きな謎は、これほど賢い人間が、どうやってこれほどばかげた決断を下せるのかということである。われわれは宇宙の起源を理解しゲノムを解読した。高度な計算法を編み出しコンピューターを発明した。相対性理論と量子物理学を発見した。『ハムレット』と、ベートーベンの交響曲第五番を書いた。モナ・リザを描きピエタを造った。ピラミッドやサン・ピエトロ大聖堂を建てた。地球の至る所、そして太陽系を探査した。実に驚くべきことである。だが、われわれは、ずっと平和に暮らす方法、欲望を抑え分相応な暮らしをする方法、われわれの現在のニーズと将来に対する責任のバランスを取る方法を、これまでほとんど考えることができなかった。われわれは、われわれが一つの文明として、そしておそらく一つの種として生き残るに値するかどうかを決めるために今すぐ現実に必要とされているものを、社会の妄想によって自ら見えなくしている。われわれは進化の途上にある——脊柱は二足歩行に完全には適合していないし、虫垂は益よりも害をもたらしている。われわれの心は、自滅的な行動につながる原始的な本能によってコントロールされている。人間とは何者か、どのようにここまで進化し、なぜこれほど優れていると同時に愚かでもあるのか。次章がそれらを明らかにする一助となるだろう。

［訳注］

＊1 アメリカのイラストレーター、ウォルト・ケリーの漫画作品。
＊2 約八～六億年前に赤道付近も含む地球全体が氷で覆われたという仮説。全球凍結とも言う。
＊3 二〇一六年末、任期満了に伴い上院環境委員会委員長を退任。
＊4 二〇一八年三月に解任。
＊5 二〇一八年一二月に辞任。
＊6 二〇一八年四月より国務長官。
＊7 二〇一八年一一月に解任。
＊8 二〇一八年一二月に辞任。
＊9 二〇一七年九月に辞任。
＊10 二〇一八年七月に辞任。
＊11 農業の生産性向上を目的とし、穀物類の品種改良などの農業技術の革新と、発展途上国への導入の過程を指す。
＊12 アメリカが世界最大の農産物輸出国であることを表し、「世界の食料庫」とも言われる。
＊13 アメリカにおけるプロアメリカンフットボールリーグで、ナショナル・フットボール・リーグの略。
＊14 アメリカにおけるプロアメリカンフットボールリーグの王座決定戦。毎年一月下旬か二月上旬に開催される。

＊15　欧米において、専門医とは異なり、日常から健康状態全般を見て相談に乗ってくれる主治医。

＊16　六五歳以上の高齢者を対象とした既存の公的医療保険制度であるメディケアを基礎に、連邦政府運営の医療保険を全国民に提供する案。

＊17　中東から北アフリカで、古くから食されているナツメヤシの果実。

＊18　生物が自然の生態系内で生きていく上で必要な環境を得るために、種間の争奪競争に勝つ、または耐えて得た生態系内での地位のこと。

＊19　一九八五年、フェアチャイルド社の研究部長だったゴードン・ムーアが、五九年に発明された集積回路の五年間のデータを分析した結果、半導体集積回路のチップあたり素子数が毎年二倍になる傾向を発見し、それが今後も続くと予測した。

＊20　一九五〇年、チューリングが提唱した実験。被験者の前に二台のディスプレイが置かれ、被験者の問いに対し、一台のディスプレイには人間が出した答えが、もう一台のディスプレイには人間をまねるように作られたコンピューターが出した答えが表示される。被験者が、いずれが人間かコンピューターかを見分けられなければ、そのコンピューターには知能があると判断される。

＊21　二〇一八年三月死去。

＊22　誰でも自由に利用できる状態にある共有資源（出入り自由な放牧場や漁場など）が、管理がうまくいかないために、過剰に摂取され資源の劣化が起こること。ギャレット・ハーディンの著書『共有地の悲劇』によって提唱された。

第二章

なぜわれわれは、これほどひどい決断を下すのか

生き残るのは最も強い種ではなく、最も知的な種でもない。最も変化に適応した種である。

——チャールズ・ダーウィン

過ちは人の常である。その理由を突き止めることは必ずしもよい気分をもたらすとは限らないが、それが、いつも同じ過ちを犯さないようにするための唯一の方法だろう。最も賢明と言われる人々でさえなぜこれほど頻繁に愚かな間違いをしでかすのか、哲学者たちは常に疑問に思ってきた。最初に最も明確な喩えを用いて説明したのがプラトンだろう。彼は、人間の魂を、それぞれ違う方向に進もうとする翼が生えた力強い二頭の馬と、それらを操るのにひどく苦労している御者に見立てた。御者は理性を、二頭の馬は強い気概と荒々しい衝動を表している。以来、作家たちは、われわれが頻繁に過ちを犯す原因となる隠された動機を好んで作品に取り入れ、そうしたわれわれの失敗を、愉快な喜劇や陰うつな悲劇に仕立て上げてきた(1)。持って生まれた無意識の衝動が持つ力は、決して謎に包まれたものではなくなった。しかし、そ

うした力の源が、チャールズ・ダーウィン[2]やジークムント・フロイト[3]の著作で明確に説明されるまでには、二〇〇〇年以上かかった。そして最近、人間がまったく理性的な生き物ではないという事実が、ノーベル賞を受賞した認知心理学者や行動経済学者たちによって、さらにはっきりと証《あか》されることとなった。[4]一方、神経科学者たちは、どの神経回路がどのような衝動をつかさどり、どのようにその衝動を制御しているのかを懸命に究明しているところである。

誤った政治的決断と社会の妄想に関する体系的な研究の歴史も、はるか昔にさかのぼる。トゥキュディデスは、ペロポネソス戦争で戦った両陣営が犯した選択の誤りを、きわめて詳しく分析することによってその歴史を切り開いた。[5]彼には先見の明があり、こうした特定の戦争において何を誤ったのかを深く理解することによって、その後のあらゆる戦争で繰り返し失敗する可能性がある事柄を明らかにできると考えていた。ベトナムやイラクへの無意味な侵攻について理解するために最もよい道しるべとなるのは、アテネが二四〇〇年前にシチリアに侵攻したときに、まさに同じ過ちをどのように犯したのかを研究することである。アリストテレスはもっと違った経験的手法を取った。ギリシアにある一五八の都市国家の憲法を集め、そこに書かれているさまざまな統治ルールの中のどのような要因が最も成功、あるいは失敗につながりやすいかを見極めたのである。[6]社会の過ちを明らかにする近代の取り組みは、ローマ帝国の衰亡に関するエドワード・ギボンの見事な歴史的分析から始まった。[7]そしてごく最近、社会の成功と崩壊の地理的決定要因に関するジャレド・ダイアモンドの卓越した分析によって、そうした取り組みは頂点に達した。[8]

人間の行動の動機を理解することは、とても難しい。それは人間が、自らがとる自滅的な行動に対して都合のよい言い訳をひねり出す能力にとても長けているからに他ならない。人間の行動の大部分は自動的におこなわれ、持って生まれた無意識の本能とある程度生来のものである気質に対しては、意識による制御がほとんど及ばない。人間はたいていの場合、自らの経験とシナプスが指示したことをおこなっていて、なぜそうした行動をとっているのかを頭で理解しているわけではない――人間は、最初からそうした行動を自発的に選択しておこない、自分がやっていることを本当にわかっているかのような、もっともらしいストーリーを後から作り上げている。われわれの大切な「意識」はたいていい、敏腕な御者と言うよりは、おとなしい語り手で、心の中にいる暴れ馬が無頓着に馬車を引く理由や、その行き先について、納得のいく正当化をしようとしている。個人として、また社会として、人間を最もうまく制御する方法は、人間を突き動かす無意識の力を探究することであり、これが本章の目的となる。

心理学を進化させたダーウィン

人間も動物も、快楽や苦痛、幸福や不幸を感じる能力に、根本的な違いはない。

――チャールズ・ダーウィン

チャールズ・ダーウィンによるこの深い洞察が、近代心理学の始まりであり、その中核をなすものである。人間のほとんどの活動分野で、誰か一人の天才が他の才能あふれる偉人たちから明らかに抜きん出ているなどということはない。最も偉大な哲学者、物理学者、芸術家、野球選手、映画スターをそれぞれ一人だけあげることはできないだろう。各分野で非常に多くの人々が功績をあげていて、ある一人の人物がいくら偉大であっても、その輝きが他の優秀な人々を凌《しの》いでいると言うのは難しい。ただし心理学は例外だ。チャールズ・ダーウィンは、この分野で完全に他者を圧倒している。ダーウィンが登場する前、彼ほど現代の理論に通じる理論を語った者はいなかったし、彼が登場して以降も、そうした理論の細かい修正や実験による確認、臨床的応用を除けば、新たな内容が付け加えられることはほとんどなかった。

プラトンにまでさかのぼるすべての哲学者は心理学者でもあり、人間の本性に関する理論、つまり何が人間の行動や考え方を引き起こしているのかを詳細に論じてきた。主観的な自己観察や、演繹的推論、イデオロギーを組み合わせて、それぞれの哲学者は、人間の心に関する独自のモデルを作り上げようとしたが、概してそれは、各自の心の輪郭や癖によって形成されたものだった。あるモデルが、他のモデルに比べて洞察に富み、現実に見合っているということはあっても、すべてのモデルは、その哲学者の特殊な思考プロセスや信念を説明するもので、人間が今ある姿になるまでどのような道をたどり、人間の心がなぜ今あるような形で働いているかという根本的な質問には答えていないように見受けられる。誰もが人間の本性について説明しているが、その本性がどのように人間を人間たらしめているかについては、誰も解き明かしてはいないのである。

ダーウィンは、それまでいた心理学者全員から抜きん出た存在となった。彼は、ビーグル号での航海からちょうど二年後の一八三八年に、ノートに走り書きをしている。余白に書かれたちょっとした言葉には、彼の後にも先にも誰一人獲得できなかった、最も深い心理学上の洞察が含まれていた。

「ヒヒを理解する者は、ロックよりも形而上学を極めるだろう」(9)

ダーウィンが言う形而上学とは心理学のことだ。彼が触れているのは、イギリスの偉大な哲学者ジョン・ロックのことである。ロックは、ダーウィンが登場する二世紀前にこう述べていた。

「心は、言ってみれば文字をまったく欠いた白紙で、観念はすこしもないと想定しよう。どのようにして心は観念を備えるようになるか。人間の忙しく果てしない心想が心にほとんど限りなく多種多様に描いてきたあの膨大な貯えを心はどこから得るか。どこから心は理知的推理と知識のすべての材料をわがものにするか。これに対して、私は一語で経験からと答える」[*1]

ロックの心理学では、人間は空白の石版のような心を持って生まれてくる。その後人間がどのように成長するかは、自身の感覚を通じて経験したことだけによって決まるというのである。[(10)]

人間にとって衝撃的かつ屈辱的であったダーウィンの洞察は、人間が自由に生まれついていないという点にある。われわれは動物だというのである――身体だけではなく、心も、魂とされているものも含めて、われわれは動物なのだ。人間の身体の形態は、進化を通じて得られたものだ――そして人間の心理的形態も進化から生じた。人間の本能、感情、知性は、霊長類の祖先から進化してきた――それは身体の形態とまったく同様の進化を遂げてきた。人間は、経験の世界と作用し合う、一連の複雑なプログラムを持って生まれてくる――つまり石版はまっ白ではなく、持って生まれた遺伝情報で埋め尽くされている。人間の動機づけや行動様式の多くは自覚した意識や制御の外側にあり、感情、行動、思考の大部分を決定している。

ダーウィンは、自分が唱える新たな進化心理学が、どれほど人間のプライドを傷つけるのかを十分わかっていた。彼は、自分が発見したことを引き出しの中にしまい続けた。気が進まないながらも最終的に発表するに至るまで、三五年かかった――その理由は、彼が理論を提示するまで事実の収集に細心の注意を払っていて、人間に対するこの唯物論的な見方が世界ではまだ受け入れられないと認識し、さらに彼の発見によって、人間の独自性をかたくなに守ろうとする批判家たちとの対立が避けられなくなることを好まなかったからである。

人間は神をかたどって造られた、かけがえのない、祝福された子どもではない。また、ありのままの世界を経験し、自分の欲求やニーズの理性的な評価に従って、世界（あるいはわれわれ自身）を形成するように自由に生まれついているわけではない。われわれ人間は思っていたほど賢いわけではないし、われわれの兄弟や親戚にあたる動物たちの頭が悪いということも決してない。人間に「自由意思」のようなものはなく、動物が持って生まれた本能に完全に縛られているわけでもない。人間は、おそらく一時的に、生い茂った万物の木のただ一本の枝となっているにすぎない。決して万物の目的などではないし、おそらく進化の実験において大きな期待が持てるような存在では必ずしもないだろう。

心理学に対してかつておこなわれていた哲学的な考察は、主観的な推論でしかなかった。内省という行為は、決してそれだけで適切な考察の方法にはなりえない。自己観察は強い先入観を伴うものだからであり、われわれは何者なのかという問いの多くは意識レベルで考えることができないからである。胃がその一つの機能として消化をおこなうのと本質的に違わない形で脳が機能した結果として人間の心と意識が生まれるとすれば、心理学は、実験と観察という科学の標準的な手法を用いて研究することが可能だ。われわれは、心理面と身体面両方の進化の段階を研究することによって、自分を最もよく理解することができるようになる。

ダーウィンは、心理学の新たな経験的研究手法の確立に着手した。その後、それが心理学の分野における標準の手法となった（たとえば、子どもの観察、比較文化調査、当時としては最新の発明である写真を使った表情の研究など）。

ダーウィンが亡くなったとき、フロイトは二六歳で、二人が直接会ったことはなかった。だが、フロイトの師匠たちは皆ダーウィンの影響を受けていて、気づかぬうちに「ダーウィン語」を話していた。それは現在、われわれが皆、無意識のうちに「フロイト語」と言われる専門用語を口にしているのと同じである。ニュートンは自分のことを、先人である巨人の肩に座る小人である、と控えめに表現した。心理学では、ダーウィンの肩に座っているのがフロイトだった――彼は進化に関するダーウィンの洞察を、精神的症状や夢、神話、芸術、人類学、日常生活の浮き沈みといった幅広い世界に巧みに応用した。アーネスト・ジョーンズは、自分が英雄とあがめるフロイトの伝記を著し、彼のことを「心のダーウィン」と呼んだ。実際は、ダーウィンが「心のダーウィン」そのもので、彼の最も偉大な弟子がフロイトだったのである。

人間心理の理解における最も重要な前進は、人間の精神生活の大部分が、理性や意志でコントロールされず、自動的かつ無意識に営まれていると気づいたことである。ダーウィンが登場する前後の時代に、多くの哲学者、科学者、そして作家が、無意識の領域の探究をおこなっている。だが、この点でダーウィンは、最も重要な人物としてずば抜けた存在だった。それは、彼が人間の心と霊長類の歴史を結びつけることによって、それまで説明されていなかった空白の部分の多くを埋めることができたからである。現在の世界の中でわれわれが多くの誤った決断を下すのは、五〇〇〇万年の哺乳類の進化の過程でわれわれの祖先が直面した状況に脳が適応するようになっているからなのである。

自然選択と性選択

幸福とは、われわれの遺伝システムが、その唯一の役割である種の存続を果たすために、われわれに仕掛ける一つのトリックにすぎない。

――パウロ・コエーリョ

一八三八年、ダーウィンは二度の大当たりを引きあてた。進化の仕組みを突き止めたのとほぼ同時に、進化が人間の心理に与える影響を発見したのである。すべてがすばらしく単純明快な理論だった。驚いたことに、彼より前に誰一人、バラバラのピースをつなぎ合わせた者はいなかった。

多様性豊かな生命の姿は、自然選択と性選択の相互作用によってもたらされる。偶然に発生した、環境に対する適応性と性的魅力の高い変異体は、優先的に次の世代に進み、やがて優位を占めるようになる。人間の存在は、神の介入を受けてすでに予定されていたものでも、目的を持ったものでも、導きを受けたものでもない。人間の身体と心にもともと備わっている仕組みを理解するためには、厳しい自然を生き抜き、性的パートナーをめぐって争い、生命力のある子孫を育てるための戦いに勝つためにどのような利点が身体と心に与えられているのかを理解しなければならない。

自然選択が進化を促す仕組みについては、ほとんどの人が知っている。一つの種に存在する変異体のなかで最も環境に適応したものが最終的に繁殖の競争に勝ち、その子孫が地球上での小さな居場所を受け継ぐ。彼らが生きられるのは、少なくともさらにうまく環境に適合した変異体に居場所を奪われるまでの間である。完全ではない形態や機能を持つ個体もまた生き残れず、残す子孫の数も少ない。環境によく適応した遺伝子は何世代にもわたって増えることができる。また自然選択では一様であることが好まれる――たとえば、ある一つの種に属する鳥はすべて、ほぼ同じ長さの翼を持つ傾向にある。それは、その鳥の飛び方にちょうど合った長さだからだ。また、くちばしが同じ形をしているのは、その鳥特有の獲物を食べるのに最も効率がよいからである。

一方、性選択が、一つの種の中で、いかに幅広く変化に富んだ違いを生み出しているかについては、あまり知られていない。このことを（最も美しく詩的な言葉で）説明したのは、ダーウィンが初めてだった。

「性選択の原則を認める者は、神経系が身体の既存の機能の多くを整えるだけでなく、さまざまな身体構造と、ある種の精神的気質の漸進的発達に間接的な影響を及ぼしてきたという、注目すべき結論に達するだろう。勇気、好戦性、忍耐力、体力、体格、あらゆる種類の武器、発声および器楽的な音楽器官、明るい体色、装飾的な付属器はすべて、雌雄のどちらか一方が相手を選ぶことによって、愛情や嫉妬の影響を受けることによって、また音や色、形の美しさに魅せられることによって、その相手が間接的に獲得することになったものだ。そして、そうした心の能力は、明らかに脳の発達に依存している」とダーウィンは述べた。ダーウィンの見事な洞察は、動物の心が進化の産物であるだけでなく、それが進化の最も重要な原動力の一つであるという点にある。性的嗜好は、どの雄あるいは雌が繁殖できるのか、またどのような身体的・心理的特徴が性的魅力のあるものとして好まれるのかを決定するうえで、大きな役割を果たしている。自然選択では、環境によって勝者と敗者が分かれる。一方、性選択では繁殖相手の選択によって、次世代に受け継がれる形質が選ばれるのである。

人間の心は、時にバランスが不安定となる自然選択と性選択——日々の食料を獲得するという実際的な必要性と、愛する人を探し子孫を産むという恋愛に関わる必要性——によって形成されてきた。自然選択においては、相手の見た目は関係ない——その日をなんとか生きるのに最も適した生き物を選択する以外の目的はないのである。一方、性選択では、相手の美しさが問われる——もちろん美しさの本質は常に見る者次第ではあるのだが。普通は雌が、将来の進化の道筋を決めるのに何らかの決定権を持っている。雌のクジャクは、長い魅力的な尾を持つ雄のクジャクを好む。自然選択の観点からすると、そうした尾はエネルギーを消耗する邪魔な存在ではあるが、それを好むのである。雌のクジャクが、扱いにくくても豪華な尾を持つ雄を好むのは、雄がそうした理屈に合わない余分なものを持っているからに他ならない。自分を目立つように見せることに多大なエネルギーを費やせる雄のクジャクはすべて、適応テストの総合成績でも一番優秀だったに違いない。派手な尾だけ見れば、自然選択の過程で生き残るにはマイナス要因となるが、そうした尾を持つということは、繁殖、採食、寄生動物との戦い、捕食者の回避、その他子孫が生き残れるようにするために必要なことすべてに対する、すばらしい遺伝子も持っているという証になるはずだ。

人間の精神的特質のある部分は、環境上の問題に対処する自然選択という戦いをわれわれが競えるようになるために進化した。その他の精神的特質は、繁殖をめぐる戦いのほうに役立つもので、確実に個人が生き残るためと言うより、子孫繁栄を促すものだ。人間が、言語や喜劇、音楽、芸術的能力を進化させてきたのは、それらが贅沢な健全さの指標だったからだろう――そうした才能は、生き残るためのよい遺伝子があることを示すため、魅力的に映るのである。

昔も今も、多くの人々にとって、ダーウィンの実証論的な心理学を受け入れるのは難しい。全生命の受難劇でステージ中央の座を失い、生きることと繁殖に苦労する霊長類の一種として、つまらない役に甘んじるのは面白くない。また、自由意思があるという幻想、そして行為すべてを意識がコントロールしているという幻想を失うことも不愉快である。だが、ダーウィンは、生命の木の言いようもない複雑な進化に、万物に宿る神の偉大さを見いだしてもいた。人間が持っている動物の心を理解することは、人類の生存に今必要とされるものに向かうための潜在的な力になる。急速に変化する人類生存の問題を抱え、機転を利かせたすばやい行動が求められる世界で、「知らぬが仏」というのは、幸せなことでもなければ喜ばしいことでもない。

進化の驚くべき点は、変化に対する愛情と、多様性に対する寛容さだ。何兆回も繰り返し進化のサイコロを転がした結果、アインシュタインが生まれるとともに、トランプのような人間も生まれたのは、なんとも信じられないことである。ある一つの種の生存期間や、その種が最終的に避けられない消滅を迎えるタイミングと原因は、あらかじめ厳密に決められたものではなく、むしろきわめて多くの変異の間に生じる複雑で偶発的な相互影響によって生まれてくる。サイコロの転がり方によっては、人類は間もなく消滅するかもしれない。またサイコロが別の転がり方をすれば、人類はもっと賢い生き物に進化し、現在の状況を克服するように上手に順応し、近い将来に繁栄することになるかもしれない。トランプが、つかの間の、不運なサイコロの目にすぎないことを祈るばかりだ。

脳の層構造——爬虫類、哺乳類、霊長類、人間

進化はもっぱら既存の組織の上に積み上げられ、古い組織にあった役に立つ機能は何であっても、新たに進化した組織の中に維持される。爬虫類や哺乳類、霊長類の祖先の脳で、うまく機能した神経回路は、人間の脳に今も組み込まれていて、人間性を生み出す重要な役割を果たし続けている。

人間の行動の一部——呼吸、食事、血圧と心拍数の調節——は、もともと爬虫類時代に進化した脳の部位を使っておこなわれ、今も爬虫類時代と同じ形で機能している。その他の人間の行動——恋愛、子育て、体温調節——は、哺乳類時代に進化した脳でおこなわれ、哺乳類時代と同じように機能している。さらに、人間の特徴をなすその他の要素——感情、家族、社会構造——は、霊長類時代に進化した脳によるもので、こちらも当時と同様の働きをしている。明らかに人間だけが持つ能力——言語、抽象的思考、将来の計画、自立した理性的な意思決定——は、ごく最近進化し大きく発達した大脳新皮質が関係している——この発

達した新皮質のために、人間の脳は体の割に大きくなり、独特の能力が生み出された。しかし、人類出現以前に進化した脳に由来する機能は、強い無意識の力を保ち続けていて、通常われわれが気づかないうちに、行動の多くをコントロールしている。

さらに、これら複数の原始時代の脳は、おびただしい数の神経の接続によって互いに結びつき、また特に人間の脳で発達した新皮質とも結びついている。こうした結びつきのおかげで、たいていの場合、さまざまな脳の部位がスムーズに連携して機能できるようになる。爬虫類の脳から生じた基本的な身体制御の機能は、新皮質がつかさどる意識の外側で自動的に発生し、幸いにも新皮質の制御を必要としない。哺乳類や霊長類の祖先に由来する情動反応や動機の多くは新皮質に伝わり、ある程度その支配（少なくとも調整）を受けはするが、身体制御機能と同様に自動的に発生する。一連の進化の過程で、情動は認知よりも早く発生し、言語や理性的思考を寄せつけない速さで他者や当人に情報を伝える。物事に対するわれわれの感じ方は深く迅速で、たとえ詩人がどれほど頑張っても言葉で言い表すことはできない。

人間が置かれる状況で起きる悲劇の多く（および一部の栄光）は、もともと人間に備わっている理性よりも情動に基づいた意思決定から生じている。情動をつかさどる大脳辺縁系から理性をつかさどる皮質に向かって出ていく神経接続の数は、皮質から辺縁系に戻ってくる神経接続の数よりも多い。そのため、情動に基づく意思決定と、理性に基づく意思決定の間で不公平な戦いが起きる。皮質には情動の情報が高速で押し寄せるが、それらを仕分けしてコントロールする能力は限られていて、処理スピードも遅い。プラトンの人間の魂に関する比喩は、きわめて的確だった――か弱い御者である皮質は、荒々しく無頓着な辺縁系を手なづけるのに苦労しているのである。

人間の脳の皮質は、驚くべきことを成し遂げてきた――シェークスピアの戯曲、アインシュタインの方程式、レオナルド・ダ・ビンチの発明、アップルのiPhoneなどはその例だ。皮質は指揮者の役割を果たし、行動、気持ち、思考をコントロールする自由意思を持っているという幻想につながる意識を生み出す。だがよくも悪くも、一瞬一瞬の意思決定の多くをコントロールし続けているのは霊長類から受け継いだ辺縁系だ。情動に基づいた意思決定は、人類が現代まで確実に生き抜くための役割を十分に果たしたが、現代社会では生き続けることを脅かす社会的妄想の源泉となっている。理性的な皮質と情動的な辺縁系との間で繰り広げられる果てしない戦いの勝者が、人類の運命を決めるだろう。

こうした戦いの中心にあり、戦いの結果の鍵を握るのが扁桃体である――二つの小さなアーモンド型の組織で、さまざまな機能を果たし、脳の奥深くで、他の多くの部位と密接につながっている。注目すべき点は、きわめて強い重要な情動のすべて（恐怖、快楽、怒り）が扁桃体に集まっていることである。視覚、聴覚、触覚、味覚へのどれであれ、人間が脅威となるような感覚を受けると、その情報は皮質に到達する前にすぐに扁桃体に向かう。扁桃体は、皮質がその信号を解釈してどのように対処するべきかを決定するよりかなり前に、意識に頼らないすばやい行動を起こさせるのである。皮質はその情報を受け取った段階でようやく、より現実的に状況を評価し、ある程度分別のある理性的な指示を出すことができる。

扁桃体は、反応が早いだけでなく反応を持続させ、支配的なものにする――それは、理不尽な恐怖や、根拠のない怒り、中毒的な快楽といった感情の強さからもわかるだろう。扁桃体は、皮質からある程度独立して機能し、自動的で制御できないと思われる人間の行動を引き起こす――こうした行動は、われわれをトラブルに巻き込む可能性がきわめて高い。扁桃体が下す電光石火の決断は、進化における過酷な戦いでは命を救ってくれた――その決断は、捕食者から逃げるか、あるいは防御するために戦うかを選ぶ「逃走／闘争反応」を引き起こす。だが、扁桃体が生み出す自動的で理不尽な恐怖、怒り、快楽追求は、今ではたいていの場合、長期的視野に立った理性的な意思決定をする際に悪い影響を与えている。しかも、そのような情動を変えたりコントロールしたりするのは、きわめて難しい。

現代の認知科学と神経画像処理の技術のおかげで、実験に基づく量的なエビデンスが得られ、人間の脳の異なる部位の働きを説明できるようになった――それによって、ダーウィンやフロイトの洞察がしっかりと裏づけられた。ダニエル・カーネマンは最近、刺激に富んだ著書（*Thinking, Fast and Slow* 邦題『ファスト&スロー』）を発表した。これは、ノーベル賞を受賞した研究をまとめたもので、層構造を持った人間の脳が日常的におこなう認知と、それがもたらす結果について論じている。フロイトと同様、カーネマンは、意思決定の形態を二つに分類している。システム1は、すばやく、自動的に働き、感情的かつ直感的で、人間に本来備わっている思考形態に近い。システム1は、使いやすい形に凝縮された古来の知恵に相当する。あなたが水たまりにいるインパラだとすれば、チーターが近づいてきたとき、逃げるかどうか、じっくり時間をかけて考え込むことはしたくないだろう。システム2は、もっと新皮質の機能に近い――その思考は遅く、理性的であり慎重で、エビデンスに基づき、論理的法則に従った科学的なものである。[11]

両システムとも、それぞれにふさわしい場面においては適切に機能する。システム1の思考は、人類が進化の戦いの中で、目立たない片隅からステージ中央の座を得るまでの長きにわたって生き残るための支えとなった――だが今では、われわれが作り上げた、以前とは大きく変化した新しいステージでこの後生き残っていくうえでの、大きな障害になっている。システム1の思考は、広く知られた新しい問題に対して迅速かつ柔軟に使うことができないために、われわれの自滅的な社会的妄想の源泉となる。自己中心的で攻撃的な、チンパンジーのような本能は（賢い新皮質に大きく助けられて）、数百万人という人口のまばらな世界から、混み合った七〇億人の世界へわれわれをほうり出した――だが、その七〇億人が共に平和に、持続可能な形で今の時代をどう生きることができるかを考えるうえで、そうした本能は危険なほど時代遅れなものである。システム1の脳を最新の状態にするには、少なくとも数万年という進化の期間が必要となるだろう――だが、われわれにそんな時間はありそうにない。われわれは今後、あらゆる点で、最近発達した人間脳のシステム2による理性的思考が、より原始的なシステム1の脳構造に組み込まれた反射的行動をどうにかしてうまくコントロールできるようにする必要がある。

ところが、われわれの前にいるのはトランプだ――ほぼ「直感的」な反応にのみ頼っていることを認めている男である。強力なシステム1の、扁桃体に由来する反射的なトランプの行動は、システム2の理性的な皮質の思考によるコントロールをあまり受けていないように見える。またトランプには、彼の支持者の中にある最悪の非合理的思考と、直情的な行動すべてを引き出す特別な才能がある。個人としても社会としても、われわれは、トランプのシステム1の思考による良識への攻撃に抵抗し、システム2の思考で対抗しなければならない。われわれが生き残りたいと思うのであれば、理不尽な衝動や欲求実現の幻想を上回る、理性的な心の力を取り戻さなければならない。

神経細胞、神経回路、神経伝達物質

鳥の翼や、カタツムリの殻、クモの巣、あるいはDNA分子そのものの洗練された巧みな作りを見ると、マサチューセッツ工科大学の最も優秀な設計者でも自然界の試行錯誤には太刀打ちできないことがわかる。概して人間は、よりよいものを作ろうと努力するよりも、どこかから借りてきたり、何かの真似をしたりするほうに長けている。進化が何兆回もの試行錯誤を繰り返し重ねた結果、数十億年かかってようやく、複雑に入り組んだ、信じられないほど美しい組織が生まれる——その過程で誤りの多くはすでに解決されるか、回避されるかしている。何者かの知性による設計は往々にしてとても知的とは言いがたい結果を生む。

ここまでで言えることは、われわれ人間の脳が、自然界で最も複雑な創造物であり、最もすばらしい創造物であるということだ。その入り組んだ構造と発達過程をたどることは、われわれの時代における最も興味深い知的な体験の一つであり、われわれを動かすものは何なのかをもっとよく理解するための大切なステップである。だが、脳の秘密は簡単には明かされず、謎の解明にはほど遠い。ぐにゃぐにゃとした、それほど特徴のないように見える三ポンドの原形質が、どのように心や意識、人格、行動、魂と言われるものを生み出しているのだろうか。人間の脳には、およそ八六〇億個の神経細胞がある——銀河系にある星の数とほぼ同じだ。その一つひとつが一〇〇〇個の神経細胞と接続していて、シナプス（神経細胞間の接合部）の数は合計一〇〇兆個という信じられないような数に上る。複雑な神経回路へと発達していく過程で、それぞれの神経細胞は、遺伝子と経験に導かれて移動し、情報をやりとりする同類の神経細胞を探さなくてはならない。そうして出会った神経細胞同士が情報をやりとりしつながり合う。一〇〇兆個の接合部を細かく管理するには、あまりにも遺伝子の数が少なすぎるため（二万個）、神経回路の組み方や神経回路同士の連動には、経験が非常に大きな役割を果たさなければならない。各神経細胞が信号を発し、一秒間に何百もの情報を受け取っていることを考えると、状況はさらにとてつもなく複雑になる。だが、人間の脳にカオス理論は当てはまらない——これほど複雑な仕組みであるにもかかわらず、脳において奇跡と言えるのは、間違いがたまに起きるということではなく、むしろたいていの場合、うまく働いていると

いうことなのである。(12)

われわれは、こうした自然の賜物に対して畏怖や感謝の念を抱くだけでなく、その限界も理解するべきだ。自然は常に、既存の構造やプロセスがどのようなものであっても、それに付随する形で、あるいはそれを土台にして物を造らねばならない。自然は、われわれの脳を造る際に、深刻な技術上の障害に直面した――あらゆる段階で、見事でありながらその場しのぎの解決法に甘んじなければならなかったのである。腕に自信のあるエンジニアが一から脳の設計図を書くとすれば、人間の脳のようなものを書いたりはしないだろう――人間の脳は信じられないほど動作が遅く、無駄が多く錯綜していてエネルギー効率が悪いため、疑い深い客のめがねにはかなわないように思われる。

まず、恐ろしいほど効率の悪い電気伝導のしくみによる制限がある。進化の工具箱の中に金属製の電線はなく、手許にある導線だけでなんとかやりくりしなければならなかった――その導線とは生きた細胞である。コンピューターが人間の頭脳よりもずっと速く計算できる理由は二つある。まず、導線内の電流が神経細胞内よりも一〇〇〇倍速く流れること、次に、神経細胞間のシナプスのすき間が化学物質の伝達のために信号の処理を遅らせる障害となっていることである。ただ、多少不完全であっても、おおむね効果的な情報処理システムとなるように神経細胞を作り上げた自然の巧妙さは称賛に値する。(13)

神経細胞は、細長い付属物を発達させ、離れた所へそれを伸ばすことによって、回路内の他の多くの神経細胞と接続できるようになる。こうして神経細胞は、距離が離れていても協調的に連携し、さまざまな脳の機能すべてを果たすことができる。電気伝導の方法も工夫されている。まず、神経細胞の膜にある小さな通り道が開閉することによって、帯電したイオンが出入りできるようになる。これによって細胞膜の内側と外側で電位の差が生じ、電気信号が細胞体からシナプス前部の末端まで順次伝わっていく。次に、神経伝達物質が入った小さな袋がシナプスに放出される。伝達物質は、その物質を受け取るための特殊な構造を持った受ける側の細胞の受容体にたどりつく。伝達物質の鍵が、シナプス後部の末端にある受容体の錠にぴったり合うと、信号を受けた側の細胞膜にある帯電したイオンの通り道がまた同様に開閉し、細胞膜を通して発生した電気信号が別の細胞に伝えられ、またさらにその次の細胞に信号が伝えられていく。

生きた細胞には、確かに独自のメリットがあった——金属よりもずっと形を変えやすい細胞は、頭蓋骨の中の小さな空間にぴったりと収まる。また細胞は、われわれが本来持っている神経接続を、変化する環境に順応させることにも優れている——新たな神経接続を形成し、古い接続を取り除くことで、新たな経験に対応するのである。だが、人間の脳のエネルギー効率は極端に悪い——脳内で常に起きている化学反応と電気伝導に、総カロリー摂取量の二五パーセントを費やす必要があるのだ。

何兆個ものシナプスという神経接続の中で、何百種類もの神経伝達物質がどのような働きをしていて、感情や思考、行動を生み出しているかについては、あまりよくわかっていない。五〇年前、神経伝達物質に関する単純明快な一つの理論が生まれたが、それ以降、神経科学の大きな進歩でわかったことは、単純明快なさまざまな理論が、いくらその時々に理にかなっているように思えても、人間の脳はそうした理論を常に覆すということであった。

扁桃体が関わる報酬系では、二つの神経伝達物質が連携して働き、二種類の快楽をもたらす——それは予測の快楽と、欲求充足の快楽である。ドーパミンは、欲求が満たされることを予測する間に分泌され続け、欲しいものを得るために必要な行動をとるようわれわれに促す。ドーパミンが大量に分泌されるのは、好きな食べ物のにおいを嗅いだり、グラスに水を注いだり、セクシーな男性や女性が通り過ぎるのを見たり、映画館に入ったりするときや、パーティーを楽しみにしたり、通りの反対側に友達が歩いているのを見かけたり、運動の前にウォーミングアップをしたり、Eメールを開いたり、雲の中からまさに太陽が出てくる瞬間を見たりするときである。空腹や喉の渇き、性欲、人とのつながりを求める願望、運動のニーズ、知的好奇心が満たされたときに感じる喜びには、エンドルフィンが関与している。進化というのは節約上手で古いものを大切にする――同じ神経伝達物質が、種の違いを超えて、同じような神経回路を使って、快楽を得られるさまざまな状況で皆同じ役割を果たしている[14]。

脳の快楽系は、行動の多くを動機づけるものだが、われわれが下すことのできるもっとよい判断に反していることが多い。たとえば、一五分前の午前二時にピザを一切れ食べたときの私の振る舞いは、自分の脳にある快楽中枢をそのまま再現したロボットの動きのようだった。私はピザが大好きだが、真夜中を過ぎた時間にピザを食べると、胸焼けがしたり太ったりする。そのときは空腹でもなかったのだが、ピザのことを思い出したとたん、私の中のドーパミン回路が興奮した――その瞬間、ピザは世界で最も大事なものになった。大脳皮質が「食べると後悔するぞ」と叫んだが、快楽中枢は聞く耳を持たず、気がついたときには、手と口が動いてピザをむさぼるように食べていたのである。ピザにかぶりついていたときに分泌されたエンドルフィンがもたらした欲求充足の快楽は実に心地よいものだったので、もう一切れ、さらにもう一切れと食べずにはいられなかった。

祖先には当たり前の環境だったと思われる物資が不足した世界において、こうした行動は賢く生き抜くために欠かせないものだった――特に自分がおいしいと思うものから、いつでも可能な限りできるだけ多くのカロリーを摂取しておくのは、そうした食べ物がよいエネルギー供給源になるからである（われわれは、飢えたエネルギー効率の悪い脳に食料を与え続けなければならないことを思い出してほしい）。だが、物があふれ、こんなにもすぐにファストフードや満杯の冷蔵庫に手を伸ばせる現代の世界に、私の快楽中枢はほとんど適応していない。私の皮質が駄目だと言っても、皮質は進化の上ではあまりに若く弱い組織のため、ずっと古く、皮質を越えた強い力を（あまりにも頻繁に）発揮する快楽中枢を制御できないのだ。

社会は貪欲な快楽中枢を持った人たちによって、そういった人たちのために形作られる。社会の妄想と、その結果として社会が犯す過ちも同様に、快楽原則むき出しの力にあおられている。われわれは皆、われわれが手に入れられる量、あるいは十分適当と思われる量よりもずっと多くのピザを求めている。冷蔵庫の前の私よりもしっかりと、目の前の一時的な快楽を求める欲求を抑えたときにだけ、われわれは生き残れるだろう。当然ながらトランプは、節制のすばらしいお手本でもなければ、自制を推進する人間でもない。われわれは自らの衝動を分別をもってコントロールする必要がある――それを神経、個人、また社会のレベルで実行しなければならないのだ。

オキシトシンというホルモンについては特に触れておく意味がある。というのも、オキシトシンは、われわれの社会的行動と非社会的行動の両方に、きわめて強い影響を及ぼすからだ。視床下部で合成されたオキシトシンは、脳下垂体後葉に運ばれ貯蔵される。オキシトシンは哺乳類だけで分泌され、爬虫類的な行動を哺乳類的な行動に変えるのに、大きく関与している。哺乳類は互いに愛し合ったり、子どもの世話をしたりするが、冷血動物である爬虫類はその名のとおり冷血で、そうした行為はしない。オキシトシンは愛情、親密さ、出産、親子の絆、授乳、鳴き声、毛づくろい、オーガズム、愛撫、交尾に関わるホルモンである。しかし、負の側面もある。オキシトシンは、部族意識を高めるホルモンでもあるのだ。われわれが部族として結束するのに役立ち、それによってわれわれは部族を気遣い、忠誠心を感じ、理解し、信頼し、愛する。しかしオキシトシンは、自らの集団に属さない部外者に対しては識別、拒絶、反発、嫌悪、無視、疑念を部族のメンバーに促すようにも働く。かつての苛酷な世界において、部族主義は弱い個人を守ってくれる貴重なものだったが、今は世界が残酷になる大きな原因となっている。緊密な相互依存関係で成り立っている世界では、偏狭な部族主義は、保持すべきでない不要品である——それは戦争を促し、不十分な人口抑制をさらに悪化させ、人類共通の問題に対する協調的な解決の邪魔をする。われわれは、オキシトシンのよい面である部族に対する愛情の高まりを、一つの小さな集団や国だけに感じるのではなく、われわれ人類全体に対して感じることを学ばなくてはならない。トランプにみられるオキシトシンの反応は、実によくない——温かな心地よい満足感がきわめて薄く、部族意識から来る怒りの感情がとてつもなく強いのである。[15]

恐怖と不安は扁桃体を介して伝えられ、神経伝達物質（ドーパミン、ノルエピネフリン、エピネフリン、アドレナリン、グルタミン酸塩、ガンマアミノ酪酸、セロトニン）の著しく複雑な組み合わせの相互作用によって調整されている。このことから、なぜ恐怖と不安が、多種多様な薬剤（ベンゾジアゼピン、抗うつ薬、抗精神病薬、バルビツール、鎮静剤、オピオイド）や嗜好品成分（アルコール、マリファナ、ニコチン）を使って抑えられるのかがわかるだろう。

脳の怒りの回路についてはさまざまな議論があり、その作用や影響はいまだ解明中である。ただ、前頭前野に明らかなダメージがあると、扁桃体にある怒りの中枢の抑制が利かなくなり、暴力のリスクが高まる可能性があることは間違いない。いまだに残る大きな疑問は、それほどはっきりしない皮質の違いが、重大な反社会的行動や日々の怒りを押さえる力（あるいはその不足）に関与しているかどうかという点だ。まだ結論が出ているわけではないが、一〇代の若者の間で暴力のリスクが高まる原因は、脳の発達の未熟さであることを示唆するエビデンスがある。また、裁判で被告側の弁護士や彼らに雇われた専門家は、犯罪に対する弁明として、また罪を軽減する目的で、脳に対するダメージや脳の発達の未熟さを主張する場合がある（「脳が原因でその行為に至った」などという主張）。私はこうした説得力のない的外れな指摘のために、犯罪者の責任が、坂を滑り落ちるようにずるずると軽減されることになる恐れがあると考えている。怒りや暴力の発生と抑制には、膨大な数の神経伝達物質が関わっている――これまで最もよく研究されているのは、セロトニン、ガンマアミノ酪酸、ドーパミン、ノルエピネフリンだ。また、おびただしい数の物質、特にアルコールや覚せい剤によって怒りの抑制は利かなくなる。たくましい男性ホルモンも非常に大きな役割を果たしている――進化によって男性は戦うことを好み、女性は逃げるほうを好むようになったのである。(16)

魔術的思考

われわれの祖先は、自分が住む世界を実際にはほとんど支配できなかったため（また機械論的に世界を理解することもできなかったため）、魔術的思考や儀式、神話を使って、自らが世界を支配しているという幻想を作り上げて精神的な安心感を得ていた。社会の妄想はその現代版である。われわれの祖先は、雨乞いのために儀式舞踊をしたり、獲物となる動物をおびき寄せるために洞穴の奥に絵を描いたり、病気を治すためにシャーマンと共に霊界を訪れたりした。現代に生きるわれわれは、人口過剰が戦争、飢饉、疫病を引き起こし、化石燃料の燃焼が危険な地球温暖化を進行させる一方、集落を爆撃しても集落を救うことにはならないという事実を無視している。願望的思考はわれわれの遺伝子の奥深くに入り込み、厳密な論理や科学的事実を頑としてはねのける。その昔、雨乞い踊りは意味がなかった。そして今、人類生存の脅威がなくなることを願い、そうした危機がなんとか魔法のように消え去ることを思い描き、最後の最後に神の摂理やハイテクによって救いの手が差し伸べられるのをおとなしく待っているのは意味がない。

たとえ魔術的思考に陥りがちな人間の性癖に変わりがなかったとしても、われわれを取り巻く状況は、時間の経過とともに大きく変わっている。進化の過程において人間が端役を演じていた時代、ほとんどすべての事柄がわれわれの力が遠く及ばない所で起きていた。今人類はステージの中央に立ち、強力な手段を手に入れている――われわれ自身とこの世界を救うための、あるいは破壊するための手段である。われわれは未来をコントロールできないのだから、未来を心配する必要はなく、未来をもっとよくするための行動をとる必要もないという頑固な幻想を、今すぐ振り払わなければならない。「現状維持」という姿勢はありえない――魔術的思考を持ち続けることによって、一時的に気分がよくなったり、少なくともやましい気持ちを減らしたりすることは可能だが、それでは実際にある問題を解決する現実的なステップを踏むことができなくなる。今この瞬間にとらわれて生きると、われわれは子どもたちや孫たちに対して責任を負うことを忘れてしまうことになる。

たとえ全能の慈悲深い神を信じていても、われわれをわれわれから救う責任を神に負わせるのは見当違いだ。地球温暖化を引き起こしたのはわれわれであり、それを抑える責任は、われわれが負わなくてはならない。アフリカや中東における壊滅的な人口増加は、トランプが支持基盤に迎合し、家族計画プログラムに対する資金を打ち切ったことでさらに悪化するだろう。また今、懸命に節約と代替資源の開発に努めなければ、エネルギーや水、物資の供給が破綻するだろう。さらにわれわれは、銃規制について現実を直視しなければならない。そうしなければ、引き続き毎月大量殺人が起き、殺人や自殺の割合が天文学的数字に跳ね上がるだろう。

魔術的思考へと傾きがちな頑固な性癖を乗り越えて成熟するためには、われわれはまずそうした思考を強めるいくつかの認知バイアスを理解しなければならない。

1. 短期バイアス

ホッブズは、自然状態にある人間の生が「孤独で、貧しく、卑劣で、残酷で、短いものである」と述べた。だが、こうした彼の理解が正しかったと言えるのは、ほんの一部分である[17]。人生はもちろん孤独ではなかったし、いろいろな意味で、現代のそれよりは、ずっと残酷ではなかっただろう。だが、先史時代の人生は貧しく、きわめて短いものだった。平均寿命が三五歳を下回る場合、差し当たって必要となる最低限の事柄に注意が向きがちだ。たとえば日々の生活を営み、他の生き物の餌食にならないようにし、セックスをし、子育てをするということである。ホッブズは、こうした状況から起きる結果については正しく理解していた。つまり、「そこには芸術も学問も社会もない。そして何よりも悪いことに、恐怖が続き、暴力による死の危険が生まれる」ということである。われわれの祖先は、過酷な世界で生きていたために、日々生き残るための苦しい戦いに臨まなくてはならず、長期的な視野に立って予測し計画を立てることができなかった。きわめて不透明な未来に向かって生きていくとき、その未来を心配することは、身のほど知らずの贅沢だったのである。

さらに、われわれの祖先の遺伝子は、長期計画のニーズに合っていなかった。それはわれわれも同様である。進化がゆっくりとしたペースでしか進まないために、われわれは、短期的視野に立った近視眼的な意思決定をする性癖から抜け切れないでいる――それは先史時代には賢い行動だったが、今では個人の悪い判断と社会の危険な妄想につながる愚かな戦略である。このことから、なぜわれわれが、皮膚がんの長期的リスクを無視して日光浴に多くの時間を費やし、爬虫類のように短期的な快楽を楽しんでいるのかがわかるだろう。私の意識はもう少し分別があるはずだが、それはさらに強力な、快楽を求める無意識の反射的行動によって簡単にかき消されてしまう。同様に、快楽指向の意思決定によって、多くの男性がすばらしい結婚を台無しにし、愛する女性を失っている。それは一夜の情事という、すぐに消えてしまうものの、あらがうことのできないご褒美のためだ。物を手に入れたいという思いに一時的にとりつかれて、消費者は買える余裕のない物や必要のない物を買いたくなる。また薬物中毒者は、ほんのつかの間の快感を得るために絶望的に惨めな人生を耐えていくことになる。

短期的な満足が持つ力は、「マシュマロ・テスト」として知られるようになった一連の単純明快な研究で明らかになった。テストでは子どもが難しい選択を迫られる――今すぐならキャンディーを一個もらえるが、一五分待てばキャンディーを二個もらえるという状況を与えられる。満足を得ることを遅らせる能力は成長とともに高まり、年齢にかかわらず、満足を上手に遅らせる子どもは、将来よりよい人生を送る。雑誌『ニューヨーカー』に、トランプがマシュマロ・テストを受けているところを描いた秀逸な漫画が掲載されたことがあった。トランプの大統領就任式の場面で、彼の後ろには高官たちが集まっている。そこでアメリカ連邦最高裁判所のロバーツ長官が、小さな物を皿に載せてトランプに差し出している。漫画の説明文はこうだ。

「今すぐ、この一個のマシュマロを食べていただいて結構です。ただし一五分待てば、マシュマロを二個に増やし、アメリカ合衆国大統領の就任宣誓をさせてあげますよ」

われわれの世界は、トランプが登場する前でさえ、マシュマロ・テストでひどい落第点を取っていた(18)――そして今は、トランプの予測がつかない気まぐれな衝動にさらされている。われわれの社会の妄想はすべて、今この瞬間の満足を我慢することの難しさを正当化し合理化する――たとえわれわれの行動が今、子どもたちから、将来彼ら自身のマシュマロを食べる機会を奪うことになってもである。トランプの威圧的な人格は、彼の世界随一の未熟さと相まって、今や世界のマシュマロを全部食べ尽くす行為を加速させている。手に入れられるものすべてに対するトランプの飽くことのない貪欲さは、われわれの社会の飽くことのない貪欲さを増大させている。またよく知られているトランプの短絡癖は、人類の長期的未来を計画できない社会の無能さを増幅させている。彼の衝動性は、われわれをさらに高速のギアで走らせるのである。

2. 楽観主義バイアス

自然選択と性選択の両方で好まれたのは、陽気な楽観主義者の遺伝子である――われわれのおよそ八〇パーセントが楽観主義バイアスを持って生まれ、それによって願望が経験に勝るようになる[19]。われわれの祖先が過酷な進化の歴史の中で困難に向き合ってこられたのは楽観主義のおかげだ。苛酷な現在の向こうに明るい未来を見通せる者のほうが、困難に耐え他者に打ち勝つ可能性が高かったのである。楽観主義者はそうでない者よりも楽しく自信に満ちているため、繁殖競争に勝つことができる。数学的モデルによれば、ポジティブバイアスは、たとえ長い目で見て深刻な問題を引き起こす可能性があるとしても、多くの場合勝利を収める短期的戦略を生み出すことがわかっている[20]。脳の血流画像からうかがえるのは、楽観主義者では左脳が、悲観主義者では右脳の活動がより活発だということだ。

とはいえ、楽観主義には暗い一面もある。楽観主義者は利益を過大評価し、害やリスク、コストを過小評価する――それも実際にトラブルを招くような形で評価するのである。[21] 個人のレベルでは、身の丈以上の借金を抱えたり、関わるべきではない人に関わったり、退職後の生活のために十分な資金を取っておかなかったりする。社会のレベルでは、世界を人口過剰の状態にしたり、資源を無駄使いしたり、環境を汚染したりする。自信過剰は、自らに対する幻想を生む――自分の能力を過大評価し、自分は危険から守られていると思い、未来に対して誤った期待感を持つのである。もっと分別があるはずの専門家やプロでさえ的確な判断ができない場合が多い――医者は治療のメリットを過大評価して、リスクを過小評価するし、ファイナンシャルプランナーはにわか景気を追いかけるあまり、不況のタイミングを見落とす。そして将軍たちは、勝てもしない戦争にわれわれを巻き込むのである。

人類が生存の脅威に日々向き合い、小さな集団で苦労しながら生活していたとき、根拠のない楽観主義は非常にうまく働いた。しかし人類が世界を支配したものの、自らを制するのにこれほど苦労している今、そうした楽観主義は惨事を招く。戦争、金融バブル、人口過剰、建設過剰、資源不足はすべて、将来なんとかなるというポジティブな幻想のせいだとも言える。

ディケンズの著書『デイヴィット・コパフィールド』に登場するミコーバー氏（ディケンズの父親がモデル）は、常に分不相応な暮らしを送り、いつも負債者監獄に収容される危機が迫っているが、当の本人は心配していない。「なんとかなるさ」という、まったく見当違いの信念をずっと持ち続けているからだ。「ミコーバー」は、『メリアム・ウェブスター英語辞典』で「貧しいが、さらなる幸運を期待して楽天的に生きる人」と定義される表現となった。ミコーバーは、妄想的な信念の象徴である。今は浪費してもかまわない、将来何かがわれわれを救ってくれる、という信念だ。

「さあ、貧乏だって大歓迎だ……さあ、苦難よ、来い。宿なしよ、来い。さあ、腹ペコでも、ぼろ服でも、嵐でも、乞食でも、何でも来いだ。お互い信頼していれば、一生とことん支え合っていけるとも」[*2]だが、どうにもならなくなると、ミコーバーと彼が愛する人たちが責任を負わされる羽目になる。トランプはミコーバーのような人間だ。ただし愛嬌はない――守れもしない非現実的で楽観的な約束（雇用、財政赤字、好景気、アメリカの主導権の回復に関する約束）をする口先だけの男だ。「どうせ考えるなら大きなことを考えろ」というのはトランプの言葉である。だが、単純に「大きなこと」を考えることは、たいてい恐ろしいほど間違った、単純な答えにしかつながらない。暢気な見当違いの楽観主義は、昔はよいことが多かったが、今ではわれわれから未来を奪ってしまう可能性がある。

3. 悲観主義バイアス

ほとんどの人は、常に楽観的であったり、常に悲観的であったりする楽観主義一辺倒あるいは悲観主義一辺倒に染まりきっているわけではない。私は普段はとても楽観的だが、世界の将来に関しては、どちらかと言うと悲観的である。自分のテニスの試合では楽観的すぎる一方、株式市場に関しては悲観的すぎる傾向にある。私の楽観主義と悲観主義の割合は、長年生きてきた今、悲観主義のほうが上回っている。トランプもまた、状況に応じて悲観主義者であったり、そうでなかったりするが、私の場合とは異なる。トランプは、自分と自分がすること全部をバラ色のめがねを通して見ている。一方、他人と他人がすることすべては、鏡におぼろげに映ったものを見ているのである。人としても社会としても、現実的になって悲観主義と楽観主義がうまく調和したときに、われわれは一番よいおこないができる。

悲観主義には、よい面と悪い面がある。悲観主義は、社会の妄想という願望的思考からわれわれを守り、現在のリスクと将来起きる結果に対して、より正確な評価を与える。[22] だが悲観主義がすぎるのも、自滅的で危険である。あらゆるものの悪い面をはっきりと見すぎると、希望が打ち砕かれ消極的になる。悲観主義者は、成功する自分の能力を過小評価し、せめてやり続けていれば成し遂げられる可能性のあった作業をやめてしまう。グラスに水が半分しか残っていないという、弱気な見方をすると、グラスの水をもう一度満たそうという創造性や強い熱意がそがれる。一つひとつの解決策にあるリスクに注目しすぎると、チャンスが見えなくなる。人口や気候をコントロールできる見込みがないと考えてしまうと、わざわざそれに取り組むことはなくなるだろう。われわれは悲観主義と楽観主義の中間を行く方法を見つけなければならない――もう遅すぎるから何も変えられない、解決策を取ることは不可能だなどとあきらめずに、われわれの未来をコントロールする責任を引き受ける、現実的な判断をしなければならない。

4. 恐怖バイアス

脳画像の研究から、扁桃体にある恐怖の回路がオンになると、皮質にある理性の回路がオフになることがわかっている――これが、恐怖を感じたときに、凍りついたように動けなくなり、物事を明快に考えられなくなる理由である。恐怖に怯えている人はどこに危険が潜んでいてもすぐに気づき、問題ないことも脅威だと誤って解釈し、理性的思考によって修正しないまま即座に判断を下す。恐怖は、行動や思考の停止、あるいは悪い決断につながる。これは、長い先史時代の間、人類が危害を免れるためにかつて演じてきた貴重な役割である「逃走か闘争か」の決断の弊害である。扁桃体がなければ、人類は捕食者を避けることもなく、競争相手のカモになっていただろう。しかし現代社会では、逃走も闘争も適応的価値をほとんど失ってしまった。過度の恐怖は行動・思考の停止や理性を失った意思決定を招き、逆にあまりに恐怖を感じなければ、死や投獄につながる[23]。

政治的に保守主義の人は、たいてい人より恐怖を感じて生きている。どきっとするような刺激に対して、より強い生理的反応を示し、より大きな扁桃体を持ち、恐ろしい場面に対して大きな脳内反応を示す。トランプは脅威を誇張することで恐怖をあおっている。だから、自分が守護者であり、力のある救世主であることを前面に押し出すことができるのだ。これは、独裁者になろうとする者の常とう手段である[24]。

5. 怒りバイアス

怒りに任せた決断は、たいていよい結果を生まない。怒りには理性的な判断をゆがめる働きがあることが一因だ（こうした行動をつかさどるのは、またも扁桃体で、皮質ではない）。また、怒りは特に強い感情である。どんな感情でも強ければ強いほど、ますますわれわれの認知や思考、行動をゆがめる（われわれの脳の回路が、もともとそうなるように出来ていることを思い出してほしい）。さらに怒りは、すばやい行動を引き起こし、結果を検討する時間をほとんど与えない。進化の過程では、最初に一撃を加えた者が生き残りやすい。怒りに任せた決断は、視野が狭く、よく検討されることもなく、計画性に欠け、近視眼的で自己中心的な危険な決断である。怒っている人は偏見にとらわれやすく、その偏見を長期にわたって持ち続け、それを表明しようとする意志を強く持っている。脅威がないときでも脅威があると感じ、おとなしい人のことも失礼だと思い込み、ちょっとした挑発でも、まったく挑発がなくても、本能的に反撃する。攻撃的で、防衛的で、自己を正当化し、衝動的になっている。怒りのターゲットが、注意を向ける唯一の対象になっていて、全体の流れやバランスに目を向けず、それに代わる可能性のある幅広い行動の選択肢をせばめる。[25] 戦争、けんか、交通事故、警官による暴行、ドメスティックバイオレンス、離婚、児童虐待はすべて、怒りに任せた悪い決断の実例である。トランプのツイートもその一例だ。

6. 統計バイアス

コンピューターは、統計を扱うのに優れている。ところが人間の脳はそうはいかない。コンピューターは数値の処理を好むが、人間は物語を創作するのが好きだ。人間はほぼ五〇〇〇年にわたって、数学的観点からも世界を研究してきたが、統計を使い始めたのはほんの五〇〇年前からで、日々の決断に統計を応用することにはいまだに抵抗がある。われわれは、(サメやテロリストに襲われるといった、統計上で「外れ値」と言われる)めったに起こらない大事件が起きることをひどく恐れる一方で、もっと当たり前に起きる、命取りとなるようなリスク(交通事故、院内感染、銃撃、薬物の過剰摂取など)を極端に過小評価している。医師は、何万例と積み上げられた結果ではなく、過去数例の結果に基づいて判断を下すことがあまりにも多い。またほとんどの有権者は、さまざまな経済政策が持つ潜在的価値を、示されている数字の意味ではなく、政策を提案している人の好き嫌いで評価している。さらに一般の人たちは、気候変動のリスクを、過去の傾向や今後の可能性について科学者が作成した統計モデルではなく、最近の天気に基づいて判断する傾向がある。世界がますます複雑になる中、ビッグデータに基づいて統計プログラムを実行するコンピューターを使わずに理性的な判断をすることは、ますます難しくなっている。[26] だが、統計上の真実よりも物語的な真実へと向かうあまりにも人間らしい愛着が、多くの人々に物語的な嘘を鵜呑みにさせ、最悪の決断に至らせてしまう。

7. 確証バイアス

われわれは「見たいものを見ている」。そしてグーグル、ツイッター、フェイスブックは、同じような考え方を持ち、ものの見方も同じである閉鎖的なグループを作るようにわれわれを後押ししている。アメリカの政治では、まるで右派と左派がまったく異なるメディアに触れているかのような状況だ。われわれは、自分が気に入らないウェブサイトや新聞、テレビ局を避け、そこに集まったほとんど全員が賛同するメディアを追いかける。ソーシャルネットワーキングは、仲間の輪を大きく広げるものの、たいていの場合、多様化にはつながっていない。そして、そのグループの規模が大きく、権威があるように見えるほど、われわれがすでに持っている思考の偏りが間違いではないと保証する力が強くなる。集団に従うことによって、誤りから学ぶことが難しくなる。グループの規模がとても大きいから失敗することはない、間違ったことをするはずがない、という集団の信念を強めるからだ[27]。

塀に座ったハンプティ・ダンプティ

われわれに生まれながら身についている反射的行動はすべて、五万年前、人類が生き残るために必要な能力が備わるように適応した結果である。その後、世界は大きく変わったが、人間の本能はほとんど変わらないままだ。われわれの脳は、驚くほど複雑な現代世界を創造するのに十分なほど大きく発達したが、そうした世界がもたらす新たな難題に最適な対応ができるほど、常に柔軟であるわけではない。五万年前に、すばらしい決断をした脳の神経回路が、今ではひどい決断を導くことも多い。個人としても社会としても、最も強く、すばやく、満足を求めるわれわれの心は、短期的で利己的な快楽を最大化する形から抜け出せないままでいる――現在を生き抜くためには、感情よりも思考に、利己主義よりも協調と愛他心に、短期的な快楽よりも長期にわたる満足と安らぎに基づく社会モデルが必要になっても、そうしたこだわりはそのままである。このあとの章で、将来の世代のために持続可能な世界を維持しようとわれわれが考えるようになれるプログラムについて説明する。

誤った悲観主義、誤った楽観主義、怒り、そして声高に恐怖をあおる行為という、考えられるなかで最悪の要素をトランプは合わせ持っている。彼は、アメリカの状況については異常なほど悲観的だ――彼は、目を向けるどこにでも、弱さ、衰退、愚かさ、腐敗、リスクを見つけ出す。また、自分の能力については同じくらい異常なほど楽観的で、政策ではなく自分のずば抜けて偉大な人格が持つ力によって、人々が想像する以上にうまく、あるゆる物事を完璧に処理できると考えている。トランプは、現在のアメリカは何から何まで実にひどい状態であり、自分が魔法のようにアメリカを再び偉大にすると言っているが、これは事実を二重にねじ曲げたものだ。そして、事実の歪曲を受け入れず、トランプの功績を尊敬しない、あるいは彼の指図に従わない者に対して、常軌を逸した怒りをぶつける。こうした超一流の傲慢さは、人類の歴史の中でたいていの場合、最悪の状態を引き起こす崩壊を招いてきた。このハンプティ・トランプティ[*3]が、どれほどアメリカと世界に悪影響を及ぼすのか、またわれわれが再び団結できるのか、それが問題だ。

［訳注］

＊1　ジョン・ロック『人間知性論（一）』大槻春彦訳、岩波書店、一九七二年

＊2　チャールズ・ディケンズ『デイヴィッド・コパフィールド（五）』石塚裕子訳、岩波書店、二〇〇三年

＊3　マザーグースの童話「ハンプティ・ダンプティ」をもじったもの。ハンプティ・ダンプティは、塀から落ちて割れてしまう卵を擬人化したキャラクターで、一度壊れたら元どおりにならないものとして描かれている。

第三章

アメリカ例外主義

ああ、不思議！
こんなにきれいな生きものがこんなにたくさん。
人間はなんて美しいのだろう。ああ、すばらしい新世界、
こういう人たちが住んでいるの！[*1]

——シェークスピア『テンペスト』

アメリカ例外主義はアメリカ特有の現象である。「三塁ベースで生まれた国なのに、三塁打を打ったかのように振る舞うことがよくある」と表現されたこともあった[(1)]。アメリカ合衆国の種は、類を見ないほど豊富な天然資源に恵まれた広大な土地にまかれた。そこは、疫病が猛威をふるい先住民たちを衰退させたあと、「空っぽ」になったかのような場所だった。アメリカは、ヨーロッパ勢力による侵攻の脅威に直面することがほとんどなく、その一方で、西欧のテクノロジー、思想、資本の恩恵を十分に受けていた。他国は、何百年、あるいは何千年という間、成功と失敗を繰り返し経験してきたため、自国の美徳の主張は控えめ

であり、権力の行使にもずっと慎重で、自国の限度をよくわきまえ、より懐疑的で悲劇的な世界観を持っている。一方、アメリカはまだ若い国で、さまざまな点で偉大ではあるが、同時に未熟で衝動的で、何でも知っているかのように振る舞い、結果を顧みることなくリスクを冒す。トランプはアメリカ例外主義の最悪の形である。意外なことに思われた彼の大統領選出について十分に理解したいと思うのであれば、アメリカ例外主義の起源、その高潔な部分も不名誉な部分も理解しなければならない。そしてわれわれは、トランプと、特に彼が主張する有害で低俗なアメリカ例外主義を必ず鎮めなければならない。なぜなら、どちらもアメリカと世界にとって、きわめて危険なものだからだ。

私が初めてアメリカ例外主義に触れたのは幼い頃である。父親が持つ強い感情からだった。父はテッサロニキ（ギリシア北部の都市）からの移民として、一九二三年にアメリカにやって来た。厳しい移民法が新たに施行されるほんの数週間前のことだった。父は自分の人生を救ってくれたアメリカにとても感謝していた。新たな国には欠陥を見いだせず、常に賢明でよい国であると信じていた。アメリカが間違ったことをしたときはいつでも、父は何か口実を作っては、責めるべき他の悪者を探した。父と同様に多くのアメリカ人は「わが国は正しいか、間違っているか」という観点で考える傾向にある――そして疑わしいことがあれば、常に自国に有利に解釈しようとするのである。カール・シュルツ（アメリカ元上院議員）も移民だったが、彼の姿勢はもっと健全で、結局のところ、もっと強い愛国心を持っていた。「わが国が正しいか、間違っているか。正しければ、その正しさを維持し、間違っていれば、正しい状態に戻すべきである」とシュルツは述べている。アメリカは依然として、世界の中でも飛び抜けて強大で、大きな影響力を持った理想的な国である――だが世界をひどく汚染し、資源を無駄遣いし、武器を提供している国でもある。アメリカがくしゃみをすれば、全世界が風邪をひく。アメリカが過ちを犯せば、地球上の誰もが、直接的にも間接的にも苦しむことになる。

「例外」という言葉をアメリカに対して初めて使ったのは、一八三〇年代にアメリカを訪れていたアレクシ・ド・トクヴィルだった――アメリカ人が異常なまでに営利の追求に熱を上げ、文化的なものには興味がないことを、彼は皮肉をこめてこう述べている。

「アメリカ人の状況は、だからまったく例外的であり……彼らの起源はまったく清教徒的であり、習慣は商売一辺倒、住んでいる土地そのものが学問、文学、芸術研究から彼らの知的関心をそらせている。ヨーロッパと隣り合っていることが、これらを研究せずとも野蛮に帰らずにすむことを彼らに許している……数多くの要因が与って、アメリカ人の精神を純粋に物質的なことがらを考えるように異様なまでに集中させた」[*2]

トクヴィルは、アメリカの最悪の部分だけでなく最善の部分にも目を向けた。当時のアメリカ人は、不愉快なほど他人を押しのけながら、あくせく働いて貪欲に金をためていたのだろう。しかしその一方で、アメリカは世界の希望でもあった――その独特の歴史、国土の広さ、国民の多様性、豊富な天然資源、地理的な独立性、民主主義、自由な経済活動、個人の自由、個人主義、新たなアイデアや発明に対する寛容さ、少ない事業規制、豊富な商取引経験、機会均等という点で、例外的な存在だったのである。[(2)]

ユートピア思想のトマス・モア対ディストピア思想のウィリアム・シェークスピア

北アメリカ大陸がどの程度よい場所になるのかについては、多くの人たちがヨーロッパから上陸してくる前から対照的な見方があった。一六世紀初頭にトマス・モア卿は、楽観的視点から、「新世界」でさらによい社会ができることを望んでいた。それから一世紀後、ウィリアム・シェークスピアは、住む場所を変えたとしても、人間の本性にある欠陥を消し去ることはできないと悲観的に予見した。コロンブスが亡くなってからほんの一〇年後、モアは「ユートピア」という言葉を造り、直前に発見されたアメリカの沿岸部に近い架空の島をその場所として選んだ。ユートピアという言葉は語呂合わせになっている。古代ギリシア語で「どこにもない場所」という言葉の音に似た「Eu-topia」が、「よい場所」を指すことから生まれたものだ。モアは、彼が理想とする共和国が、旧世界のどこにも絶対に存在しえないとわかっていた。しかし新世界では、そうした国が確立されることを願っていた。腐敗しきっていたヨーロッパから逃れてきた人は、思いがけないことにアメリカで名誉を回復し、さらに完璧な社会を作る第二のチャンスを与えられたのだ。

モアの理想のアメリカ像である「ユートピア」は、秩序があり、平穏で寛容な場所だった――秩序がなく混乱したイギリスのチューダー朝とはまったく対照的である(間もなくチューダー朝では、トマス卿の友人であり彼を大法官に任命したヘンリー八世の命令で、トマス卿が突如斬首されることになる)。新世界に住む人々は、自由選挙で指導者を選び、不適切に権力を奪い取った者はいかなる者でも免職にする権利を持っている。外交術のおかげで戦争をする必要はない。人口は注意深く抑えられ、本土から行き来する移住者の数を調整することによって、均等に分散される。どんな宗教の信者も受け入れられ、平和に暮らしている。財産は共有で、そこから得られる利益は自由かつ均等に分けられる。全員が生産性のある仕事に就いているが、労働時間は一日六時間なので、余暇と勉学のための時間が十分にある。医療費は無料である。女性の権利は、現代ほど十分ではないが、当時の基準をはるかに上回っていた。そしてモアは、中世カトリック教会の守護者だった(そのために命を落とした)にもかかわらず、物語の中では(現在のカトリック教会の教義にまったく反する）離婚や、安楽死、司祭の結婚を認めている。またユートピアに法律家は必要ない――法律はとても単純だったので、誰にもよくわかり皆それに従っている（モアは歴史上、きわめて偉大な法律家の一人でもあったので、法律には心を打つような自己犠牲の精神がうかがえる）。アメリカがモアの夢を実現していれば、本当に例外的な国になっていたことだろう(3)。

ウィリアム・シェークスピアは、アメリカンドリームが悪夢に変わる可能性を予期し、トマス・モア卿のユートピアの幻想を打ち砕いた。シェークスピアが書いた最初と最後の戯曲が、共にモアの生涯と功績に基づいたものであったことは、あまり知られていない。『サー・トマス・モア』はシェークスピアが数名の作家と共に書いた、初期の伝記的戯曲である。『テンペスト』は、モアの『ユートピア』を見事なまでに痛烈に皮肉った作品だ。シェークスピアは、モア個人の宗教上の苦境には同情していたものの、彼の政治的活動には反対していて、彼の考え方はどうしようもないほど甘いものだと思っていた。次の台詞は、欠点の多い人間が本質的に、ユートピア的で完璧な世界を生み出すことができない理由を見事に捉えている。

というのも、ほかの兇漢どもが勝手気ままにおなじ暴力を振るい、
おなじ理屈をこね、おなじ権利を楯にとって諸君を食いものにしてしまうからだ。
いちどそうなると、人間は貪婪な魚みたいに共食いを始めることになるだろう(4)*3

若い頃のシェークスピアが、すでにこの世に幻滅を感じていたとすれば、老いたシェークスピアは、完全に絶望していたと言える。彼は『テンペスト』を、人類やアメリカンドリームの可能性に対するモアの楽観的な見方に逐一反論する形に仕上げている。『テンペスト』は『ユートピア』と同様、北アメリカ沿岸

沖にある島が舞台になっている。だが、シェークスピアは、新世界で新たなスタートを切ることによって、旧世界で積み重ねられた多くの罪や不正をきれいさっぱりなくすことができるという考えを、容赦なく揶《や》揄《ゆ》した。モアが描いた新世界は、豊かで繁栄した穏やかな場所である――秩序があり、理性的で、寛容であり、バランスがとれていて、人に対する善意にあふれている。シェークスピアが描いた新世界は不毛な荒涼とした所で、激しい感情と復讐のたくらみに駆り立てられている場所だ。新世界は旧世界とほとんど変わらないはずである。どこへ行こうと、人間はそれまでと変わらない悲しい限界を抱えているからだ。

　国外追放となったプロスペローは、無邪気な娘ミランダと二人だけで流れ着いた荒れた孤島で、恨みを抱えながら暮らしていた。成長したミランダが知る人間は二人だけだった――父親と、島で生まれた異形の奴隷キャリバンである。プロスペローはシェークスピアが描くディストピアを体現したような存在で、人間の魂の奥底をのぞき込んでは情欲、貪欲、陰謀、裏切りばかりを見いだしている。純粋無垢なミランダは人間の表面的な部分に目を向け、美しく希望にあふれた「すばらしい新世界」だけを見ている。ミランダには、モアのように、未来に対してユートピア的理想がある。一方プロスペローは、未来は過去から逃れられないという、シェークスピアと同様の幻滅したディストピア的視点を持っているのである。

　シェークスピアの悲観的な未来像は、アメリカ人による探検と開拓の現実にずっと近かったことがわかる。『テンペスト』は、それが書かれるほんの三年前に起きた実際の出来事に基づいていた。食料が不足していた新たな植民地バージニアのジェイムズタウンに向かった物資補給船の一団が、バミューダ沖で沈没した事件である。すぐに、難破した船の生存者の間で政治的分裂や争いが起き、不正が横行するようになった。モアとシェークスピアの間の時代に、忙しく地図を作り、新世界の大部分を征服した勇敢な探検家たちは、だいたい冷徹で、時に残酷なところもある人間だった。ユートピアを創るという夢を抱いていた者もいたが、それを成し遂げた者はいなかった。新世界は、新しい人間も新しい社会ももたらさなかった。旧世界の問題すべてがそのまま持ち込まれただけの世界だったのである。(5) 北アメリカ大陸は、間違いなく例外的な場所で、すばらしいチャンスに恵まれていた――だが、そこに入植した人々の例外的な高潔さを引き出すことはなかったのである。

シェークスピアは、モアが考えた人間像の、より信頼できる象徴としてミランダという人物を創りだした。ミランダは、子どもの頃から島に閉じ込められ、外界の状況を何一つ知らなかったために、初めて触れた外の世界に心を奪われる。だがこの「すばらしい新世界」に対する彼女の驚きは、皮肉には事欠かないシェークスピアの一連の戯曲のなかでも、最も皮肉に満ちたものだ。ミランダが出会った面々は立派でもなければ、人間そのものが美しいわけでもない。彼女は若すぎてこのことを理解できていないため、自分でそれを学ばなければならない。「こんな人たち」の本当の姿を知っているプロスペローは、彼女が「初めて見るもの」に抱く幻想をやんわりと打ち消す。あらゆることを目にして苦しんできた賢明で年老いた魔術師プロスペローは、モアやミランダとは違った視点を持ち、人間の動機の誠実さを疑っている。ミランダのような見方をすれば一時的には楽しい気分になるが、これでは将来起きることに目を向けないままになる。一方、プロスペローの悲観主義はつらい気持ちをもたらすかもしれないが、意思決定のためのより安全な道しるべとなる。

では奴隷のキャリバンは、こうしたことすべてにどう関わっているのだろうか。彼は野生そのものの生き物で、激情にかられ、残忍さを隠さない。社会がおこなえる最善の行為は、人間の最底辺にある感情を抑えることだ――自然状態にある人間は粗野であり、高潔ではない。われわれは、いくら不完全な社会制度であっても、解き放たれた人間の本能から生じる嵐のような混乱のリスクを冒さずにそれを変えることはできない。シェークスピアは、ホッブズが登場する前からホッブズの思想を持ち、ルソーが出てくる前からルソーの思想を非難していた。そして「すばらしい新世界」が堕落し、大量虐殺、宗教戦争、革命──さらにトランプといった世界規模の恐怖に至ると予測する先見の明を持っていた。シェークスピアの『テンペスト』は、モアの『ユートピア』を逆転した作品である。ミランダの言う美しく「すばらしい新世界」は、やがてハクスリーが描く悪夢のような『すばらしい新世界』となるのである。

ユートピア思想家対ディストピア思想家（その二）

ゴットフリート・ライプニッツは、一七世紀の最も賢明な人物の一人だったが、ユートピア思想を持った愚か者の一面もあり、彼の哲学はアメリカ例外主義を後押しすることになった。よかった面と言えば、ライプニッツが博識家で、微積分法を発見し（ニュートンと同じ年に発見したが、彼とは別に発見）、二〇〇〇年後にようやく役立てられることになる数学や論理学の諸概念を提唱したことである。また、現代のデジタル計算で用いられている二進法を研究し、量産型の機械式計算機を初めて製作した。だが、こうした最高の頭脳の持ち主が、非常にばかばかしいと思われる考えも熱心に支持していた──われわれが、「すべての可能世界のなかで最善の世界」に住んでいると考えていたのである。ライプニッツの現実に対する無知は、彼の気まぐれな楽観主義と、宗教的信念、論理学への信頼、そして世間知らずの素朴さが相まって生まれた。神はまったく善であり全能であるというのが、彼の出発点だった。したがって、地球上のすべての物事は、まさに神が望むとおりの形になっている。また表向きはひどく見えていても、あらゆる出来事は神の定めが何らかの形で達成された結果に違いない[6]。アメリカ先住民が病気で命を落としたり、戦争で征服されたりするのは、神が望んだことであるはずだ。裕福な人がいる一方で飢えに苦しむ人がいたとしても、それは神の意思によるものであり、へたに手を加えてはならない。不幸な目に遭った人々は、きっと罪を犯したのだから、罰を受けるに値する。主人となる人がいる一方、奴隷になる人がいても、そのままでよい。あらゆる出来事はいくら不快なものであっても、神の定めの中でそれにふさわしい根拠があるに違いない。こうしたライプニッツのあまりに単純な楽観主義ほど、アメリカ例外主義の偽善を正当化するものはない。現代の共和党の見解では、われわれが気候変動を心配する必要がないのは、(最善のこの世界で)神が救済に来るからであり、不平等を正したり医療保障を提供したりする必要がないのは、それが神の意思だから、ということになる。

ジョナサン・スウィフトが『ガリバー旅行記』を著したのは、モアの『ユートピア』から二〇〇年後、シェークスピアの『テンペスト』から一〇〇年後、ライプニッツによる「すべての可能世界の中で最善の世界」という主張から一五年後、ダニエル・デフォーの楽天的な小説『ロビンソン・クルーソー』から七年後であり、アメリカ独立宣言の五〇年前だった。人間のあり方に関するよい評価すべてを、意地悪に面白おかしく、皮肉をこめて痛烈に批判している。ガリバーの旅はバミューダに向かうところから始まる。物語の中心となるのは、きわめて多くのユートピア的な夢と、ディストピア的な悪夢だ。ガリバーは、その名前からうかがえるとおり騙されやすく(ガリバーから連想されるgullibleは、騙されやすい、すぐ真に受けるという意味)、物腰の柔らかい純真な人物で、人々に温かい関心を寄せた。だが彼の旅は人間に対する嫌悪で終わる。あまりに人間嫌いになったため、人間を見ることにも声を聞くことにも、匂いをかぐことにも耐えられない。ガリバーは見知らぬ奇妙な場所を旅することで、人間の愚かさ、度量の狭さ、大げさな称賛、ずるさ、自己欺瞞、わがまま、無関心、邪悪さを目にした。人生を楽観的に始めるほど、人生に対する失望は大きくなる。また、希望があまりに現実離れした楽観的なものであればあるほど、苦い経験によってますます深く悲観主義に向かって落ち込んでいくものだ。(7)

非常に面白いディストピア思想家として、次にあげられるのはヴォルテールだ。彼はライプニッツのユートピア的理想を皮肉をこめてさらに粉々に打ち砕くことに、このうえない喜びを感じていた。小説『カンディードまたは楽天主義』で、次々と恐ろしい体験——戦争、病気、飢饉、火事、洪水、地震、裏切り、欺瞞、偽善——に繰り返し苦しんでいるのに、純真なパングロス博士は世間知らずの教え子カンディードに「すべての可能世界の中で最善のこの世界においては、すべてが最善である」としつこく言って聞かせる。現実主義者であれば、そうした世界はすべての可能世界のなかで最悪の世界だと結論づけるだろうが、パングロス博士のいちずな楽観主義バイアスは弱まることがない。ヴォルテールがわれわれに教えているのは、現実の経験からわざと目をそらすだけで、この世界がすでに完璧とはほど遠く、常にもっと悪くなる可能性があるという事実が覆い隠されてしまうということである。(8)

アメリカが実際に経験してきたこと

アメリカンドリームの本質は、個人や集団が持つ願望である。アメリカを建国したのは、疲弊した、人口過剰の、争いが絶えない世界からやって来た移民たちだ。そうした世界から吐き出された彼らを迎える新たな国は、少なくとも口先では、勤勉によって、自由、平等な機会、成功がもたらされるという理想を唱えていた。だが、願望は実現の同義語ではない。「すべての人間は生まれながらにして平等」と謳ったアメリカ独立宣言は、国民にとって大きな励みとなった——だが二四〇年たっても、その理想はまだ実現していない。「アメリカ」は現実ではなく、いまだに一つの理想にとどまったままだ——言わば進行中の高尚な一大事業であって、正当な誇りの源泉であると同時に、悲しいことに、大きな幻滅の源泉でもあるのだ。

モアが架空のアメリカ像である『ユートピア』を描いたのは、アメリカ大陸初の恒久的英国植民地が建設されるほぼ一世紀前のことだった——そのため、『ユートピア』は植民地の行方に影響を与えることになった。社会改革を目指すモアの衝動は（カルバンやクエーカー教徒に浸透し）、新たな地上の楽園の創造を願ったイギリス人入植者に大きな刺激を与えた。旧世界の人々による新世界への入植は、宗教の自由や完璧な政治の理想主義的追求として美化される（また物語風に表現される）ことが多い。当初から、アメリカのユートピア信仰と理想主義は、現実的な営利主義と戦わなければならなかった。高尚さに欠ける動機——領土拡張熱、ビジネス・チャンス、二人目、三人目の息子たちに居場所を見つけてやること、法から逃れること——についてあまり触れられないのは、それらがアメリカ例外主義を支持し正当化するような建国の神話にならないからである。

だが、われわれは、修正主義という正反対の方向に大きく振れすぎてもいけないし、ユートピア的な夢の純粋さも軽視してはならない。多くの人々が海を渡って不毛な海岸に向かう危険な旅に出たのは、旧世界で人々をつなぎ留めていた重苦しい制度、人間関係、伝統のくびきからひとたび逃れれば、もっとよい新たな世界を創れる、という純粋な願望からである。人気《ひとけ》のない未開の土地は（植民地特有の改革意識のもと、「インディアン」が入植者に都合よく抑圧され）、ヨーロッパで人類が積み重ねてきた多くの悪事を正すための、空白の石版を提供した。それは、すべての人にとっての新たなスタートであり、人類にとっては二度目の救済を受けるチャンスだったのである。

一六二〇年、プリマス上陸直前に結ばれたメイフラワー契約は、厄介な現実問題に対する理想的な解決策だった。メイフラワー号には、(自らを「聖徒」と呼ぶ)国教反対者と、商機を求めてやって来た(「部外者」と呼ばれる)人々がほぼ同数乗っていた。彼らは、自らが置かれている危機的な状況を考え、内部での対立は許されない不必要な行為だと認識していて、聖徒と部外者で作成した契約の中でこう誓約した。
「(われわれは)結束し、市民による政体を形成する……そして、これに基づき、随時、植民地全体の福利のために最も適切と思われる、公正で平等な法律、命令、法令を発し、憲法を制定し、公職を組織する。そしてこれらに対し、われらは当然かつ全き服従と従順を約束する」[9][*4]

この社会契約は、公益への合意に基づいた民主的な自治を通じて、入植の動機の違いを解消した。

それから一〇年後(またしても上陸直前の船上だったが、今度はのちにボストン港となる場所で)、新たなマサチューセッツ湾植民地の基本的な姿勢を示すために、ジョン・ウィンスロップが「キリスト教的慈愛のモデル」という説教をおこなった。ウィンスロップはキリストの「山上の垂訓」を引用し、同胞であるピューリタンの入植者たちに向かって「世の光」を生み出すように命じ、「丘の上の光輝く町」を造れという聖アウグスティヌスの命を引き合いに出した。ウィンスロップは同胞に対し、新世界での生活は厳しいものになり、報酬は均等に配分されないという、現実に即した警告を与えている。彼はその説教で、「全能なる神は、最も神聖で賢明なる摂理において、常に、裕福な者と貧しい者、権力と威厳に秀でた高貴な者と身分が低く服従すべき者という、人間の境遇を定められた」と述べている。だが、境遇や、能力、裕福さに違いがあっても、人々は身体の各部位が依存し合うように生きていかなければならないし、母と子を結びつけるのと同様の愛情と誠実さをもって生きていかなければならない。共同体のニーズは、個人のニーズよりも優先されなければならない。そして、もっとよい世界を創造し、他者が見習う手本となるように、全員が一丸となって努力しなければならない、と説いたのである[10]。

しかし、新世界はそのようにうまくはいかなかった。入植者たちが造った新世界は、旧世界を超えることができなかったのである。彼らは、すばらしい新世界を造る機会を与えられたものの、どこまで行っても人間につきまとう、変わり映えのしない心理的な力や社会の力に飲み込まれてしまった。正しいおこないをするための自的意識や宗教上の命令があっても、入植者たちはたびたび間違ったおこないをした。マサチューセッツ湾植民地は、建設当初から争いで分裂し、その不寛容さ、偏見、迷信のために悪評が高かった——宗教的・政治的反対派を絞首刑にし、土地を奪い、ネイティブ・アメリカンを殺し、セーレムの魔女裁判をおこなった。[*5] マサチューセッツ湾植民地は、よりよい世界を造ることなく、現状の世界に対するきわめてよい手本ともならなかった。これは悪循環であった——ユートピア的理想が社会の妄想に堕落し、恐ろしい行動を正当化して、ユートピア的理想を裏切るのである。

こうなると、歴史は最悪の形で繰り返すのが常ではないかとわれわれは心配になるが、平行しておこなわれていた、それまでとは異なるもっと現実的な原則に基づいた政治の試みは、きわめて好ましい結果を生んでいた。マサチューセッツ湾植民地が建設されてから数年後、植民地の指導者たちは、その不寛容な体制と偽善的な理想主義に反対したありがたくない存在のロジャー・ウィリアムズを追放した。ウィリアムズは、賛同者たちと共に未開の土地に移り、プロビデンス・プランテーションを建設した。一六六三年にはそこはロード・アイランド植民地の一部となったが、こちらはマサチューセッツで彼が忌み嫌っていたユートピア的理想主義とは正反対の考えに基づいて運営された。ウィリアムズは、人間の心理を常識的に評価し、神の意志を理解するわれわれの能力に、もっともな疑念を抱いていた。彼は、どんな集団も腐敗は避けられないと考えていて、自己の利益を正当化するために宗教的権威が利用されることを恐れていたのである。

理想主義や例外主義、宗教を大げさに主張するよりも、現実主義のほうが、統治を成功させるための人道的で効果的な道しるべとなることがわかった。ウィリアムズは人民による人民のための統治を確立し、宗教的楽園を造るよりも、世俗的な目的に力を尽した。合意を旨とし、実際的な政治制度を基盤とする指導体制である。彼らは自己の利益を図り願望を実現するカルバン主義からは遠く、権力は神から与えられるという神話も信じてはいなかった。ウィリアムズは、当時としては斬新な、教会と国家の「分離の壁」という概念を提唱し、完全な宗教の自由を保障した。植民地には、進取の気性に富んだバプテスト派の人々や、クエーカー教徒、ユダヤ教徒など、宗教的少数派が急速に集まり、これが多様なアメリカ文化のるつぼの始まりとなった。ウィリアムズはまた、ネイティブ・アメリカンを人民と認めるという、それまでになかった認識を持っていた――そのため、彼らには土地を保有し自由に暮らすための人権が自動的に与えられることになる。また彼らの所有地を没収するのではなく購入し、命令ではなく契約によってそれを取り扱うことになる。ウィリアムズは、実現可能な政治的解決策と人間関係を創り出すことの重要性を理解していた――自分たちが丘の上に神の町を造ることができるという、ひたすら楽天的で偽善に満ちたユートピア的概念を頼みにはしなかったのである(11)。

ロード・アイランドでの植民地建設から四〇年余り後、クエーカー教徒がペンシルベニアに開いた新たな植民地は「神聖な実験」をおこない、ユートピア的ではない実際的な統治への取り組みをさらに強化した。ペンシルベニア植民地の「統治形態」[*6]は、法の支配によって個人の権利が守られるという憲法の伝統を確立した――個人の権利とは信仰の自由、自由選挙、公平な陪審裁判、専制的な国家権力からの個人の保護、悪行を働いた役人の弾劾、死刑の制限などである(12)。その他の植民地は、ロード・アイランド植民地やペンシルベニア植民地よりも、ずっと早く理想主義的な宗教上の願望を唱えていたが、よりよい仕事を実践する可能性ははるかに低かった。
アメリカ建国の文書である「独立宣言」の冒頭の言葉は、最もわれわれを鼓舞するものである。「われわれは、以下の事実を自明のことと信じる。すなわち、すべての人間は生まれながらにして平等であり、その創造主によって、生命、自由、および幸福の追求を含む不可侵の権利を与えられているということ」[*7]
独立宣言の起草にあたって、トマス・ジェファソンは、モアの『ユートピア』から強い影響を受けていた。またライプニッツの理想主義にも精通していた。だがジェファソン自身が奴隷所有者でもあったので、自分の現実が理想にかなうまでには至らないとわかっていたに違いない。奴隷制を擁するアメリカで、すべての人間が「生まれながらにして平等」であることは決して当たり前の話ではなかった。また、彼の個人的経験からも、彼が独立を宣言した新しい国の経験からも、すべての人間が生まれながらにして「不可侵の利益」を与えられていることを示すものはまったく存在していなかった――ジェファソンのお気に入りの私邸「モンティセロ」では、奴隷の権利が著しく侵害されていた。アメリカは、高尚なユートピア的理想と共に生まれたが、その理想は常に日々の厳しい現実に裏切られていた。われわれの歴史を貫通する亀裂が今も残っていることは、今日の朝刊を読む誰の目にも明らかだ。よい知らせと言えば、それまではどの国も、国民に対して（正確に言えば、奴隷を除く人々に対して）、「生命、自由、幸福の追求」についての個人の権利を約束してきていなかったことだ。悪い知らせは、この新しい国がたびたびその約束を守らなかったことである。(13)
「幸福の追求」という表現を誤って解釈したことも、アメリカ例外主義の価値をおとしめてきた。独立宣言の一〇〇年近く前に、「何人《なんぴと》も他人の生命、健康、自由あるいは所有物を侵害すべきではない」[*8]「幸福の追求の必然性は自由の基盤である」と著書で述べた、哲学者ジョン・ロックから、ジェファソンは「幸福の追求」という概念を借用した。[14]「幸福」という言葉はロックやジェファソンにとって特別な意味合いを持っていて、現代使われているような、快楽を暗示する幸福とはかなり異なるものである。彼らにとって幸福の追求は、より善い人間になることであり、もっと責任感のある市民になることを意味した。個人の快楽や喜びではなく、勇気、節制、正義という市民の徳を指した古代ギリシア哲学における「幸福」という言葉を彼らは使ったのである。アリストテレスは著書『ニコマコス倫理学』でこう述べている。

「幸福な人間は善く生き、善きことをなす。なぜならばわれわれは幸福を事実上ある種の善き人生とか善き行為と定義づけてきたからである」[15]

ロックはさらに明確にこう述べた。

「私たちは、自分たちの最大善としての真の幸福を選択し追求する必然性によって、個々の場合の欲望の満足を停止しないわけにはいかないのである」*9

人を惑わす幸福感は「真の堅固な」幸福ではないのである。

アメリカ独立宣言に盛り込まれた幸福の追求が「自由の基盤」であるのは、それがまさに個人の欲望の奴隷となることから解放され、もっとよい市民になることを狙いとしたものだからだ。ジェファソンが言ったように、「最大の幸福は、運命によってわれわれが置かれる生活状態によって決まるのではなく、良心、健康、職業、自由を全力で追求した結果得られるもの」である。[16]以来、アメリカ人は熱心に幸福を追求してきた――だがわれわれは、アリストテレスやロック、ジェファソンが考えていた市民の徳ではなく、マスコミが宣伝する安易な幸福を追求することがあまりにも多かった。常に現実的だったベンジャミン・フランクリンはこうなることを見通し、「憲法は幸福追求の権利を与えているだけである。幸福は自分でつかみとらなければならない」と述べている。われわれが偽りのはかない消費の快楽にとらわれ続けることなく、持続可能な世界でどうすれば真の幸福を最善の形で追求できるかについてはあとの章で論じる。

リンカーンは、アメリカ例外主義のより高尚で向上心にあふれた側面を、最もよく体現した人物である（アメリカ国民がまだ成長の途上にあることも十分にわかっていたが）。国民は自分の生活を模範的なものにするだけでは十分ではない。われわれがよりよい世界への道しるべとなる光をともすことを、神は求めている。リンカーンはゲティスバーグの演説で、そうした決意をこのように表明している。

「これらの戦死者の死を決して無駄にしないために、この国に神の下で自由の新しい誕生を迎えさせるために、そして、人民の人民による人民のための政治を地上から決して絶滅させないために、われわれがここで固く決意することである」[*10]

歴史の皮肉が当てはまるという点では、リンカーンも例外ではなかった。一八六三年一一月におこなわれたこの演説の場所は、アメリカがまったく不当な動機で最も残酷な内戦を戦った、流血の戦場の一角だった――まさにこのときのアメリカは、よりよい世界をめざすための最悪の手本となったことだろう。だがリンカーンは決して希望を捨てなかった。ひとたび各州が結束すれば、この国はやがて戦争の傷を癒やし、高い道徳基準を取り戻し、人々を救いに導くと考えていたのである。リンカーンは宗教にとらわれずに説教し、人間とアメリカが抱える実に悲しい欠点を常に認識していた。だが常にわれわれの善き本性を探し求め、頻繁にそれを見いだしてもいた。われわれが選ばれた者であるなら、貪欲さではなく、善良さにおいて「例外的な」存在とならなければならないのである。

「過去は決して死なない。過ぎ去ってもいないのだ」[17]。

奴隷を許したレイシズムは決して滅びることはなく、その様相が微妙に変わっただけだった。リンカーンが生きてこの国の再建を指導していれば、彼が思い描いていたもっと公正なアメリカが実現したかもしれない。だが彼のあとを引き継いだ欠点のある者たちが、解放を台なしにした――そのひどい結末は、今日もはびこるレイシズムにはっきりと見てとれる。一五五年前、黒人は文書のうえでは自由になったが、まず厳しい人種隔離政策であるジム・クロウ制度によって、暴力にさらされ投獄され続けた。現在は、人種的・経済的な不公平をもたらす屈辱的な仕組みの中で生きなければならない。アメリカで最も偉大な作家（マーク・トウェイン）が書いたアメリカ小説の最高傑作（『ハックルベリー・フィンの冒険』）は、「black lives matter（黒人の命は大切である）」として、白人の偽善を打ち砕いた[18]。だがアメリカ初の映画大作（『國民の創生』）は、クー・クラックス・クランの価値を高め、トランプはその熱狂的な支持を集めて大統領選に勝利した。独立宣言の偽善（「すべての人間は生まれながらにして平等」、ただし奴隷を除く）に取って代わったのは、黒人の生活に対する日常的な偽善だった。黒人はたびたび隔離され、ほぼ常に不平等な扱いを受け続けていて、十分に大切にされているとは到底言えない。南北戦争は決して終わっていなかった――南部連合国は、トランプを選出することで、このたびの戦いに勝ったのである。

マーク・トウェインは、宗教に名を借りた「明白な運命」や「文明化の使命」という宗教的偽善に隠された、アメリカの帝国主義を嫌っていた。それは、すべての人間は生まれながらにして平等ではあるが、アメリカ人は他者を征服する特権を神から与えられている（あるいは、そうした役目を自ら任じている）という考えである――そして、アメリカ人は西部への移動を阻むネイティブ・アメリカンを殺害し、メキシコ人を倒して広大な土地を獲得し、アメリカがでっち上げたスペインとの戦争で植民地を獲得した。ジャクソンから、ポーク、セオドア・ルーズベルト、ブッシュに至る大統領たちは、進んでアメリカの力を行使し、アメリカの野望を限界まで追求した。マーク・トウェインは、セオドア・ルーズベルトのことを

「南北戦争以来、アメリカに降りかかった最も恐ろしい災難」と評し、「神はアメリカ人が地理を学べるように戦争を生み出した」と痛烈な冗談を飛ばした。ベトナム戦争や、アフガニスタン、イラクにおける終わりの見えない戦争で、アメリカが人々を殺している理由を私が理解できないのと同様に、トウェインは、アメリカがフィリピンで人々を殺している理由を理解できなかった。アメリカ例外主義は、アメリカが関わったあらゆる戦争を、われわれアメリカ人だけには、まったく正しいものであるかのように思わせた。アメリカが深い思慮もなく侵略した国の人々にとって、その戦争が明らかに理不尽なものだった場合でも、正しいと思わせたのである。われわれは、あるがままに物事を見ないことが多い。その代わりに、商業的関心というレンズを通して物事を見ている。われわれの貪欲さを理想主義の薄い膜で覆い隠して。[19]

選ばれた例外主義者のエンターテイナーたち

一七七六年、間もなくアメリカ合衆国となる一三の植民地の総人口は、たった二五〇万人だった。そのうち、わずかしかいなかった財産を持つ白人の成人男性が、選挙権を持ち公職に就くことができた。こうした少数者のなかから、ジョージ・ワシントン、トマス・ジェファソン、ベンジャミン・フランクリン、アレクサンダー・ハミルトン、ジェームズ・マディソン、ジェームズ・モンロー、ジョン・アダムズ、ジョン・ジェイほか数十人の名士が登場した。アメリカ建国の父たちは一流の知識人で、啓蒙主義の政治理論、歴史、哲学、科学、経済学、修辞学に精通していた。論文集『ザ・フェデラリスト』は、政治哲学の著作として定評があり、アメリカの憲法は時代を超えて生き続けてきた。それからほぼ二五〇年後のアメリカの現実はと言うと、人口が一五〇倍近くに増えたものの、政治的人材は驚くほど減少した。われわれの優秀な建国の父たちのあとに続いた政治家のなかで、彼らの水準に近い者はほとんどいなかったのである。

そして最近では、自分を派手に見せることが、偉大さを獲得するための強力な武器になったように思える。政治家には常にエンターテイナーの側面があると言えるが、大統領を仕立て上げるには、エンターテインメント業界に目を向けるのが理にかなっていると考えられるようになったのは、ごく最近のことである——レーガンはハリウッドから、トランプはリアリティ番組から登場した大統領だ。幻想を作り上げ、真実を覆い隠す技術の経験が豊富なプロほど社会の幻想をうまく作り上げる者はいない。ハリウッド繁栄の糧は、ドラマ、人間模様、感情、善と悪との永遠の闘いだ——闘いでは善良な者が常に勝利し、邪悪な者は常に罰を受ける。こうした単純なシナリオには、実生活の複雑に入り組んだ状況や、やむをえず妥協せざるをえない場面は描かれていない。商業的に成功した大部分の映画や、成功したリアリティ番組すべてが人気を博している理由は、あまり考えることを要求されないからということに尽きる。ロナルド・レーガンがその時代に最も優れた政治家だったのは、自分の過ちがもたらした予期せぬ多くの有害な結果について考えることなく、大統領の役割をとてもうまく演じたことが大きな理由である。ドナルド・トランプが大統領になったのは、リアリティ番組が、挑発的な毒舌を政治的資産の一つにしてしまったことが主な理由だ。われわれは、ワシントンやジェファソンのような誇りと謙虚さを兼ね備えた愛国心の高みから、「アメリカは偉大だ」などと大言を吐くレーガンとトランプのレベルにまでひどく落ちぶれた。高潔なダビデは、成長して威張りくさったゴリアテになったのである。

皆が認めるアメリカ代表

レーガンは、アメリカ例外主義のすばらしい側面と悪い側面すべてを、ほぼそのままに体現した人物だった。質素な境遇に生まれ、家族がトラブルを抱える中、レーガンはあらゆる障害を乗り越え、アメリカで最も華やかな二つの職に就いた――ハリウッドの映画スターとワシントンの政治家である。彼のことを偉大な大統領だと崇める者もいれば、最悪の大統領の一人だとばかにする者もいたが、実際のところ彼はその両方だった。国民の間に広がったレーガンの楽観主義と、「心配ないさ、幸せになろう」というメッセージは、皆を激励し、国全体の士気を高める奇跡的な役割を果たした。レーガンが引き継いだ国は、真実を口にするジミー・カーターの悲観主義がもたらした不安にとらわれていたが、彼はすぐに国民を元気づけた。レーガンは、ジョン・ウィンスロップの願いを日々かなえるバラ色のアメリカ像を国民に吹き込んだ――アメリカは、全世界の羨望と尊敬を集める「光り輝く丘の上の町」のまたとない化身だというのである。

レーガンは幻想を作り上げる達人であったが、それをアピールするのはもっとうまかった――それは自分が作った神話をかなりの確信を持って信じていたからだろう。レーガンは映画スターとしてのキャリアに行き詰まると、テレビの西部劇シリーズのホスト役を務め、番組提供会社の石けんを売り込むセールスマンとしてのスキルを極めた。またゼネラル・エレクトリック（GE）社提供のテレビドラマシリーズでも長年にわたってホスト役を務め、幸せな生活は考えられる限りの家電製品で成り立つことを、視聴者にうまく納得させた。レーガンは現代アメリカの大量消費主義の象徴となり、最も説得力をもってエネルギー浪費を推進した人物となったのである。

GE社と関わるもう一つの仕事は平凡で華やかには見えなかったが、結果としてははるかに重要な仕事となった――彼個人の政治的傾向を劇的に変え、間もなくアメリカ全体の政治を大きく変えることになるのである。一九五四年から一九六二年の間、レーガンはその四分の一にあたる時間を割いて全米の小都市を回り、GE社の一三九施設で延べ数十万人の従業員に向けて感動的なスピーチをおこなった。また商工会やロータリークラブが主催する数えきれないほどの夕食会で、GE社の福音を精力的に広めた。このときレーガンは、GE社の広報部門が作り上げた世界モデルを宣伝していた。新たな生活観をこれほど長く懸命に売り込んでいると、自分を売り込むようにもなってくる――特にレーガンのような優秀なセールスマンならなおさらだ。GE社との長い付き合いが始まった頃、彼は相当リベラルな民主党員だった――だが最終的にはGE社の信条の中でも極端な右派にまで転じたため、会社では彼を使えなくなってしまった。レーガンは、明らかに平凡な映画俳優およびテレビタレントとして熱弁を振るい始めたのだろうが、最終的には、フランクリン・デラノ・ルーズベルト以来の堪能な政治演説家となった。彼は、一日に一四回の演説を夜遅くまでおこなうこともあった。長年にわたるGE社での実地訓練を通じて「偉大なるコミュニケーター」に変貌したのだ。アメリカ国民が聞きたいことを把握し、くだけたわかりやすい言い回しを練り上げ、自らの政治的能力を売り込んだ。レーガンはGE社の宣伝マンから共和党の新星へと急速に姿を変えた――そして一九六四年、共和党全国大会で有名になった演説[*11]をおこない、一九六七年から一九七五年までカリフォルニア州知事、一九八一年から一九八九年までアメリカ合衆国大統領を務めたのである。

われわれはいまだに、レーガンの大統領としての失策と、彼が推し進めた社会の妄想のツケを払い続けている。サプライサイド（供給力）重視の「まじない」経済学によって財政赤字は三倍に膨れ上がった。

彼は国民に対し、豊かな暮らしができるだけの余裕があると断言した——つまり、コストや廃棄物、環境への影響を気にせずに、エネルギーを大量に消費する大型車や大きな家を大事にするべきだというのである。レーガンの明るい笑顔や快活な表情は、彼がまさに誤った方向に大量の富を配分している事実を覆い隠した——富の多くは、裕福な者、さらに大富豪に配分されなければならない。なぜなら、その富のほんの一部がやがて、彼ら以外の者たちにトリクルダウン（富める者が富めば、貧しい者も自然に富むようになる）で行き渡る可能性があるからだ。銀行の規制緩和は、ペテンのような財政操作を招き、金融危機につながった。産業界への規制緩和は、環境汚染、独占価格の形成、労働災害を招いた。レーガンの単純な楽観主義のもとにおこなわれた対外政策は、かえって大きな犠牲を生む結果となった。まず、アフガニスタンでロシアに対抗するイスラム教徒「自由の戦士」を支援したことが裏目に出た。彼らはイスラム教徒の「テロリスト」となり、アメリカが与えた武器をアメリカに向け始めたのである。またパキスタンと協力したことによって、アフガニスタンにおけるアメリカの「グレートゲーム」[*12]がさらに進んだが、これがパキスタンの核兵器開発計画を後押しし、今やその兵器がテロリストの手に落ちる寸前の危険な状況になっている。さらにレーガンは（たびたび非合法的に）ラテン・アメリカの反政府右派に資金援助をおこない、当地の根強い反米感情の高まりを招いた。そしてイランとの不正な裏取引によって、国家の公正性が深刻に問われることになったのである。

アメリカはレーガンの虜《とりこ》になってしまった。アメリカ例外主義の現実離れした楽観的戦略は、それが続いている間は心地よいものだったが、決して長く続くものではなく、われわれは重い後遺症に苦しむことになった。予想外に早く現実がわれわれを蝕み始め、これまで蓄積された負債すべてを返済すべき時が来る。三〇年たっても、われわれはまだレーガンがもたらした悪影響から逃れられないのである。

トランプの例外主義

一部のアメリカ国民は、ドナルド・トランプにも惚れ込んでしまった――トランプは「リアリティ」番組のスターではあったが、彼のヒーローであり、ずっと愛嬌のあるロナルド・レーガンよりも、さらにリアリティとの関わりは薄い。トランプの気質は、レーガンとは正反対だ――レーガンはいつも陽気だが、トランプは絶えず不機嫌である。だが二人とも同じような社会の妄想をアピールしている。トランプは、迫り来る人類生存のあらゆる問題に、とんでもなく誤った対応をしてしまっている――地球温暖化を否定し、環境汚染を奨励し、資源の枯渇を促進し、喜んで武力による威嚇をおこない、人口抑制と銃規制に反対し、忌まわしい不平等を加速させ、市民権の保護を踏みにじっている。トランプの振る舞いはサーカスの客引きのようであり、詐欺師そのものであり、その性分は近所のいじめっ子と同じで、自分が傲慢で何も知らない人間であることに驚くほど気づかず、独裁者の政治的本能を持ち、部族主義者の政策をおこなっている。

アメリカ例外主義にもともと存在しているすべての問題は今、トランプの例外主義のためにひどく悪化している。トランプは精神疾患には該当しないが、生涯を通じて未熟なまま成長しないことが世界に知れわたった例であることは確かだ。彼は子どものような大人で、何事も自分の思いどおりに進むと期待し、自分の延長線上に世界があると感じている。彼にとって他者は、彼の傲慢な命令を実行し、すばらしい行動を尊敬し、多大な要求を満足させるためだけの存在だ。これが子どもであれば、まったく年齢に見合った振る舞いと言えるが、大統領としては完全に不適切な振る舞いである。トランプは自分をアメリカのビッグ・ブラザーだと考えているだろうが、実際は心さびしいビッグ・ベイビーだ。トランプは困った人間だが、精神疾患を患ってはいない。われわれ国民のほうが常軌を逸していて、これほどひどい欠陥のある人間を、世界で最も影響力の大きい職に就かせてしまった。常に一貫した彼の行動パターンである見え透いた嘘、すぐに変わる意見、無責任な暴力の扇動、自画自賛のかたくなな考え、レイシズム、性差別の影響を驚くほど受けることなく、トランプは急激に台頭した。相手を怒鳴り散らしたり、いじめたり、虚勢を張ったりする態度は、リアリティ番組にはうまくはまっていたが、現実に国を動かすことになると悲惨である。これほど大統領にふさわしくない人物が大統領の座に就いたことは、これまでなかった。またこれほどアメリカの民主主義にとって危険な人物が、最も影響力を持つ地位に就いたこともなかった。

トランプは、われわれの国家の健全さに関する、できれば耳にしたくないメッセージを思わぬ形で伝えてしまう伝道者だ。私が想像していた以上にアメリカ社会に広範囲に存在する、より根深い否認妄想の傾向を明らかにし、それを世に解き放ったのである。トマス・モアが望んだユートピア的なアメリカは、トランプのディストピアに堕落した。(ある意味適切にロナルド・レーガンの演説から盗用した)「アメリカを再び偉大に」というトランプのスローガンは、実際には、アメリカを小さく、恐ろしい、怒った、つまらない、邪悪な国にしている。かつてカール・マルクスは「歴史は繰り返す。一度目は悲劇として、二度目は喜劇として」という名言を残した。トランプが生み出した現象が、アメリカの悲劇であれ喜劇であれ、これ以上状況が悪くならないことを私は心から願っている。

民主主義は貴重な統治手法であるが、歴史上では多くみられない、危険なほどもろいものでもある。民主主義的な政府を初めて樹立したアテネは、扇動的指導者によって民衆が悲惨な決断に導かれ、その短期間の試みは失敗に終わった。プラトンは民主主義がそれほど機能しない制度であると考え、自分が理想とする国家ではそれを禁じた。四〇〇年前に西欧で民主主義の先駆者が台頭し始めると、哲学者のホッブズやヴィーコは、その動きが必然的に、混乱と中央集権への復帰を招くと予測した。過去三〇〇年の歴史から、民主主義はうまく機能している場合は最良の統治形態であるが、対立、組織の分裂、混乱、腐敗に悩まされると最悪の統治形態となることが証明された。世界には今、失敗した何十もの「民主主義国家」があり、内戦や無政府状態、全体主義者による権力奪取のまっただ中にあるか、そうした方向に向かいつつある。昔のイスラムの格言に「人民の人民に対する一年間の専制政治よりも、サルタンによる一〇〇年間の専制政治のほうがまし」というものがある。

残酷な南北戦争の時代を除けば、アメリカの民主主義は強運に恵まれた安定した基盤のように見えた。それは大量の移民の波、断続的に起きる不景気、過酷な経済的不公平に耐えて生き抜いてきたのである。だが、未来を乗り切れる保障はない。四〇年前、ヘンリー・キッシンジャーが、周恩来と初めて会談したときの雑談の中で、フランス革命についての意見を求めたところ、周は「それを口にするのは早すぎる」と答えたという。同様に、アメリカの民主主義がトランプの攻撃に耐えられるかどうか、結論を今出すのは早すぎるだろう。ただ、ほら吹きの愚か者にすぎないのかもしれないが、トランプがしゃれにならない人物であることはすでに明らかだ。彼はわれわれの民主主義の原則・制度に深刻な害を及ぼす力を体現し、それを解き放った。トランプのせいで、フリーダムハウス（アメリカの人権団体）が発表した、二〇一七年の民主主義ランキングで、アメリカは世界で三〇位に転落し、さらに低下傾向にある。

トランプは、法と秩序を重んじる人間として自分を売り込んでいるが、その仮面が彼の利害や衝動、思いつき、恨みと矛盾すると、常に堂々と法を侮辱してきた。批判的な報道をつぶし、自分とは違ったものの見方をする裁判官を黙らせ、国際法に反して軍に拷問を強要し、条約義務を無視する権利があると、トランプは考えている。憲法に組み込まれた権力分立の繊細なバランスを理解することも尊重することもせず、それを跡形もなくゆがめてしまうことに、少しもためらいを感じていない。トランプは、ほぼ毎日一度は、不愉快極まりない横暴な発言や行動をしているが、政治のうえでも個人的にも、それに対して期待されているつけを払う必要は決して感じない。彼はかつて、自分が白昼堂々と殺人を犯しても支持を失うことはないと豪語していたが、もしかしたらそれは正しいのかもしれない。だがこうした態度は、間もなく独裁者になろうとする者の態度と変わらない。

われわれの民主主義がいつまでも安泰だと信じるには、アメリカを含む世界の民主主義国家の多くで復活しつつある反民主主義の傾向に目をつぶらなければならない。恐怖、不安、国家主義、経済危機、外国人嫌い、レイシズムにあおられて、急進右派の政党や政策が急速に票や支持、社会的信用を集めている。またテロに対する反射的な過剰反応のせいで、市民の権利は縮小し、監視網が拡大している。歴史上、民主主義国家が失敗しているのは、下手な決断が下されたり、決断が下されずに政治が停滞したりした結果、混乱に陥ったり、強者による敵対的な権力の奪取を招いたりしたときである。トランプによる統治であらわになったのは、彼自身の驚くような偏見と無知だけではなく、彼にこびへつらう取り巻き閣僚たちの目に余る準備不足と無能さである。彼らは皆、トランプの最悪の思いつきや、到底擁護できない偏見にしきりに服従したがっている。アメリカはすでに、大きく広がる政治不信に苦しんでいる。茶番に見えるトランプ政権の混乱は、民主主義政治がこれ以上機能せず、その結果生まれた政治の空白を独裁者がぴったりのタイミングで埋めるという、多くの人々が最も恐れていることを現実にしてしまうかもしれない。

トランプによる支配の完成を阻む障害は、党組織内にはほとんどない。共和党議会は日々、最も重要な愛国的義務であるはずの仕事（トランプの独裁者的野望に歯止めをかけること）を放棄し、その代わりに皮肉にも、右派の政策の推進役として彼を選んでいるのである。トランプが最も激しく攻撃している対象が、アメリカの民主主義を守る残りの二つの砦《とりで》――報道の自由と正義を守る裁判所――であることは驚くにあたらない。トランプのあらゆる恐ろしいツイートの中で、以下はその最たるものである。

「フェイクニュースメディア（落ち目の@nytimes, @NBCNews, @ABC, @CBS, @CNN）は私の敵ではない。アメリカ国民の敵だ！[20]」

トランプは、国民の最も基本的な権利である言論と思想の自由に対して攻撃を仕掛けながら、アメリカ国民を守る役に自分を仕立てようとしているのだ。

それに続く恐ろしいツイートではこうつぶやいている。

「一人の判事がわが国をこのような危機にさらすとは信じられない。何かあったらその判事と司法制度のせいだ。移民の流入は続いている。最悪だ！[21]」

このツイートは、イスラム諸国からの入国を禁止することの合憲性を疑問視する裁判所の判断に反応したものだ。さらに重要な点は、裁判所には彼の行動を裁く権利がないと主張していることである。なぜならトランプが国家の安全というもっと高い価値のあるものを守っているからだという。トランプはどうころんでも自分が有利になる状況を作った。つまり、裁判所がトランプの意向に沿った判断を下せば、彼は国家の安全を理由に独裁的権力を手にすることができる。また、憲法を尊重しない彼の横暴さに裁判所が歯止めをかければ、（トランプではなく）裁判所が、テロ行為の責めを負うことになるのである――そうなればトランプは、非常事態宣言のもとに権力を行使できる。こうしたビッグ・ブラザーもどきのトランプの命令に、軍が応ずる姿を決して目にすることがないよう祈ろう。ただ、そういったことはもちろん起きる可能性がある――憲法上の制約に組み込まれているチェック・アンド・バランスに縛られていると感じず、衝動的で大衆を扇動するぺてん師の傲慢な野望の影響を、われわれは今、受けやすくなっている。

トランプは、アメリカの民主主義制度を守らない、わが国初のデマゴーグ大統領である。トランプ政権は新たな法案を検討中で、それによって、名誉毀損に関する法律を緩和して報道機関を黙らせるとともに、議会の手続きを変更して、独裁政治から民主主義を守るチェック・アンド・バランスの機能を骨抜きにしようとしている。特に恐ろしいと感じるのは、これまで出会った独裁者のなかにトランプが気に入らなかった者はおらず、そうした独裁者を見習いたいと思っていることだ——たとえばロシアのプーチン大統領、トルコのエルドアン大統領、エジプトのエルシーシ大統領、インドのモディ首相、フィリピンのドゥテルテ大統領である。またトランプは、フランスの反ユダヤ主義者でネオファシストのマリーヌ・ルペンを支持し、北朝鮮のキム・ジョンウン（金正恩）さえもほめている。

多くの人々が、トランプの動機、心理、考えられる精神医学的診断について頭を悩ませている。私はそういうことは重要ではないと考えている。彼がずる賢い人間であろうが、ただの無能なばか者であろうが、運に恵まれた人間であろうが——あるいはその全部を兼ね備えた人間であろうが、そんなことは大した問題ではない。きわめて大事なことは、トランプを止めることである——手遅れになる前に、今すぐ彼を止めることだ。今がその分岐点であり、アメリカ人の魂が試されるときである——トランプの正面切っての攻撃から民主主義を守るか、その攻撃に負けてしまうかのいずれかだ。二〇〇〇年代に邪悪なブッシュとチェイニーが危機を誘うような形で行政権を行使したとき、アメリカ版のファシズム到来の危険を訴えた私を、オオカミが来たと騒ぐ少年みたいだと友人たちがからかった。今ではそうした友人たちも、私と同じように恐怖を感じている。さらには、ワシントンで最も客観的な視点を持ち、きわめて賢明な政治評論家のノーマン・オーンスタインも恐怖を感じ、「われわれの大統領は従来のような大統領ではない。大統領の行動は、戒厳令や独裁的支配に通じる道にわれわれを導く可能性がある」と述べた。われわれはトランプに立ち向かわなければならない。そうしなければ、トランプがわれわれの民主主義を打ち負かす（trump）ことになる。

例外的であることが常によいとは限らない

トランプの暗黒時代に生きる多くのアメリカ人の間で、「アメリカ例外主義」はますます堕落していった。アメリカは他の国よりも優れ、正しく、賢く、理想主義的で、強く、利口で、思いやりがあり、公正で、自己中心的ではなく、勤勉で寛容であるという自己満足のもとに、他国を見下している。アメリカ合衆国は、最も偉大な国として描き出される――考えられるなかで最良の経済体制と、最良の政治制度、最良の人々、最良の意志を持つ、機会に恵まれた国だ。さらにそこに宗教的な意味合いも加わる――アメリカは神の国で、神はアメリカ国民の味方であり、われわれがキリストの千年王国への道を先導するというのである。こうした自慢話の一部は真実だったが、それもいっときのことだ。そのときの運、決意、野心、冷酷さ、資源、歴史的偶然によって、アメリカ例外主義は自己成就的予言となった。アメリカ合衆国はその大陸のほぼすべてを買収し征服して、自ら宣言した「明白な運命」を達成することができ、ほどなくして世界で最も裕福で、テクノロジーが進化した最強の国になったのである。だが、そうしたよい面の奥には、常に厄介な悪い面が潜んでいた。アメリカは、経済、軍事、政治面で偉大な存在になるために、意識的に、あるいは無意識に、自らが説いてきたこととは正反対の行動を頻繁に取ってきたのである。

またアメリカ例外主義が生み出す社会の妄想のせいで、われわれは現実が見えなくなり、人類生存の危機に向かう歪んだ対応を取るようになる。われわれは他の国よりも賢いと考えることによって、他の国から学ぶことができなくなる。また、アメリカが現状以上に強い国だと考えることは、世界の警察になるという無益な試みにわれわれを走らせる。他の国がアメリカをきわめて否定的な目で見ているときに、われわれのほうが道徳的に優れていると考えると、困惑を生み出す。さらに、アメリカは自分たちだけでやっていける国だという考えは、世界規模の問題での他の国との協力を妨げる。そうした問題の解決策は、他の国と一体となった行動からしか得られない。思い上がった部族主義的なネオコン国家主義は、現代のアメリカ例外主義の自滅的な姿が、むき出しの形で表現されたものだ。つまり、アメリカは正しい戦争だけを、利他的な理由でのみ、常に公正に戦う――だから、アメリカがたまたま戦うことになった戦争は、必ず正しく利他的で公正な戦争に違いない。そしてアメリカは世界を教え諭し、世界を取り締まる文明化の使命を負っている。他の国の人たちは、アメリカの寛大な愛他心に感謝し、アメリカの介入を歓迎している。冷戦の(一時的な)終焉によって、アメリカの正しさと、どう生きるべきかを皆に伝えるアメリカの権利が証明された。アメリカは民主主義と、世界規模の自由貿易を地球の隅々まで広げることによって、「アメリカ帝国」を造らなければならない、というわけである。

こうした「例外主義者」の妄想は、われわれを大きなトラブルに巻き込んできた。世界を「われわれ対彼ら」「善対悪」と見なす素朴な二元論は、さまざまな時代、政権、政党にわたって、気が滅入るような外交政策の大失敗を繰り返し招いてきた。アメリカの人気は確実に落ちている。第二次世界大戦後の調査でアメリカは、評判のよい国の世界ランキングでトップとなり、最下位はドイツだった――その順位が今は逆転している。また、最近BBCが三三カ国で二万四〇〇〇人を対象におこなった調査では、アメリカが世界で二番目に評判が悪い国だった――最下位はイランだったが、ロシアやサウジアラビア、ジンバブエ、中国といったきわめて評判が悪い国よりもアメリカは評価が低いということになる。[22] またギャラップ調査では、六五カ国の六万六〇〇〇人以上に「今日、世界平和に最大の脅威をもたらしている国」を尋ねた。その結果はアメリカが二四パーセントでトップ、その次にパキスタン（八パーセント）、中国（六パーセント）と続いた。さらにアフガニスタン、イラン、イスラエル、北朝鮮がそれぞれ四パーセントで同率の四位だった。アメリカの悪評の一部は、アメリカが世界唯一の超大国であるがゆえの避けがたい結果である――大国は当然敵を持つものだし、友好的な相手にさえも嫉妬の念を抱かせるのだろう。だが、アメリカに向けられる大きな怒りは、これまでアメリカが、あまり賢明な超大国ではなかったという事実から生まれている。他国の内政への干渉、民主的に選ばれた指導者の追放、右派による反乱の支援、愚かで破壊的な戦争の開始、偽情報の拡散、拷問、他国の資源の搾取を、アメリカが六〇年にわたっておこなったことは、当然ながら残念な犠牲をもたらしたのである。[23]

個人あるいは国の自己愛は、少しであれば受け入れられるが、それが大きすぎると悲惨な結果を招く。国の適度な自己愛は、国民に自信を与え、他国からの信頼、自国の明確な意思決定と精力的な行動を促す。だが、過度の慢心は大きなつまずきにつながる――個人においても国においても同様だ。かつては国の大きな財産だったアメリカ例外主義は、今や同じくらい大きな重荷となり、結果としてわれわれは心地よくても実は危険な社会的妄想の形成を許容しやすくなっている。前章で論じた悪い決断の原因すべてが増幅されるのは、自己愛が現実を覆い隠し、判断力を曇らせ、正義や分別の偽りのオーラを、時にはきわめて愚かな行動や怠慢に与えてしまうときである。ティーンエイジャーはたいてい年相応の自己愛の季節を経て大人に成長する。アメリカはまだ十代の国で、実体験がかなり少なく、もっと大人にならなければならない。アメリカよりも成熟した国々は、よい時代と悪い時代を何度も繰り返し経験し、常にアメリカの大活躍を寛大な目で見ていた――それが今では、不快なトランプの見世物にあきれ果てている。社会の妄想を振り払い、世界のリーダーシップを取り、落ち着きのある中年そして老年に成長したいと思うなら、アメリカは国として成熟しなければならない。もちろんこれは簡単なことではなく（最近のトランプ支持者の傾向は、実に恐ろしい退化そのものだが）、必要は発明の母であり、アメリカは常に現実に即した形で賢く自らの再生を図ってきた。だからわれわれは、トランプ主義を耐え忍ぶだけでなく、それを克服できるはずだ。

アメリカが他の国とうまく付き合っていきたいと思うなら、まず他の国がアメリカのことをどのように見ているか、またなぜそのような見方をしているのかを、はっきりと見極める必要がある。アメリカが比類ない英知を備えた光輝く手本であるというユートピア的妄想は、尊敬を集めるであろう政策の推進を妨げ、かえって恐怖や怒りを生む。アメリカ独特の歴史事情が生み出した制度はアメリカではおおむねうまく機能したが、だからといってそれが別の歴史、文化、願望を持つ人々に、そっくりそのまま移行できるわけではない。われわれが自らの目標、手法、主張にもっと謙虚になれば、世界にもっとよい影響をもたらし、もっとよい地位と評判を得るだろう。われわれが、独自のやり方で簡単に世界をよくすることができるなどと無邪気にも考えてしまえば、世界にある深刻な問題はさらに悪化する可能性がある。

ベストセラーになったディストピア小説

ディストピアを描いた作品はどこにでもあり、ほとんど陳腐と言ってよいものになった。そのジャンルは産業革命が始まるとともに急激な広がりを見せ始め、ロボットが登場すると、さらに爆発的に拡大した。

そして、現代世界の問題が解決策を圧倒し、過去よりも未来の状況が厳しく見え始めたときに、大衆の心を捉えたのである。ディストピア作品は今、さまざまな年齢層の人物（子ども、ティーンエイジャー、若い成人、大人）や、異なるタイプのヒーローと悪者（人間、動物、ロボット、コンピューター、エイリアン、異種混合のハイブリッド）を扱い、さまざまな時代（過去、現在、特に未来）を舞台に、いろいろなジャンル（ロマンス、ファンタジー、風刺、メロドラマ、喜劇、悲劇、ホラー、特にSF）にわたって描かれている。また、種々のテーマ（戦争、全体主義政府、革命、無政府状態、投獄、監視、精神的拷問、自然災害、階級闘争、階級制度、部族主義、人口過剰、資源の枯渇、環境汚染、犯罪、カニバリズム、クローン、経済危機、政治的陰謀、社会の崩壊、文化の衰退、家庭の崩壊、人間性の喪失、アイデンティティの喪失、工業化、狂信的行為、カルト教団、繰り返される歴史、特に最近のテーマとして、新たなテクノロジーの影響）が取り上げられ、作品の完成度もさまざまである（駄作、低俗な作品、そこそこのものもあれば、すばらしい文学作品もある）。

現代のディストピアに最も直結する小説が三つある。オルダス・ハクスリーの『すばらしい新世界』（資本主義のアメリカの恐ろしい未来を予測したかのような作品）[24]、ジョージ・オーウェルの『一九八四年』（共産主義のロシアの恐ろしい未来を予測したかのような作品）[25]、シンクレア・ルイスの『ここでは起こりえない』だ[26]。

ハクスリーもオーウェルも、現代世界をきわめて正確に予測した。オーウェルの著書のほうが文学としては、はるかに優れている。一方、ハクスリーはオーウェルよりも、アメリカを正確に表現している（少なくとも現在のアメリカに限ってのことである――オーウェルが描いた世界を地でいくようなトランプのことを考えると、さらなる未来の予測など誰にもできない）。ハクスリーの予測が唯一誤っていたのは、権力の所在と、「われわれのすばらしい新世界」を創造するきっかけとなった動機である。彼は、政府が人々の快楽を操って、政治的支配をおこなうと予測した。だが、これまでは少なくとも、企業が人々の快楽を操作して利益を引き出してきたのである。ただ、まだ結論を出すのは早い――特にビッグ・ブラザーのようにわれわれを監視するトランプがいるからには、政府が今後の脅威にはならないと判断するのは早すぎるのである。

ハクスリーが描く『すばらしい新世界』

ある意味、この小説はかなり身近に感じるだろう。というのも、ハクスリーの第二の故郷であるハリウッドをモデルにした、アメリカの夢と悪夢の世界の物語だからだ。「今日楽しめることは明日に延ばすな」を鉄則とする社会を想像してほしい。そこでは衝動のままに好きなものを何でも買うことがよしとされる。また乱交が道徳的行為、一夫一婦制がわいせつなものとみなされる。自分が気に入った人であれば誰とでも罪悪感のないセックスができるが、恋愛は非難と嫌悪の目で見られる。与えられる仕事は、遺伝子操作やクローンの作成、行動の条件づけによって作られた個人の能力に、ぴったり合ったものだ。まわりの人たちは皆親しみやすく、温和で、気が合い、自分の平凡な趣味や関心事を一緒に楽しんでくれる。過去の悪い記憶はない。現在には何の問題もなく、将来の心配もない。

「みんなは幸福だ。欲しいものは手に入る。手に入らないものは欲しがらない。みんなは豊かだ。安全だ。病気にもならない。死を恐がらない。幸せなことに激しい感情も知らなければ老いも知らない」[*13]

『すばらしい新世界』では、少しでも悲しみや不安を感じた人々には、幸せな気分にしてくれる魔法のような薬ソーマがある。
『ソーマの休日』が忘れさせてくれる。ソーマは怒りを鎮め、敵と和解させてくれ、忍耐強くしてくれる……半グラムの錠剤を二、三錠呑むだけでいい。誰でも円満な人格が持てる」[*14]

人々は安定した、秩序のある、争いのない状態で生きている。こうした状態によって完成した統治原則は、「至高善としての幸福への信念」を失ってはならないというもの、そして間違っても「生命の目的は幸福の維持ではなく、意識のある種の洗練、もしくは知の拡張にある」[*15]などと考えてはならないというものだ。生殖はもはや愛情とも性的魅力とも関係のないもので、不安定な運命がもたらす不安に支配されることもない。子どもを産むまでの途中段階である性交や妊娠は科学の力によって回避され、事前の計画に従い、ふ化器に入れられている試験管の中で子どもが生まれる。クローンもきわめて効率的に作成され、試験管で受精させた一個の卵から、九六人の一卵性多胎児を誕生させることができる。管理が行き届いた流れ作業によって、一人の女性の卵子から「一五〇組の一卵性多胎児からなる兄弟姉妹が、およそ一万一〇〇〇人できるのだ。わずか二年のうちに」[*16]——これは今日の科学において最も話題となっている、遺伝子工学の研究とさほど変わらない。

実に厳格でありながら、心の安定をもたらす階級制度がある——最上級の階級である優秀なアルファ、最下級で能力が劣るエプシロン、それらの間にもはっきりと区別された階級が存在する。さまざまな種類やレベルの仕事に期待される種々の要件に、人々は完全に順応し満足している。各階級の人々の性質は、遺伝子の選別によって操作されている。人工ふ化された胎児に対してさまざまな薬剤が使われ、彼らが決められた役割を果たせるようになるために、日夜絶え間なく行動の条件づけがおこなわれる。子どもたちは、成長の各段階が精密に管理・監視される「ふ化場」で育てられるのである。

マルサスが唱えた人口問題は、生殖と性行動を切り離すことによって、また個人のあらゆる選択を排除することによってついに解決した。誰もが愛情のないセックスを好み、子どもは性交によってもうけられるもの、母親から生まれるもの、生みの親によって育てられるものという古い習慣の話になると、人々は嫌悪感しか抱かない。生殖を許されたごくわずかの女性も「マルサスベルト」を着け、アクセサリーのように「標準支給の避妊具」を身につける。世界人口は常に持続可能な二〇億人になるよう、きわめて厳しく抑えられている。

相手を選ばないセックス、すばらしい薬、限度額のないクレジットカードは、多くの人々にとってアメリカンドリームの実現を意味するだろう。だがハクスリーは、これは地獄だと考えた。大義を抱いて反抗するヒーローは、国家による管理から自己のアイデンティティを守り、ソーマよりもシェークスピアを好む高貴な蛮人である。

「僕は不幸になる権利を要求しているんです……欲しいのは詩です。本物の危険です。自由です。美徳です。そして罪悪です……僕は僕でいい。情けない僕のままがいい。どんなに明るくなれても他人になるのは嫌だ……僕は不幸のほうがまだいい。あなたがこっちで愉しんでいた嘘っぱちの幸福よりは」[*17]

ハクスリーにとって、制限のない愚かな快楽と、芸術の創造、科学の進歩、人間の尊厳の維持は両立しないものである。快楽主義の下で人間が完全に幸せになるためには、それと引き換えに、まともな人間以下の存在に甘んじることを受け入れなければならないのだ。

オーウェルが描く『一九八四年』の世界

『一九八四年』でジョージ・オーウェルが描いたディストピアは、ハクスリーと同様に恐ろしい場所だったが、その様子はかなり異なる。ビッグ・ブラザーと思想警察が、テレスクリーンを通して市民のあらゆる動きを監視し、会話の一言一句を隠しマイクで聞いている。至る所に密告者がいて（自分の子どもも含む）、あらゆる思考、感情、人間関係について政府に密告する。使用言語は「ニュースピーク」だ。この鏡の世界では何もかもが見かけとは反対になる。たとえば平和省は延々と戦争を続け、真理省は党の偽りのプロパガンダとつじつまが合うように、過去の記録を改ざんしている。また愛情省は拷問をおこなっている。目下のスローガンは「戦争は平和である」「自由は服従である」「無知は力である」だ。党の方針に従わなければ「思想犯罪」となる。善良な市民は、「記憶口」（メモリーホール）と呼ばれる深い穴に、危険で不都合な真実を投げ入れる。党の正統性に反対する者は「非実在者」として歴史から抹消される。真実が偽りであり、偽りが真実なのである。これはまさにトランプ的流儀だ。

すべての愛情は、ビッグ・ブラザーに向けられなければならない――個人の結び付きは国家に対する犯罪行為で、各人の一番の弱点を攻撃するきわめて特殊な拷問によって罰せられる。思想警察は、物語の主人公ウィンストンがネズミを極端に恐れ嫌っていることを知ったうえで、大型でどう猛な腹をすかせたネズミが入ったかごを、彼の顔に押し付ける。警察は、彼が助かるために彼が言わなければならないこと、感じなければならないことを指示してはくれない。だがまさにかごの扉が開こうとしたとき、彼の頭にそのとき発すべき正しい台詞がひらめく

「ジュリアにやってくれ」――ジュリアは彼の最愛の女性だ。愛する女性を「自ら進んで」裏切ったとなれば、ウィンストンの狂気は正され、彼が善良で信頼できる市民として社会に再び迎え入れられようになるのは明白だ。当然ジュリアのほうも、同じようにウィンストンを裏切ることによって正気を取り戻して

いた。党は彼らの服従だけではなく、愛情も欲している。物語は、ウィンストンが涙を流しながらテレスクリーンに映るビッグ・ブラザーを見上げ、彼への愛情を確認し、自らに対し勝利を収めるところで終わる。

最近まで西欧の『一九八四年』の読者は、そこで描かれている薄汚い欺瞞、常時おこなわれる監視、善意による残酷さが、アメリカの敵国、特にロシアだけに存在する特殊なものと確信し、ある種の優越感を抱くことができた。文明世界に住むわれわれは、全体主義に汚されず、それに支配される心配もなかった。こうした状況が一変したのは、プーチンがトランプの大統領選出のためにKGBの手法を用い、トランプがロシアの独裁的師匠の手法をまね始めたときである。トランプのツイートや記者会見はことごとく、「ニュースピーク」でおこなわれている――恥知らずな嘘を「オルタナティブ・ファクト」（もう一つの事実）だとごまかしているのだ。不都合な真実を掲載した政府のウェブサイトは一掃された。トランプにとって最大かつ最重要な戦いはメディアとの戦いである――メディアは、彼がこれまで出会ってきた相手の中で、最も「信用できない」「不快極まる」者たちだ。トランプの恐れ、その結果として起きる怒りは、ファクトチェックを重要視する自由な報道機関によってあおられている。独裁者にとって、純然たる真実ほど危険なものはない。また、独裁政府にとって、真実を否認すること、真実を語る勇気のある人々を否認することほど、大事なことはないのである。

トランプが登場する前からすでに、スノーデンの暴露文書によって、アメリカ政府が強大な監視機関となったこと、常に国民に嘘をついてきたこと、ＣＩＡが思想警察とさほど違わない手法と精神のもとに、精神的・肉体的拷問をおこなっていることが明らかになった。ビッグ・ブラザーが人の心を読み取り、思考を矯正する手段は、独裁者になろうとする者が今日利用できる監視技術と比べれば、悲しいほど未熟なものだった。プライバシー、思想の自由、民主主義が、これほど独裁的に操られる危機にさらされたことは、これまでになかった。

シンクレア・ルイスが描くアメリカの独裁政権

今読んでも恐ろしいシンクレア・ルイスの小説『ここでは起こりえない』(一九三五年)では、やり手のカリスマ扇動政治家バズ・ウィンドリップが、驚異的な経済的利益の獲得という大げさな約束を掲げ、有権者の怒りと恐怖をあおり(恐ろしい不景気を生む土壌が十分に整っていた中で、それは難しいことではなかった)、さらに愛国心や、伝統的なアメリカの価値観、ユダヤ人や外国人に対する嫌悪の念に訴えかけることによって、アメリカ大統領に当選する。その後ウィンドリップは、ヒトラー親衛隊にも似た民兵の後ろ盾を得て、独裁的な権力を振るう。

ルイスは、ヒューイ・ロングの人格と野望をもとに、ウィンドリップを描いた。ヒューイ・ロングは、大恐慌時代のルイジアナ州で活動した大衆的な扇動政治家で、アメリカの歴史上、最もトランプを彷彿とさせる人物である。自らを「キングフィッシュ」と名乗っていたロングは、「誰もが王様」というスローガンを掲げていた。すでにルイジアナ州知事としてほぼ独裁的と言える権力を振るっていたが、上院議員に選出されてからも長くその姿勢を維持した。一九三五年に暗殺されるまで、ロングはルーズベルトに最も嫌われ、大統領選のライバルと恐れられていた(ルーズベルトは個人的に、ロングをヒトラーにたとえていた)。ロングの支持基盤はトランプの場合よりもずっと組織化され、その分だけ規模も大きかった。七五〇万人の「富の共有」クラブ会員、二五〇〇万人のラジオ聴取者を従え、支持者から一週間に六万通の手紙を受け取っていた。トランプと同様、ロングは選挙集会での聴衆からの追従と、盛り上がった集会の雰囲気を堪能していた。そしてトランプと同じく、自分の野心を満たすために、国民の味方を装っていた。ルイスは、ロングが暗殺されず一九三六年の大統領選でルーズベルトに勝利した場合に、アメリカで起きることを想像してフィクションを描いたのである（フィリップ・ロスの著書『プロット・アゲンスト・アメリカ』も同種の物語だが、その設定は一九四〇年のアメリカ大統領選挙でリンドバーグがルーズベルトに勝利するというものである）。扇動的に大衆の気を引くロングの振る舞いと、当時ドイツやイタリア、スペインで権力を握ったファシスト政府とを重ね合わせることで、アメリカが架空のファシストに支配されることを想像したのだ。

出版から八〇年たって『ここでは起こりえない』が、再びベストセラーになっているのは当然のことである――芸術が人生を模倣するように、人生が実際に芸術を模倣することがあるのだ。トランプがもっとおぞましい人間になれば、バズ・ウィンドリップのほぼ生き写しになる――それはまさにヒューイ・ロングの再来だ。

アメリカを再び偉大にすることは、アメリカを再びよくすること

私はアメリカを見捨ててはいない。わが国を深く愛している。しかし最近、アメリカの発言に我慢できなかったり、アメリカの行動を嘆かわしく思ったりすることがよくある。私は、わが国の高尚な価値観や、息を飲むほどの美しさ、温かく迎え入れてくれる人々、政治制度、さらに歴史に誠実でありたいと思う。ほとんどすべてのものを失い、行く所もなくさまよっていた私のユダヤ人の家族を救ってくれたアメリカ

には、常に感謝している。アメリカはわれわれを立ち直らせ、家庭、教育、仕事、新たな文化、言語、安全、安心を与えてくれた。最も大事なことは、アメリカが楽観的な見方、そして心の拠り所となるものを与えてくれたことである——希望の見えない世界で、自由という理想を与えられたのだ。アメリカ例外主義は常にある程度正しく、アメリカによい結果をもたらすことが多かった。アメリカは、国土の広さ、資源、富、営利企業、生産能力、波のように押し寄せる多様な移民たちを引きつけ融合させる能力という点で、他に例を見ない。そしてアメリカ例外主義は、(一九世紀に起きた注目すべき一件を除いて)アメリカを偉大にし結束させる野心と楽観主義をもたらした。新世界は、二度の世界大戦から旧世界を救い、個人の自由と経済繁栄の手本を示したのである。

だが、アメリカ例外主義がわれわれに重い荷物を背負わせ、世界におけるアメリカの立場をもはや正しく反映していないことを、われわれはもっと早く認めるべきだった。かつてアメリカの工業生産高は世界の半分を占めていたが、今やほんの二〇パーセントに減少している。それでも大きなシェアだが、もちろん支配的というわけではなく、ヨーロッパ連合や中国よりも少ない。未来の現実的なリスクから目をそらしてユートピア的妄想を受け入れる余裕はわれわれにはない。世界がその難題にうまく対処していくためには、独りよがりの例外主義が自滅的なものであること——それがわが国にとって悪であり、世界にとっても悪であることを、アメリカが認めなければならない。

われわれは、アメリカの歴史上の例にならうことによって、協力的な行動をとるための最善の方法を学ぶことができる。独立直後の「合衆国」は秩序がなく混乱した状態だったが、一七九〇年五月二九日に憲法が批准されると、アメリカは名実ともに「合衆国」となった。今われわれは同じような選択を迫られている——世界各国が本当の意味での「国際連合」とならなければ、世界は人類生存に関わる難題にまったく対応できないし、アメリカがアメリカの困難を解決しなければ、世界もそれが抱える困難を解決することは到底できないのである。アメリカは世界の問題にきわめて大きく関わり、問題の解決策の担い手として非常に重要な存在なのだ。

アメリカは、高尚な願望と、人間の基本的な側面がぶつかる中で生まれた国である。リンカーンという金は、トランプという真鍮《しんちゅう》によっておとしめられた。たびたび失敗すると落胆もするが、成功に向かって努力することはすばらしい。こうした大いなる希望で始まったアメリカンドリームは、今やとても深い穴に沈んでいる。私にとって本当の愛国心とは、決して「わが国が正しいか、間違っているか」で語れるものではない。卑屈な忠誠心は、現実に目を向けた建設的な批判よりも、国を愛する度合いはずっと低い――アメリカの過ちを見抜いて正せなければ、その過ちはずっと続き、さらにそれを悪化させることになるのである。

［訳注］

＊1　ウィリアム・シェイクスピア『テンペスト』松岡和子訳、筑摩書房、二〇〇〇年

＊2　アレクシ・ド・トクヴィル『アメリカのデモクラシー　第二巻（上）』松本礼二訳、岩波書店、二〇〇八年

＊3　シェイクスピア他『サー・トマス・モア』玉木意志太牢、松田道郎共訳、河出書房新社、一九八三年

＊4　出典：　https://americancenterjapan.com/aboutusa/translations/2554/

＊5　セーレムの魔女裁判は、一六九二年五～一〇月、マサチューセッツ湾植民地のセーレムでおこなわれた。西インド諸島出身の奴隷ティツバから、ブードゥー教の話を聞いた若い女性たちが悪魔にとりつかれたと騒いだことから始まった。ティツバを含む三人の女性が魔女として告発され，植民地当局は特別裁判所を設置して魔女裁判を開始し、最終的に一九人の「魔女」が処刑された。

＊6　一六八二年、ウィリアム・ペンが、ペンシルベニア植民地の初代総督となるためにイギリスを出る前に起草した、当植民地

初の憲法。
＊7　出典：https://americancenterjapan.com/aboutusa/translations/2547/
＊8　ジョン・ロック『統治二論』加藤節訳、岩波書店、二〇一〇年
＊9　ジョン・ロック『人間知性論（二）』大槻春彦訳、岩波書店、二〇一五年
＊10　出典：https://americancenterjapan.com/aboutusa/translations/2390/
＊11　共和党大統領候補のバリー・ゴールドウォーターを応援する「選択の時」（A Time For Choosing）と題した演説で、大きな政府への反対や、共産主義に対抗する必要性を訴えた。
＊12　一九世紀から二〇世紀にかけて、英国とロシアが中央アジアの覇権をめぐって繰り広げた政治的抗争が本来の意味。
＊13　オルダス・ハクスリー『すばらしい新世界』黒原敏行訳、光文社、二〇一三年
＊14　同書
＊15　同書
＊16　同書
＊17　同書

第四章

トランプ勝利の要因

どんな複雑な問題にも、わかりやすく、単純で、間違った答えがある。

――H・L・メンケン

私はかつて、とりつかれたようにさまざまなニュースをチェックし、雑誌を読みあさっていた。それをやめたのは二〇一六年の初め頃である。トランプがどこのメディアにも登場するようになって、私は怒りのあまり絶叫したくなったり、嫌悪から吐き気をもよおしそうになったりした。その怒りと嫌悪の対象は、彼の下品な振る舞いや、うぬぼれた自己アピールにとどまらなかった――当然ながらその両方とも腹にすえかねるものではあったのだが、それよりもずっとひどかったのは、私が本書を執筆しながら当初から問題にしていた彼の身勝手で人を食いものにする振る舞い、そしてあらゆる偏見や自己欺瞞を助長する言動だった。私は微力ながら、世界がもう少し理性と協調性を持つようになるための手助けをしたいと願っていた。トランプは、きわめて大げさかつ乱暴なやり方で、さらに狂気に満ちた、もっと危険な世界を造ることに成功していたのである。トランプは、自分の支持者を社会の妄想がもたらす大惨事に導く現世の反キリストだと私は感じたのだ。

多くの人々と同じく私も、これほど多くのアメリカ人が、どうしてこんなにも騙されやすくなってしまうのか理解に苦しんだ。正気の人なら誰でもトランプの見え透いた嘘や無責任なでたらめを見破れそうなものだが、そうではないのだろうか。もっと理性のあった以前のわれわれの世界では、大統領選への立候補をたびたびほのめかしていたトランプは、サーカスの付け足しの出し物のようにみなされ軽視されていた。そしてトランプは当時から、裸の王様になるつもりの存在と思われていた。だが彼は、他の政治家に要求を無視された人々の否認、恐怖、怒り（時に嫌悪、パラノイア、レイシズム、女性嫌悪）をあおり立てることに成功したのである。アメリカンドリームから取り残された人々は、複雑な問題に対するトランプの単純で誤った解決策を進んで受け入れた。アメリカと同様の不安や不満につけこんだポピュリストと言われるデマゴーグたちの圧力を受け、ヨーロッパ連合がアメリカのようにゆっくりと崩壊していくのを見て、私はさらに重苦しい気分になった。ブレグジットによってイギリスはヨーロッパ連合から脱退する最初の国となり、オランダやオーストリア、フランスでは、民主主義や統一に対して、深刻な異議が唱え始められた。

夕食時にトランプについて嘆きの愚痴を言うのがすでに私たち夫婦の習慣となっていたのだが、そんなある晩、妻が私のことを偽善者だと言った。トランプの支持者に対して優越感を持つのは簡単だ、なぜならわれわれは彼らが直面している問題や危機から遠く離れていられるから、と妻は言ったのである。また、トランプはメッセージを発信できるあらゆる人物のなかで最悪の人間かもしれないが、だからと言って彼のメッセージをおとしめるべきではなく、それを伝えている人々のことを軽蔑するべきでもない。トランプの支持者は、苦しい思いをしていなければ、あれほどあからさまな偽預言者の甘い言葉にこんなに感化されることはない、と言うのである。妻の言葉で私は、エディー・マーフィとダン・エイクロイドが出演した『大逆転』(一九八三年)というすばらしい映画を思い出した。裕福な男と貧しい男の立場が、ある日突然入れ替わる——貧しい男はすぐに裕福な男を装って振る舞い始め、裕福な男は、貧しい男の怒りに満ちた生き残りをかける生活に放り込まれる。そこから得られる教訓は、しっかりと相手の立場に立って考えなければ、その人の考えていることや感じていることを理解できないというものだ。

また妻のドナは、私が当然わかっていなければならないことを指摘した。私は、同じ考えを持つ仲間だけに向けて本を書いていて、大事な潜在的読者——われわれと異なる意見を持ち、トランプを支持し、尊敬までしている人々の信念や感情を無視していると言ったのである。私の言葉が届くのは、私が好きな人、私が理解し尊敬する人だけだということを、妻は私に気づかせてくれた。トランプに騙されている人々に対して優越感を抱くのは傲慢だった——労せずして得た気楽な生活に恵まれていなければ、私もトランプの支持者になっていたかもしれない。そして妄想を抱く必要性を理解していなくても、トランプが吹き込む妄想を人々が見抜く手助けができるという、誤った考えを持つようになっていた。

精神科医として、私はもっと分別をわきまえるべきだった。治療の成功を見極める最もよい判断基準は、セラピストと患者がお互いを好きであるか、またうまく協力し合えているかということである。会ったその瞬間から患者を好きになる必要はない。患者のすべてを好きにならなくてもよい。だが癒やしのための協力関係を築くために、最初に感じた嫌なところをやがては埋め合わせるような患者のよいところを見つけなければならない。そうすることは、患者についての気に入らない点や、自分が患者をわずらわしく思う理由を正確に理解するうえで大いに役立つ。ほとんどの人の場合、その人のことを知れば知るほど、さらに好感を持てるようになる——その人の苦しい状態を理解し、一人の人間としてそれに反応すればするほど好感を持てるのである。また、相手のことを知るほど自分の偏見に気づき、それを上手にすばやく抑えられる。やがて、共に治療に取り組んでいく相手として、ほとんどの人が自分にとって好ましい人になる。私が治療できなかった患者は、片手で数えられる人数だ。彼らには何かしらの価値を見いだせなかったために、治療ができなかった。だが、当初はそれほど好感を持てなくても、あとになって大好きになった患者は数えきれない。

私はトランプを好きになったり、尊敬したりする気には微塵もなれないとすぐに気づいた。私の目には彼はあまりにも人を欺き自分の利益を図っているように見えるため、彼のことを好意的に解釈し直す気にはなれない。しかし、変わることのない私のトランプに対する怒りを、彼の支持者にぶちまけるべきではなかった。何百万人というアメリカ人が、屈辱的な不平等、改善しない生活水準、よい仕事の喪失、当てにならない医療保険、穴だらけのセーフティーネット、急速に変化する文化的価値観という大きな重荷を背負っている。有意義な本を書くためには、トランプの支持者が皆、愚か者で自己中心的でかたくなであるという偏見に満ちた軽々しい判断を、捨てなければならない。その代わりに、どのような問題、動機、姿勢、願望によって、人々はトランプに引きつけられたのかを理解しなければならなかった。社会の妄想を振り払う本を書くために、そうした妄想を持つ人々に対する軽蔑の念を私は抑えなければならなかった。そのためには、私は彼らのことをもっとよく理解しなければならない。

私に課せられた新たな課題は、トランプとトランプの支持者を避けるのではなく、彼らにどっぷり浸かることだった。トランプと彼の姿勢について、できる限り多くの人と話し合うようにした。それは友人に始まり、家族、知り合い、果てはそのことについて話したいと思っている人なら誰とでもという具合に拡がり、結局ほとんどあらゆる種類の人々と話すことになった。また、延々と時間を費やして、テレビでFOXニュースを見たり、ラジオで右派のトーク番組を聞いたり、トランプのソーシャルネットワークメディアをフォローしたりした。その一部はまったくばかばかしいもので、女性嫌いやレイシスト、銃所持の神話をあおる陰謀論だった。インターネットは、教養のある市民を生み出すために非常に期待が持てるツールだが、同時にきわめて露骨な嘘の拡散を促すものでもある。私が事実を調査し、多くの人々から意見を集める中で得た最悪の経験は、仲のよい友人の一人が——怒りで顔を赤らめ、きつく歯をくいしばり、大げさに人差し指を突き上げて——「あのクソ女」を大統領にさせるくらいなら自分はヒトラーに投票すると、はっきり言ったことだ。彼は私が常に見ている「主流」メディアとは別のメディアの世界にいる。そこでは、オバマはアメリカを憎み、トランプはその「創造的破壊」の才能をもってアメリカを救うとされているのである。

アメリカの苦悩につけこむトランプ

妄想は何の根拠もなく起きるものではない、とフロイトは言った——妄想は、夢と同じように、その原因となる隠れた現実がゆがんだ形で表現されたものである。患者が妄想を強く信じなければならない理由——妄想の中で表現されている現実と、それに対する心理的反応を知らなければ、患者の治療を始めることはできない。これと同じく、社会の妄想を促す原因となっている問題を理解し、願望的思考に代わる現実的な解決策を与えなければ、われわれは社会の妄想を正すことは決してできない。トランプは偽薬を売るやり手のいんちきセールスマンにすぎない——だが、彼が利用している社会の病は、まさに現実に起きているのである。トランプが権力を勝ち取ったのは、アメリカンドリームから取り残された相当数のアメリカ人を苦しめている以下のような現実の問題に対して、手っ取り早いごまかしの解決法を約束したからだ。

雇用

一八七〇年から一九七〇年の間、アメリカは賃金と雇用の上昇率で世界一となった。初期の移民は、土地を求めてアメリカにやって来た。そのあとの移民は、賃金のよい職を求めてアメリカに来たのである。だが一九七〇年以来、アメリカの実質賃金は下がってきている。かつて平均的な労働者は、家庭を自分一人の給料で支えることができた。今では夫婦共に、それぞれ少なくとも一つの仕事を持って働かなくてはならない――それでも家計をやりくりするには、大変な努力が必要だ。大学の学位を持たずに身を粉にして働く中年の白人（トランプの最も強固な支持層）は、自らの暮らし向きが親よりも悪いことを不公平だと感じている。特に今、アフリカ系アメリカ人やラテン系アメリカ人が、自分たちよりもいくらか裕福であるため、そう感じるのだ。

オバマがブッシュから引き継いだのは、暴落した株式市場、不況に近い状況、まひした経済だった――そして活況を呈する株式市場、復活した経済、低い完全失業率をトランプに残していった。だが何百万人という鉱山労働者、工場労働者、小売業やサービス業、事務作業に関わる労働者は、依然として失業中か不完全雇用の状態にあった(1)。トランプの選挙戦で最も有権者を引きつけた謳い文句は、彼が（そして彼だけが）、海外の国々に外注した数多くの仕事をアメリカに取り戻して、再びアメリカがその仕事を担えるようにできるというものだ。グローバリゼーションというのは、特別にうま味のある目標であった。経済学者も、多国籍企業も、経営幹部も株主もグローバリゼーションが大好きだし、とんでもなく安い商品を購入する消費者も同様だ。だが、すでに職を失ったかまたは失業の恐れがある多くの人々にとって、グローバリゼーションは、テーブルの上にある食べ物を盗んでいく、腹をすかせた貪欲なモンスターである。巨額の選挙献金や、企業のロビイストの影響を受けた、共和党と民主党両党の有力な政治家たちは、常にアメリカの労働者を犠牲にして自由貿易を推し進めてきた。(2) その結果として生じる海外への仕事の外注は、世界的大企業に莫大な利益をもたらし、そのとばっちりを受けた国内の小企業に多額の損失を与えている。

トランプの公約は、当然ながら希望を失った人々の心を打った。彼の勝利が中西部のラストベルトと呼ばれる重要な州で確実となったのは、彼がそうした人々を擁護する者として自分を位置づけ、両党によって埋められなかった空白を埋めたからにほかならなかった。トランプは雇用に関する公約を、きわめてささやかで象徴的な方法でしか果たすことができないが、労働者たちが自分たちのことを気遣ってくれる様子を見せるトランプに感謝するのは当然のことである。

だが残念なことに、雇用に関する根本的な問題をすぐさま簡単に解決できる方法はない。雇用の大部分はグローバリゼーションではなく、オートメーションによって失われ、悲しいことに失われた雇用は絶対に戻ってこないのである。(3) 何百万という雇用が失われているにもかかわらず、アメリカの経済が健全に見える唯一の理由は、テクノロジーによる生産性の大幅な向上だ。(4) コンピューターが低賃金の職に就く人々に取って代わり始め、今や職業そのものを脅かしている。コンピューターとの競争に関わる心配をしなくてよい労働者はますます少なくなり、コンピューターがマスターできない技能もどんどん減っている。アメリカ社会はかつてないほど裕福だが、平均的な国民はますます悪い状況に陥り、さらにその子どもたちの将来はもっと厳しいものになりそうだ。(5)

やがて、コンピューターとロボットのおかげで今ある仕事のほぼ半分がなくなり、年間二兆ドルの賃金が失われる可能性がある。[6] それらはすでに世界の仕事全体の一〇パーセントを担い、二〇二五年までにその割合は二五パーセントになると予測されている。[7] われわれを安心させようとするトランプのむなしい言葉にもかかわらず、必然的にきわめて多くの人々が、その人数に対してはるかに少なすぎる仕事を求めることになるだろう。かつてテクノロジーの進歩は、ほとんどの人々にとって勝利を意味した――生産性の向上は国の富を拡大し、労働者にさらに高い生活水準をもたらした。新たなテクノロジーによって失われた雇用は、新たに生み出された雇用で十分補われていた。だが、もうそうではない。生産性が向上するかたわら労働者の収入が伸び悩むという、これまでの歴史の中で初めての痛ましい矛盾をわれわれは経験している。テクノロジー競争が速く進むほど、多くの人々がますます取り残されていく。テクノロジーが労働者に取って代わるとき、常にこうした大きな変化のサイクルが起きていたが、今回のサイクルはかつてない不穏なものである。というのも、企業の文字どおりトップに居坐る人々を除き、機械があらゆる職種の人々に取って代わりつつあるからだ――そうやって職を失った人に再就職のあてはないのである。[8]

不平等

アメリカの経済は世界で最も活況を呈しているが、その恩恵が（レーガンの約束どおり）「トリクルダウン」であらゆる人々に、いくらかでも公平に近い形で分配されてきたというわけではない。テクノロジーの進歩は常に不平等を促進するものだが、アメリカではその格差が信じられないほど極端だ――現在アメリカにおける富裕層の上位二〇名の資産総額は、アメリカの全人口のうち、経済的に恵まれない下から半分の人々（一億七〇〇〇万人）の資産総額よりも多い。また、かつて大手企業のＣＥＯの報酬は、平均的な従業員の四〇倍だったが、今では四〇〇倍以上になっている。アメリカの企業が持つ現金留保の額が過去最高の五兆ドルに上る一方、労働者の賃金は引き続き伸び悩んでいる。さらに、きわめて富裕な人々と裕福な企業は、適正な割合の税負担を免れている。それは彼らが政治家（特に共和党員）を取り込んでいて、大多数の人々から、少数の富裕層に富を分配するような仕組みを作っているからだ。アルコール依存症や、薬物の過剰摂取、自殺によって、中年の白人の寿命が短くなっていることは、不平等をきわめてはっきりと残酷な形で示す例だろう。低学歴の白人は、物にあふれた世界で大きな苦痛を感じている。トランプ政権が、今以上の金などまるで不要な超富裕層に対して法外な減税措置をおこなう目的で、最も金を必要とする人々に対して医療保障を削減しようとしているのは、破廉恥としか言いようがない。

トランプとバーニー・サンダースが共に人々を強く引きつけたのは、大富豪である金融業界の策士たちと緊密につながったクリントンへの至極まっとうな怒りを結集できたからだ。彼女の夫であるビル・クリントンは銀行業界の規制緩和をおこなって、きわめて投機的な賭けでありながら、リスクが非常に少ない取引を奨励した。その後、「大きすぎてつぶせない」銀行がモラルハザードとなる「どう転んでも銀行は損をしない」経営を推し進め、住宅ローンバブルがはじけると、住宅の所有者と納税者にそのつけを払わせた。ジョージ・W・ブッシュと連邦準備制度理事会議長のアラン・グリーンスパンは、こうした問題に何の注意も払ってこなかった。さらにブッシュとオバマは公的資金で銀行を救済して痛みを悪化させたのに、住宅の所有者に対してはほとんど何の策も打たなかった——銀行は儲かりすぎて笑いが止まらず、住宅の所有者は差し押さえに遭って涙が止まらなかったのである。

国民がクリントンとウォール街とのつながりを不審に思うのは当然のことだったが、トランプを信用することは、ただでさえ悪い状況から、さらに悪い状況に陥る典型例だった。[9]完璧にはほど遠いが、民主党のほうがより平等主義的な政策を一貫して推進している——富裕層に有利となる不公平な税法に反対し、一般市民のためのプログラムを支持し、最低賃金引き上げの法案を通過させ、貧困層にセーフティーネットを提供した。クリントンの政策は、企業や超富裕層を除くすべての人々にとって、トランプの政策よりも経済的にずっと好ましいものだった。だがクリントンは弱者を守る情熱に欠けていて、トランプの脱税や超富裕層への不公平な財政援助の提案、さらにトランプのために尽力した人々への数々の裏切りを暴くという点で、正当な怒りを十分に示すことができなかった。億万長者や億万長者になりたい者で構成されたトランプの閣僚は、アメリカの不平等を都合のいいように説明し、さらに悪化させるだろう。トランプ政権の財務長官は、あらゆる浅ましさと不公平を体現している——ウォール街の冷酷なやり手として、住宅ローンバブルに乗じて一財産を築き、住宅から住人たちを追い出す不動産差し押さえ会社を設立してさらに財をなしたのだ。将来の民主党勝利に直結する道は、トランプの偽善を暴くこと、そして、急速に広がる不公平という悪事を正すための意味のある代替政策を打ち出すことである。民主党が労働者の支持を取り戻すための最も効果的な第一歩は、公平な税制度の実現を目指し、富裕層をさらに利するために他の人々を犠牲にするトランプの提案に反対して、勇猛果敢に闘うことだ。

テロ

人はまれに起きる見慣れぬリスクをひどく大げさに考え、日常的に起きるもっと重大なリスクを極端に軽く見るものである。アメリカでは九・一一以降、テロ行為による年間平均死者数はたったの九人だ。一方、医療ミスによる死者は毎年二五万人以上にのぼり、薬物の過剰摂取では五万人、自動車事故では三万七〇〇〇人、銃による事故では三万三〇〇〇人が命を落としている。だが恐怖は、合理的であろうがなかろうが、国民の投票行動を決める大きな要因となる。トランプはテロというカードを露骨に示し、巧妙に使ってきた。そしてタフな男としてこう言うのである。

「われわれはイスラム国（以下、ＩＳ）に対して宣戦布告する……地球上からイスラム過激派によるテロを一掃する」

トランプは具体的な計画を示さないが、毒をもって毒を制する意図を誇らしげに宣言する――ＩＳがアメリカに対して残忍であったように、アメリカもＩＳに対して残忍な手段をとる――たとえば拷問（水責めを超える手段も容認）や、テロリストの家族の殺害などだ。軍人は戦争犯罪となる不法な命令には従わないように訓練されているが、トランプは決して嫌とは言わせないと言っている。

「彼らは拒否しない。私の命令を拒絶することはない……私がやれと言えば、彼らはそれを実行する」[10]

タフな男を演じるトランプのテロに関する威圧的な発言は、選挙遊説では大きな成功を収めたが、ホワイトハウスからそのような発言をするのは、恐ろしいほど危険なことである。

トランプの姿勢は非アメリカ的で、国際法に違反し、共通の人間性に背くものである。また、拷問はまったく効果のないもので、かえって逆効果になる場合が多いという科学的エビデンスや軍の経験を彼は無視している。[11]トランプは、ＩＳのリクルーターにとって理想の役回りとなった――彼のイスラム教徒に対するあからさまな敵意と残忍さが、イスラム教徒のアメリカに対する敵意と残忍さをあおるのである。こうした「目には目を」という復讐心は、部族間の紛争に対処するきわめて古い原始的な方法である――復讐は、短期的には精神的な快感をもたらすが、結局両者にとって自滅的な行動となる。マーティン・ルーサー・キングが言うように、「目には目を、歯には歯をという行動をとれば、われわれは目が見えない、歯もない国になるだろう」。ボストンマラソンで起きた爆破事件のとき、私は専門家としてイスラム教徒の若者たちの精神的な孤立を直接目にする機会があった。ツァルナエフ兄弟は、もともと宗教的・政治的活動にすすんで関わっていたわけではないが、この事件は常軌を逸していて、ほんの些細な個人の不満を、大げさなジハードの物語にまでふくらませたのである。アメリカがテロを聖戦という行為として仕立て上げるのではなく、卑劣な犯罪として扱っていれば、彼らはこうした大胆なテロ行為には決して及ばなかっただろう。トランプは「対テロ戦争」を始めることはなかったが、その火種に油を注ぐことにかけては間違いなく天才である。ＩＳの犯罪者と、われわれと同様にテロを嫌い平和を愛する一〇億人のイスラム教徒をひとくくりにすることで、新たなツァルナエフ兄弟の誕生を後押ししている。トランプに投票した人々は、彼の中にテロのリスクからわれわれを力強く守る者としての姿を見いだしたが、むしろ落雷を誘う避雷針のようにテロのリスクを引き寄せることになると私は考えている。

許しがたいことに、トランプはどういうわけか、われわれをテロから守ることになっている情報機関を常に攻撃し、国の安全保障に関するほとんどのブリーフィングに出席すらしていない。彼は自分の直感と、右派メディアが生み出すばかばかしい陰謀論を信用しているのである。有能で政治色のない情報機関を持つことが、テロ対策にとって重要となる。だがトランプは、国の安全保障を政治的かつ個人的な問題としてとらえ、それを無意味で役に立たないものにしている。（リアリティ番組からではなく）リアルな世界から登場した大統領は皆、情報機関と戦うことも、それを去勢することもせず、敵の動きを監視し続けることが最優先であることを理解していたものだ。新たなテロ攻撃が起きた場合、トランプはテロを口実に緊急事態時に許される独裁的権力を振るい、それを絶対に手放さないという大きなリスクもある。

困難と脅威の多い時代には部族主義に立ち返ろうとする、人間のこの生まれながらの性向をトランプは利用した。ふつふつと沸く偏見が沸点に達するのは、雇用をめぐる現実的な争いや、言語や価値観をめぐる文化上の争い、そしてそうした争いを促すトランプのような触媒が存在するときである。人と人とが接近すれば理解や友情を育むことができるが、誤解や偏見が生まれることもある。私は一九七〇年代にアメリカ南部に住み、九〇年代初めに再び南部に住んだのだが、地方に住む人々の多くは移民に会ったことがなかった。その町にはメキシコ料理店もインド料理店も中国料理店もなかった。だが今や移民は至る所にいて、その多くが誰もやりたがらない仕事に就いている。

トランプは、衰退するアメリカについての漠然とした国民の不安を、その原因とされている移民に対しての偏見へと巧みに置き換え、こんな発言をした。

「アメリカは、アメリカ人ではない者の抱える問題の掃きだめとなってしまった……メキシコは優秀な自国民をアメリカに送りだしているわけではない……多くの問題を抱えた人間を送りだし、彼らの抱える問題がアメリカにもたらされているのだ。彼らは薬物を持ち込み、犯罪を持ち込み、そしてレイプ犯だ。思うに、彼らのうちよい人間は、ごく一部だろう」(12)

ここはわれわれの土地であって、彼らの土地ではない。われわれアメリカ人はよい人間であり、外国人のほとんど全員が悪い人間だ。犯罪者は皆外国人だと思ってさまざまな犯罪の恐怖を集約すると、慰めになる。雇用不安や低賃金は、単純に移民を排除することで解決できると考えると、安心する。複雑な問題を「われわれ対彼ら」という関係に基づいた解決策で片づけると、気が休まる。こういった考え方だ。トランプは、国家主義者の激情、外国人嫌いの恐怖、浸食する怒り、見当違いの義憤をあおり立てる名人である。アメリカからの移民排除はトランプ独自の論点となった。それは彼の思想の基礎となるものすべてに関わっている。雇用、テロ、犯罪に対する不安、グローバリゼーションに対する嫌悪、文化の変容に対する不安、不公平に対する怒り、アメリカ第一主義を維持する願望、さらに国内で軽んじられている人々の声が受け止められ、その人たちに注意が向けられるようにすることに移民排除が関係しているのである。また、移民の「問題」はきわめて簡単に解決できそうにも見えた。まず不法移民を追放する。そして「レイプ犯」や「麻薬の密売人」、アメリカ人の仕事を奪う者を排除するために、メキシコとの国境に高く美しい壁を建てる（その費用はメキシコに負担させる）。また、イスラム教徒をアメリカに入国させず、すでに入国している者は注意深く監視するといった解決策が考えられた。

こうしたトランプの移民政策の一部は違憲であり、その多くは経済に悪影響を及ぼした。ほとんどが実行不可能であり、すべてが冷酷で不公平で不必要なものだった。アメリカに住む人は皆、移民の子孫である。だがアメリカに波のように押し寄せ定住した移民は、次にやって来た移民たちを手放しで歓迎したわけではなかった。新しく来た移民が必要な技能を提供することはあるかもしれないが、彼らはまた当然ながら、すでに定住している移民に、職や慣習、特権、親密さが失われるのではないかという恐れを抱かせる。次々と約束を破るトランプだが、移民に関する思慮に欠けた約束は、どうしても守らなければならないと感じていた。そこで大統領に就任した最初の週に、国境の壁の建設と、イスラム七カ国からの移民の入国を禁止する大統領令を出したのである。この二つの決定は性急かつ衝動的に、現状をよく認識しないまま下された。それらが実行可能で合法的であるかを確認するために通常おこなわれる検討もなしに決定されたのである。二つとも不要な決定で、恐ろしい結果（メキシコとの貿易戦争の可能性、拡大するデモ、宗教差別に基づいたビザ規制に関わる憲法上の危機）を招いた。

現実はと言うと、国をうまく機能させるために、アメリカは常に移民を必要としてきた。それは今も変わらない。移民は、建設、農業、サービスといった産業や、化学、医療、テクノロジー分野における労働力不足を埋め、アメリカの経済に大きな純益をもたらしている。トランプ政権になるまで、アメリカは世界中からきわめて優秀な人々を呼び込んできた。ノーベル賞受賞者五七九人のうち、三五三人がアメリカ人である――その三分の一が移民だ。外国人の優れた才能が発揮される傾向は、最近になって強まってきている――二〇一六年度のアメリカのノーベル賞受賞者六名は、全員が外国生まれだった。シリコンバレーは、世界中から労働力を調達できなければ、テクノロジー業界で世界のリーダーにはなれないだろう。トランプの外国人嫌いは、アメリカが必要とする人々を追い払い、すでにアメリカに住んでいる外国人の頭脳流出を促している。アメリカは移民の流入を安全に管理できるレベルに抑えなければならないものの、彼らなしでは生きられないのである。

職務を果たさない政府

「現在のこの危機にあって、政府は問題の解決策とはならない。政府が問題そのものなのである」「政府が制限されない限り、人間は自由ではない」「英語で最も恐ろしい言い回しは "I'm from the government and I'm here to help"（私は政府の者です。あなたの力になります）である」「経済に対する政府の見解は、いくつかの短い表現に集約される。動いているものには課税せよ。動き続ければ規制せよ。そして動きが止まったら助成金を出せ」

これらはすべてロナルド・レーガンの名言である。彼が始めた共和党の賢い戦略とは、自ら政府を率いると同時に、それに対抗することだった。こうした名言に有権者は納得し、レーガンは大統領に選ばれたが、その戦略はあとになって詐欺であることがわかった。レーガンの仲間内資本主義のもとで、連邦政府職員の数は実際には三二万四〇〇〇人増え、財政赤字は九〇七〇億ドルから三倍に増え二兆六〇〇〇億ドルとなった[13]。共和党の大統領たちは、とてつもない無能さで政府を運営しておきながら、何事においても政府を非難する矛盾した成功例を踏襲してきた。政府の解体も一つの戦略で、儲かる「外注」契約を巨大企業に勝ち取らせ、労働者や消費者、環境の保護に必要な規制に縛られずに会社を経営させるためのものだった。プロパガンダによって、国民は政府のもたらす有益なもの（社会保障、メディケア、無償教育、警察、インフラなど）が見えなくなり、欠陥のほうに注意を向けさせられている。その欠陥の一部は、まさにそれを非難している政治家が自ら招いたものなのだ。

トランプはアウトサイダーとして大統領選に立候補した。また政界のエリートの腐敗にうんざりした弱者を擁護するポピュリストとして「腐敗を一掃する」と約束した。だがその代わりにかつてない新たな腐敗を生み出した——大統領の地位を利用して、トランプ一族のビジネスの利益を拡大していったのである。トランプのみならず、トランプの子どもや親戚が厚かましくも大統領の地位を利用して、一族の商品——コンドミニアム、ゴルフ会員権、ホテル、洋服、香水、宝石を売り込んだ。トランプの家族が、五〇万ドルの不動産投資と引き換えに外国人に対してビザを売り渡す意向を示したことは、彼の移民政策の偽善をあからさまに暴露した。過去にも大統領に関わるあらゆる種類のスキャンダルがあったが、トランプ政権における倫理観の欠如に匹敵するようなスキャンダルはなかった。

トランプによる「行政府の解体」は、大惨事を招くもととなる。彼が指名した閣僚は、億万長者、独善的な空論家、陰謀論者、無能な不適者、覚悟のない雇われ政治屋、特権の擁護者、愚か者などなど、悪党で埋め尽くされている。だから、政府がよい仕事をしないことを理由に政府を信用せず、非難するのはきわめてもっともなことだが、トランプに解決策を求めるのは見当違いだ。彼のビジネスの経歴で際立っていたのは、四度の破産を招いた組織の解体と愚かなリスク負担だったのである。トランプの大統領としての仕事ぶりは混乱状態で、毎日のように自ら危機を招いている。トランプが指名した者の仕事は政府の解体であり、彼らの無能さと不誠実さは、それをやり遂げるにあたって最も重要な資質である。「トランプの世界」ではあらゆる権力が大統領と企業の幹部にあり、それが国民の意志と（今では「野党」として知られている）報道機関の力に邪魔されることはない。トランプは、一般投票では得票数が少なかったものの、ロシアによる選挙の不正操作によって勝利を収め、現在は史上最低の支持率を記録し、一般市民からの大きな反対があるにもかかわらず、急進的な改変を始めている。これはトランプにしかできないことだ。トランプがクレイジーなのではない。トランプ政権がまさにクレイジーなのである。

急速な変化

世界が動くスピードはずっと速くなっているようだ。一九〇〇年に私の父が生まれたとき、車も電灯も電話もなかった。父は飛行機旅行、テレビ、月の探査にずっと驚き続けていた。私は一九四二年生まれだが、当時はコンピューターもスマートフォンも、インターネットもなく、遺伝子の解読もされていなかった――ほんの七〇年弱の間にもたらされた急速な変化に、私も父と同じように驚いている。テクノロジー革命は常に、年配の気難しい伝統主義者を犠牲にして、テクノロジーと共に育ってきた若者に恩恵を与えている。私の孫は、遺伝子工学や人工知能が急激に進歩することを心待ちにしている――だが私はこの両方が、基本的な人間の属性を脅かすことにひどく怯えているのである。[14] 多くの有権者（特に高齢者）は、トランプが過去を守り、現在を安定させ、将来の恐ろしい変化のリスクを軽減してくれる保守主義者だと信じて彼を選んだ[15]。彼は過去の栄光の時代のアメリカを取り戻すと約束した。その頃アメリカは世界的な影響力を持つ大国だった。白人が国を支配し、女性とマイノリティは自らの立場をわきまえて振る舞っていた。同性愛者は目立たぬ片隅に身を隠し、人々は生まれたときの性別のまま生きていた。「ポリティカルコレクトネス（政治的公正）」という概念はなく、子どもたちのための環境を壊してしまう心配をせずに、石炭を掘ることがよしとされていたのである。

トランプが過去を守ってくれる「保守主義者」だと期待していた人は皆、彼にすっかり騙されてしまった。トランプは保守主義者どころか、アメリカ史上比類なく最も急進的な大統領である——今まさに急激な変化を起こし、将来のさらにもっと恐ろしい変化に通じる扉を開いている。本物の保守主義者は、その気質と経験から、大きな突然の変化が有害な意図しない結果を常に招くことを知っている——物事は、それが破綻したときにのみ、少しずつ修復するべきだ。急進派は結果を顧みることなく、やみくもに飛躍的な改変を推し進める。トランプなら、フランス革命時の恐怖政治の間も気楽に構えていたことだろう。

利用される国民の姿勢

指導者に従う

テオドール・アドルノは、ナチス・ドイツの被害者であり、賢明な観察者でもあった。彼は、人々がいとも簡単にファシストの支配に屈してしまうのはなぜか——その理由を理解する一つの方法として、心理学を活用した。彼がアメリカでおこなった調査で明らかになったのは、多くのアメリカ人もまた、いわゆる「権威重視のパーソナリティ」の特徴を持っていることである。その特徴には、強い因習主義、権威のある者に対する服従、弱い者に対する傲慢な態度、知的活動の軽視、力と強さの過大評価、他者への攻撃、ひねくれたものの見方、陰謀論や迷信を信じる傾向などがあげられる。こうした「権威重視のパーソナリティ」を持つ人は、権力を持つ支配的な指導者に従い、そのもとに集まり、時に自分がそうした指導者になることもある。そして特に脅威を感じたときには、部外者に対して攻撃的な反応を示す。強い人間を演じることで、トランプは自分の権威主義的な性向をあらわにしている（また、支持者のそうした性向につけこんでいる）。

アドルノは一九五〇年に発表した著書で「もう一つの現実」を広める今日のトランプの能力を予測した。「嘘は長きにわたって人を引きつけ、時代の先を行く。真実の問題がすべて権力の問題に置き換えられることによって、過去の独裁体制のときのように、真実が抑圧されるだけでなく、真実と虚偽を区別することそのものが攻撃される」

またアドルノは、トランプ支持者の中では少数派の声高に主張する勢力の精神構造についても、こう予測していた。

「万一ファシズムが強力で重要視される社会運動となった場合に、それを受容しやすい様子を示す人々を見つけるのはたやすかった」

アドルノは、テレビやラジオ、映画を通じたプロパガンダによって、ファシズムがまともなものとして受け入れられることを恐れていた。改めて言うが、彼が著書でこのようなことを書いたのは、リアリティ番組にトランプが選ばれ、ラジオのトーク番組で陰謀論者がトランプを宣伝し、ツイッターで彼のひねくれた福音が拡散される半世紀も前のことだ。一九五〇年代にアメリカ国民に対して反共主義が訴えられていた中で、アドルノは二一世紀のトランプイズムの種を見いだしていた。[16]

マシュー・マクウィリアムスは、アドルノを詳しく研究することによって、トランプが二〇一六年の大統領選に勝つことを本気で予測した数少ない人物の一人である。予想を外した者が多いなか、彼の予測が当たったのは、彼がおこなった一八〇〇人の有権者の調査に、アドルノの調査項目と似た項目を含めたからである。あとになって、それらの質問（自分の子どもを礼儀正しい子に育てたいのか、自主性のある子どもに育てたいのか、など）が、トランプの支持者を予測する一番の目安になったことがわかった。マクウィリアムスは投票日の前夜にこう書いていた。

「トランプに対する支持は、アメリカ人の権威主義にしっかりと根ざしている。いったんそれが覚醒すれば、無視できない力を持つ」

トランプの権威主義の力は今、完全に目覚めた。侮れない力であることは間違いない。[17]

口先のうまい人間に対する過信

「何も知らないことが問題なのではない。知らないことを知っていると思い込むことが問題なのだ」

トランプは、われわれの世界が壊れていて、彼が（「彼だけが」）世界を修復できると言っている。ところが彼が提案する政策はまったく辻褄が合わない――大規模減税の法案を通過させ、軍事とインフラに多額の資金をつぎ込み、国の財政赤字を減らすことを同時に進める方法など考えられない。だが、トランプはこの三つを約束し、支持者はやみくもに彼のことを信じている。トランプは明らかに喜んで、また落ち着き払って嘘をついている。彼が絶え間なくおこなう「ピノキオ」のような言動のほとんどは、子どものように見え透いていて、明らかに間違っている。だがその誤りを証明するためのメディアによるファクトチェックはほとんど追いついていない。トランプのごまかしが透けて見えても、彼の忠実な支持者たちは、彼が正直であり、彼が嫌っている記者たちのほうこそ「この世で一番不誠実な人間」であると考え続けているのである。

先が見えない恐ろしい世界において、彼は常に抜け目のない自信家であり、皮肉なことに、人間心理に固有の自己過信という性質を利用している。トランプは自分の中で「ダニング=クルーガー効果」を体現し、他者の「ダニング=クルーガー効果」を無意識のうちに利用しているのだ。それはコーネル大学の二人の心理学者を中心におこなわれた実験によって示された。能力が不足している人がタスクを与えられたとき、それがどのようなものであっても、自分のスキルを過大評価し、他者のスキルを過小評価する傾向が強いというものである。逆に、能力のある人は、自分の能力を過小評価しやすい。それは、自分が簡単にできることは、他者も同じように簡単にできると考えるからだ。この効果は幅広い活動、たとえば勉強、スポーツ、チェス、車の運転、医療行為などに当てはまる。[18] ダニングとクルーガーは、長年にわたって積み重ねられた知識を量的データで表した。それによれば、ある分野のことを知らない人は、自分が知らないということをよく理解していない場合が多い。一方知識が多い人は、自分がいかに物事を知らないかをたいていわかっている。自分が知らないということをわかっていなければ、無知を矯正することはできない。そして失敗しているのにそれがわからなければ、失敗し続けることになる。このことをシェークスピアはこう述べている。

「愚か者は自分のことを賢いと思っているが、賢い人間は自分が愚か者であることをわかっている」

トランプという人間――尊大で自信過剰であり、知識や知性による歯止めが利かず、失敗から学ぶことができない男については、これで十分説明がつくと思う。また、トランプに投票した有権者が、これほど進んで彼の失敗を許し、その失敗を指摘した者を激しく攻撃する理由もこれで明らかになる。さらに、トランプの支持者がトランプの正体を見破るのになぜこれほど苦労しているのかと、多くのクリントン支持者が驚いた理由も説明がつく。トランプは有権者の恐怖をあおり、自分がその恐怖をなくすことができるマジシャンだとアピールするのに成功した。矛盾する事実や専門家の意見は問題にされない——多くの人々が、トランプの直感はアメリカの政策につながる一番の指針だと認める状態にあったのである。トランプがもっと自信のない人間であれば、またトランプ支持者が彼のことをもっと信頼しなければ、世界はずっと安全な場所であり続けただろう。

女性嫌悪

二〇一六年の選挙が終わるまでに、多くのアメリカ国民は、女性も男性も、女性大統領を受け入れる覚悟がまったくなかったことが明らかになった。共和党の全国大会で展示されていた非常に不快なバッジが、二〇一六年の選挙にいかに女性嫌悪が組み込まれているかを十分に証明していた。バッジには「女々しくなるな。二〇一六年はトランプに一票を」「二〇一六年はトランプに。結局選ばれるのはタマがあるほうだ」「あの性悪女をやっつけろ」「ヒラリーも口を使う。モニカとは違うやり方で」「人生はつらいこと(Life's a bitchで「嫌な女」の意味をかけている)だらけだ。あの嫌な女には投票するな」「ケンタッキーフライドチキン・ヒラリースペシャルは、太いもも肉二つ、小さい胸肉二つ、それに左の手羽肉(left wingで「左翼」の意味をかけている)」などと書かれていたのである。[19] 一般的な女性嫌悪や、政治の世界における女性への特別な不信感は、アメリカ文化の中に長く深く根づいている。独立宣言で「すべての人間は生まれながらにして平等」と断言されていることを思い出してほしい。だがその中では、女性を平等に扱うことに関して、驚くほど何も触れられていなかった。それから一三年後、投票権が憲法で定められたが、その権利は女性から奪われたままだった。さらに一三〇年以上がたった一九二〇年（黒人に投票権が与えられてからまる五〇年後、史上最も激烈な戦いを経て）、ようやく女性にも投票権が与えられた。男女平等憲法修正条項が起草されたのは一九二三年だったが、議会の会期ごとに提出が繰り返され、一九七二年にようやく可決された。成立にあたって批准が必要な三八州のうち、わずか一年以内に三〇州が批准したときには歓喜の声が広がった。しかし女性に平等な権利を与えることに反対する流れが、おもに保守系の女性団体を中心に強まって、結局修正条項は不成立となり、今や永久に成立しない様相を呈している。

アメリカは、女性元首の選出に関して、世界から大きく遅れをとっている――他国ではすでに七九人の女性元首（政府の長）が誕生し[20]、立法府において男女平等を実現しつつある国も多い。そもそもヒラリー・クリントンに勝ち目はない状況だった――あまりにも男まさりだという有権者もいれば、男性と比べると物足りないという者もいた。男性だけの領域となっている所に挑む後進の女性たちは、こうした矛盾に引き続き困惑するだろう。可愛げがないといって不快に思われると同時に、力強さに欠けると非難されるのは、女性だけが経験する苦労である。多くの人々がトランプを支持したのは、トランプが力強いビッグ・ダディ（あるいはビッグ・ブラザー）として彼らを守り、彼らのために戦ってくれると考えたからだ。ビッグ・マミーに対する不安が、われわれの心に深く根ざしたものなのか、あるいは社会の表層にあるものなのかははっきりしないが、いずれにせよ、女性嫌悪はアメリカの政治をいまだに支配しているのである。急進右派の攻撃的な者たちはすでに、男性支配の聖域に対して恐れることなく異議を唱える女性議員エリザベス・ウォーレンに侮辱の矛先を向けている。

レイシズム

ドナルド・トランプのレイシズムは長年にわたって続き、それを裏づける証拠は異常なまでに多い。彼がキャリアを築き始めた一九七三年、アフリカ系アメリカ人に対して自分が所有するアパートの賃貸を拒否したことから、アメリカ司法省との二年にわたる彼の厳しい戦いが始まった。さらに最近になっても、トランプは自らが大きく変わっていないことを、以下のような発言でためらうことなく明かしていた。

「黒人が私の金を数えている！　嫌でたまらない。私が金を数えてほしいのは、ヤムルカ（ユダヤの帽子）をかぶった小柄な者たちだけだ……怠惰は黒人の特徴だ」(21)

白人至上主義者、クー・クラックス・クラン、武装民兵組織、ネオナチなどの過激なヘイト集団は、それまで容赦なく非難されてきた彼らの偏見が、アメリカ大統領によって主流に押し上げられ容認されたことに大喜びした。だがこうしたレイシズムは、かなり社会的地位のある多くの白人の心にも響いたのである。ますます人種の多様化が進むアメリカで、彼らは白人の優位さが急速に失われていることに脅威を覚え、快く思っていない。二〇世紀前半のアメリカでは、九〇パーセントが白人だった。現在白人の全人口に対する割合は六三パーセントで（しかも下降傾向にあり）、人口構成は大きく変わっている。毎年、白人の死亡者数が出生数を上回る一方、非白人の出生数のほうが白人の出生数よりも多い。二一世紀の中頃には、これまで白人が多いとされていた場所でも、白人が少数派になるだろう。黒人の大統領は、一部の人にとって簡単に受け入れられない、我慢の限界を超える存在だった——その事実は、白人の激しい反発票をやすやすと利用するチャンスをトランプに与えた。「アメリカを再び偉大に」というスローガンから透けて見えたのは、アメリカを再び白人の国にするというメッセージだったのだ。

社会保守主義

地球の歴史上、基本的なキリスト教徒の価値観（性欲の抑制、慈愛、謙虚さ、公明正大な態度、寛容さ、誠実さ、高い倫理基準）にこれほど一貫して幅広く反した人間はいなかったことを考えると、トランプがキリスト教福音派ほぼ全員の支持を勝ち取ったことは、驚くべきことだ。トランプは次々と女性を性的に食いものにし、大口をたたいて自分を売り込み、悪意ある不正を臆面もなく重ね、とんでもない嘘をつき、常習的にビジネスや税金面でのごまかしを続けている。こうした行動は、神の国を造る準備として決して望ましいものではない。皮肉なことに保守的な有権者を騙すようになるまでのトランプは、中絶や同性愛者の権利に関して、ニューヨーク市で典型的とされる自由至上主義の考え方の持ち主だった。そして自分の罪に偽善の上塗りをしている。トランプが多くの不道徳なおこないをしても、福音派の指導者たちのほとんどはその勢いに乗ったまま熱狂的な支持をやめなかった。彼らはわれわれの時代における、最も純粋な政界の日和見主義者である。どんなに悪評が立っている馬でも、それが個人の利権を拡大するのであれば進んで乗ろうとするのだ。

自由至上主義

トランプの勝利には、自由至上主義者の票の行方もある程度寄与したと言える――トランプに直接投じられた票があったうえに、リバタリアン党という選択肢があったために、クリントンに投じられたかもしれない票が同党に流れた。私は自分の自由を十分に尊重しそれを行使しているが、やみくもに型にはまった自由至上主義者ではない。他者の自由が私の自由や生命を脅かし始めたら、他者の自由はその時点で終わりにならなければならない。そして多くの場合、他者が自分の権利を行使しているときに私の権利を侵害しないようにする唯一の方法は政府の規制である。公平なプレーのためのルールや、そのルールを守らせる審判なくして、野球をすることはできない。多くの有権者がトランプを選んだのは、国や彼らの生活を動かす政府の役割を、トランプが軽減してくれると信じたからである。そうした人々は、事業や銃、土地管理、公民権の保護に対する政府の規制に怒りを覚えている。

私はそんな人々には反対で、こうしたあらゆる活動における政府の役割を強く支持している。それは私が自由至上主義者よりもずっと政府を信頼しているからではなく、むしろ企業や個人の善意と良識に対する私の信頼がずっと小さいからだ。事業規制がなければ、貪欲な企業は一般市民を食いものにする（薬価、住宅ローン危機、環境汚染、地球温暖化、労働者の安全のことを考えればわかるだろう）。銃規制がないために、アメリカにおける殺人発生率は世界でもきわめて高く、自殺率も高い。土地の規制がなければ、国立公園や自然が守られず、公共の土地は、特権が与えられた少数の者たちによって都合良く利用され、多くの一般市民のために保護されない。連邦政府によって公民権が強化されていないために、われわれは無意識のうちに、マイノリティ、同性愛者、女性を差別してきた。政府の力が大きすぎると国民や経済が抑圧されるが、小さすぎると現在のような不平等や将来に対する義務の放棄につながる。極めつきの想定外は言うまでもなく、トランプ大統領の独裁的な本能ほどアメリカの自由を大きく脅かすものは、かつてなかったという事態である。

真実に対する姿勢

古代ギリシアの偉大な悲劇作家であったアイスキュロスは、「戦争で最初に犠牲になるのは真実である」と今の時代にも通じる洞察を述べていた。どんなことでも許されるアメリカの政界の戦いにおいて、大胆な嘘はあらゆる政治的武器の中で最も強力なものとなった。極右派によるラジオのトーク番組や、陰謀論を語るウェブサイト、FOXニュースは常に、「もう一つの事実」や極端な見解を大量に吐き出している。だが、それらはあからさまな嘘であることが多く、常に「公平でバランスがとれた」内容ではない。彼らはプロパガンダでヒトラー政権を支えたヨーゼフ・ゲッベルスの、恐ろしいアドバイスに従っている。

「四角いものが実は丸であると証明するのは、不可能なことではない。関係する人々の心理を理解し、そうであることを十分に繰り返し言い聞かせればよいのだ。それは単なる言葉であり、言葉は偽りの概念をまとうように形作ることができる」

自暴自棄になり不安を抱え、怒りを感じ、なすすべのない人々が、理性的な議論に耳を傾ける気になれないことをトランプはわかっていた。彼が恐怖をあおるときの決まり文句は、「われわれは今、最悪の時代、最悪の世の中に生きている」「この先にもっとひどい危険が待っている」「どこにも敵がいる」「自分こそ皆の安全を守れる信頼できる人物だ」といったものである。トランプが日々大量の「もう一つの事実」(「露骨な嘘」とも言う)を流布させるのに成功しているのは、恐れを抱いた人々がそうした嘘を受け入れる状態にあるからだ。これまで長きにわたり続いてきた、ストレスに直面したときの人間の理性のなさは、悲しいことに未来にも引き継がれる可能性が高い。

誠実なメディアにとって、尊重するべき二つの優先事項は(FOXニュースの社員は今すぐこの続きを読むのをやめてもよい)、真実と中立性である。トランプはこれらを相いれないものにした。彼が嘘をつき続けているおかげで、報道機関は真実を伝えるために中立性を放棄せざるをえなくなった。政治の舞台で最も不誠実な男が、常に報道機関を不誠実だと言って攻撃している。トランプは報道機関を嘘つきだと非難して、自分のあからさまな嘘をかたくなに正当化しているのだ。トランプが主流メディアとの全面戦争を布告しなければならなかったのは、メディアがトランプの独裁者的な野望に対する最後の大きな脅威になっているからだ。トマス・ジェファソンの報道に対する見方は、トランプとは対照的である。

「われわれの自由は、報道の自由以外によって守ることはできず、報道の自由を失う危険を冒さずに、われわれの自由を制限することはありえない」

ひどく愚弄された「主流」メディアによる真実の報道とファクトチェックを、アメリカの民主主義がこれほど頼りにしたことは今までになかった。

問題なのは、多くの有権者がもはや新聞からニュースを得ておらず、ツイッター、ラジオのわめき声、陰謀論好きのウェブサイト、ファクトチェックがおこなわれていないソーシャルメディアから、より大きな影響を受けていることである。インターネットで密接につながった世界には、「真実が靴を履く間に嘘が世界中をかけめぐる」ということがこれまで以上に当てはまる。アメリカの新聞二〇八紙のうち八紙を除くすべての新聞がクリントンを支持していた――それは能力と基本的な良識という点で彼女を信頼していたと同時に、その二点においてトランプをひどく恐れていたからである。トランプに対するこうした圧倒的な不信任票は、ごく一部の共和党系の新聞を除くすべての新聞社からも投じられ、しかもその一部は過去に一度も民主党員を支持したことがなかった。だが結果は、トランプが勝利しクリントンが負けた。それはツイッターでの戦いが、真面目な報道よりもはるかに重要になっていたからである――保守系のラジオ番組の司会者が、せっかちに大声でがなりたてるほうが、慎重に練られた社説での支持の言葉よりも大きな影響力を持っていたのだ。

トランプはメディアと戦っているだけでなく、メディアを巧みに利用している。大統領選に立候補する前、彼はうぬぼれが強い道化師だと広くみなされていた。それからトランプは少しも変わっていない――

変わったのは、彼に対する一般市民の反応だった。彼にどんなエンターテインメントの価値があるのか私にはわからないが、熱狂的な彼のファンにとって、頭に思い浮かんだことを次々と口にするトランプの選挙演説は、コメディアンのお笑いと同じくらい面白く、教会のテント・リバイバル（テントで開催される福音主義の集会）と同じくらい感情を高ぶらせ、プロレスの試合と同じくらい気分をすっきりさせるものだった。政治的見解が分かれている三〇人にトランプとクリントンの討論を見てもらい、彼らの脳波図を調べたところ、トランプに賛同しているかどうかにかかわらず、トランプのほうが著しく長い時間被験者の注意を引きつけ、彼らの精神的な興奮を高いレベルに保っていることがわかった。トランプのパフォーマンスは人を喜ばせ、人の心を引きつけるのだ。[22]

明らかにトランプは、何でも注目を集めることが大好きで、選挙活動を騒々しいリアリティ番組にあっさりと変えてしまった――そこではすでに優れた役者であるトランプに、対戦相手の一六人の誠実な男性は圧倒され、二人の誠実な女性はほとんど身動きがとれなかったのである。メディアは今、不誠実なトランプを誠実にさせるために最大限の努力をしているが、選挙期間中にすでに彼の評判を高めていた。高視聴率を求める終わりのない戦いの中で、メディアはトランプに五〇億ドル相当の宣伝効果をもたらし、トランプは広告費用をかけることなくメディア露出ができた。[23] 選挙運動はたいてい地味で退屈なものだ。だがトランプが大好きな人にとって、日々見られる彼のおかしな行動や悪趣味な嘘は、再び政治を面白くするものだった。アンディ・ウォーホルやメディア論者のマーシャル・マクルーハンなら驚かないだろう。かつてローマには、無料の食料と見せ物で民衆の歓心を買う権力者がいた。現代のアメリカにはトランプがいる。

アメリカ・ファースト、そして偉大に

世界の舞台でアメリカが最も優位に立っていた第二次世界大戦中に私は生まれた。成長した私は当然ながら、アメリカが最も進んだテクノロジーを持ち、多くのノーベル賞受賞者を輩出し、最高の映画を作り、最も政治的な自由があり、きわめて優れたアスリートを生み出していることを誇りに思っていた。アメリカは、その偉大さ、優良さの両方において世界をリードしていると感じられたのである。だが今では、そうした主張をしたり、率直に自らを誇りに思ったり、海外の友人の批判をかわしたりすることがますます難しくなっている。

愛国心のある多くのアメリカ人（特に、高潔な国から急速に堕落する状況を身をもって感じて生きてきた高齢者）は、トランプの「アメリカを再び偉大に」という大げさな約束に心を震わせ、それをありがたく感じた。多くのアメリカ人が不思議に思ってきたのは、自国のインフラ管理がきわめてずさんなのに、なぜ海外での戦争やインフラ事業に何十億ドルも費やすのか、また自国で困っている人々に目を向けないで、なぜ他国の困っている人々を援助するプログラムを支援するのか、さらに、なぜ他国（たとえば中国）が、貿易協定においてアメリカよりも優位に立っているように見えるのかということである。自分にとって最良の取引を獲得するトランプの折り紙つきのスキルは、彼がアメリカにとってさらによい取引を得ることにおそらくつながるのだろう。そんなアメリカ人がトランプの大統領就任演説で勇気づけられた。トランプは他国に対し「今日、この日から、アメリカ・ファーストただ一つ。アメリカ・ファースト」と警告したのである。色あせたアメリカンドリームに傷つき、国を愛していても自分に見返りがないことに苦しんでいたトランプ支持者は、彼をアメリカの救世主だとみなした。偉大なトランプはアメリカを偉大にできる、彼なら外敵からアメリカ国民を守り、国内の敵も一掃してくれると考えたのである。これは民主

主義において危険な扇動的手法ではあるが、アメリカが味わっている屈辱にも、何も実現できない立法府の行き詰まった状況にもうんざりしている多くの人々の心に響いている。

大胆で単純な解決策を求める人々にとって、トランプは光輝く鎧兜《よろいかぶと》を身につけた騎士かもしれない──だが、民主主義を尊重しないその姿勢を恐れる人々にとっては、安っぽいムッソリーニもどきだろう。トランプの「アメリカ・ファースト」というスローガンは、外国人嫌悪と人種差別主義という不快な過去の重荷を負っている。たとえばネイティブ・アメリカン党（「ノー・ナッシング党」といううまい呼び名もあった）は、一八五〇年代にプロテスタントの白人男性だけで結党され、ドイツ系とアイルランド系のカトリック教徒の移民を排除することを目指していた。彼らによると、カトリック教徒はローマ法王に対する忠誠心があるために、信頼できるアメリカ国民になれないのだという(24)。これは今日のイスラム教徒に対するトランプの姿勢に少し似ている。また、アメリカ・ファースト委員会は、ノー・ナッシング党と同じ島国根性を、近年さらに厄介な形で体現した。第二次世界大戦へのアメリカの参戦を阻止するために結成されたこの委員会を代表する最も有名な人物は、勇敢な飛行家のチャールズ・リンドバーグだった──また彼は反ユダヤ主義者で、ヒトラーとナチス・ドイツの崇拝者でもあった(25)。このことは、トランプがロシアのウラジーミル・プーチン大統領と奇妙な「男同士の友情関係」にあることを彷彿とさせる。現代の「アメリカ・ファースト」の本質は、アメリカの軍事と貿易における自国優先主義である──これによって自主独立でき、同盟のしがらみや、国際条約および国際基準に従わなければならないという責任感から解放される。自国優先主義は、国の歴史が浅いジョージ・ワシントンの時代であれば、きわめて合理的な姿勢であったかもしれないが、各国が緊密に関わり深く依存し合う世界では、ありえないほど自滅的な姿勢である。トランプは自分のことを、衰退したアメリカを救う強力な指導者だと思っているが、むしろとても大切な価値観や制度を踏みにじる、行き当たりばったりの不器用な乱暴者だ。

偽ポピュリズムの勝利

ある人にとっては良い意味を持つポピュリズムでも、別の人からは民衆扇動とみなされる。本来のポピュリズムは、一般市民の日常を守る政府を目指すものであるはずだ——それは彼らの権利を守り、大きな影響力を持つエリートの貪欲さから人々を守る取り組みである。偽ポピュリズムは、政権を取る前にはどんなことでも約束するが、そのあとは搾取すること以外何ももたらさないデマゴーグによる民衆の誘導である。「デマゴーグ」という言葉は、「民衆の指導者」を表す古代ギリシア語に由来する——当たり障りのない意味に思えるが、あまりよくない指導者がもたらしたつらい経験から、急速に悪い意味合いを帯びるようになった。この世にまったく新しいものなどない——デマゴーグはあらゆる時代や場所を通じて似かよっているし、それを生み出す状況も似ている。民主主義がある所にはどこでも、そしていつでもデマゴーグが存在するのだ。また彼らは皆、感情、雄弁、守れない約束を用いて、自分勝手な目的のために人々を食いものにする。二四〇〇年前にアテネのデマゴーグであったクレオンに関するアリストテレスの記述は、今日のトランプをうまく捉えている。

「壇上から汚い言葉を叫んだのは彼が初めてだった。彼以外の者は、きちんとした身なりと態度で演説をしてきた」

歴史的にみると、ポピュリズムは独裁者が使う方便であり、民主主義の墓場である。アテネは僭主になりそうな者から市民と民主主義を守るために、陶片追放という巧妙な制度を設ける必要があった。市民は、力を持ちすぎる恐れのある者を誰でも、社会的不名誉を与えない形で一〇年間追放することができた。その制度を免れる者はいなかった——危険に満ちたペルシア戦争の間、ギリシア連合軍の救世主となったテミストクレスは、きわめて賢明で一番の成功を収めた指導者であったにもかかわらず、戦争に勝った直後に民主主義に脅威を与える者として追放されたのである。民主主義はもろく、簡単に崩壊するものであることをアテネはわかっていた。だから市民は、権力者からも、追随しようとする自らの本能からも守られなければならない。アリストテレスはこう述べている。

「民主主義国家における革命は、概してデマゴーグによる節度のない言動によって起きる」

デマゴーグの言葉はインチキかもしれないが、彼らがつけ込む問題はまさに現実に広く起きていることである。ポピュリスト運動は、市民のニーズに無関心であったり、それに敵意を示したりする政府に対する不満を大衆が共有するところから起こる。ポピュリストの運動のきっかけとなる危機というのはどこでもよく似たものだが、その運動で提案される解決策は二つに分かれる。まずトランプのような右派の反乱は、これまで決して存在しなかった平穏で幸せな時代に戻ることを約束する。非難された「相手」は、秩序、繁栄、尊敬を勝ち取ることを阻む者として罪をかぶせられるのである。一方、左派の反乱は〇・一パーセントの敵に対して、九九・九パーセントが結束し、富の不平等を軽減する約束をする。右派と左派のデマゴーグは政権を取るまではかなり違って見えるが、独裁者になったあとはきわめてよく似ている。スターリン、ヒトラー、ムッソリーニ、毛沢東、フランコ、ピノチェト、ペロン、イディ・アミンといった近年のデマゴーグ、および無能な第三世界の独裁者連中のせいでよく知られるようになった数々の戦略をトランプは実行し、今はその初期段階にある。彼がそうしたデマゴーグたちと違う点は、その意図ではなく、能力と信ぴょう性にある——トランプは歴史上、専制君主を名乗る者の中で、最も能力のない部類に当てはまる。トランプにとって幸運だったのは、彼のメッセージが受け入れられる土壌が十分に整っていたことと、リアリティ番組で名前が売れていたために、すでに彼のファン層が出来上がっていたことだ。

極右派のポピュリズムは常に、ボトムアップ型と言うよりもトップダウン型だった――つまり本当の草の根運動ではなく、草の根を装った権力者主導の運動だったのである。ジョン・バーチ協会は、極右派の支援者であるコーク兄弟の父親フレッド・コークを含む一二人の資産家によって一九五八年に設立された。協会が訴える信条はあまりにも常軌を逸した過激なものだったため、ウィリアム・F・バックリー・ジュニア（彼は、かなり極端なアメリカ保守主義形成の先駆けとなった）は、それを「常識からかけ離れている」と非難し、協会が共和党で果たすと思われる役割を阻止するために戦った。結局バックリーがその戦いに負け協会の世界観が勝利したのは、協会がもっぱら巧みな言葉を操ったうえに、潤沢な資金を有していたからだ(26)。現在の共和党の綱領や偏見、政策は、ほぼ逐一、協会の信条に由来するものである。コーク兄弟は、協会の過激な信条を共和党の主流政策に変える最も大きな原動力となった――そして彼らが庶民に売り込んだ政策は、庶民から多くを巻き上げるのに役立っている。コーク兄弟（および仲間の億万長者たち）は数百億ドルを投じて偽の草の根運動組織や政治系シンクタンクを設立し、州および地域レベルで大勢の政治運動員を雇い、保守系の弁護士や判事に対する研修をおこなった(27)。また膨大な取り組みを通じて、科学の否定、富裕層に対する減税措置、規制緩和、環境汚染、地球温暖化、マイノリティに対する攻撃を推進している。さらに、タバコ産業や、全米ライフル協会、過激な宗教指導者と、神聖とは言えない同盟関係を結んできた。偽ポピュリズムにおける最大の成功例は、コークが考案し、資金を提供しているティー・パーティーである――これがまず共和党を攻略し、その後ホワイトハウスを牛耳ることになったのだ。

社会の最上層にいる者は、自らの利己的で意地の悪いエリート主義の目的のために、ポピュリストのイデオロギーを悪用することに長けている――「分断して統治する」手法を用いることで、自らの権力と特権を守っているのである。輝かしい政治プロパガンダは、彼らが搾取している底辺層を巧みに取り込んでいる。貧しい白人が手にするアメリカ経済のパイは縮小し続けているが、そんな貧しい者が抱えるもっともな不満の矛先は、黒人、ラテン・アメリカ人、女性、移民に向くように仕向けられている。エリートは、おぼろげな不安や、部族主義から来る敵意をあおり、トリクルダウンによるごくわずかの恩恵を市民に与え、富裕層の利権（および税金の抜け穴）を維持している。[28]「大きな政府」に対する攻撃は、より公平に富を分配できるようにすると思われる制度からエリートを守る。極右派の民衆扇動は、われわれのあらゆる社会の妄想を糧に勢いづき、さらにそうした妄想を助長する――そして、その妄想を、彼らが公金を奪っていることを隠すために利用するのである。

陰謀論者の大統領

アメリカの政治における一つの手段としての陰謀論は、アメリカの国と同じくらい長い歴史があり、アップルパイのごとくアメリカ的なものである。先行きが見通せない時代に怯える人々は、安心できる確かなものを探し、それにかたくなにしがみつく――特に不愉快な真実に直面したときにそうなる。陰謀論は、相互に影響を及ぼす数々の誤った想定が一つにまとまるところから生じる。陰謀論では、どんなことにも意図があり、目的があり、何もかもがその他の事柄すべてとつながっているとされる。また外見はまったく当てにならず、人は皆悪意を持ち、誰かが責めを負うべきだと考える。さらに陰謀論は釈明や言い訳を与え、悪者を生み、行動を促す呼びかけとなる。都合のよい証拠に支えられ、現実による反証にはまったく影響を受けない。

一九六〇年代に私がコロンビア・カレッジに通っていた頃、リチャード・ホーフスタッターという教授が、『アメリカ政治におけるパラノイア的スタイル』（原題 *The Paranoid Style in American Politics* 未邦訳）という重要な書籍を著した。そこには本流からはずれた極右派についての記述があったが、そのささやかな良心の声は、リベラル派からの困惑と伝統的な保守派である共和党からの強い反発を招いた。それから五〇年が経過しプロパガンダに何十億ドルという資金が投じられた結果、極右派の陰謀ありきの世界観が今ホワイトハウスと議会を支配していることに、ホーフスタッターは驚かないまでも、落胆はするだろう。ホーフスタッターはこう述べていた。

「政治における影響力としてのパラノイア的スタイルという概念も、精神を深く病んだ者だけに当てはめられるのなら、現代的意味や歴史的価値をほとんど持たない。そうした現象を意味あるものにするのは、おおよそ正常と言える人間によるパラノイア的な表現様式の使い方である」

コーク兄弟は、おおよそ正常と言える人間だろう。だがそんな彼らはジョン・バーチの同志である厳格な父親のもとで育ち、相当変わった信念をたたきこまれた。彼らは膨大な努力、エネルギー、資金、スキルを使って、傍流だった自分たちの極右集団を、現代の政治を支配する勢力に変貌させた。共和党史上の偉人エイブラハム・リンカーンやセオドア・ルーズベルトも今の時代に生きていたら、ティー・パーティーの反対にあって、共和党の予備選挙に勝ち残れなかっただろう。逆説的だが、そこからコーク兄弟の成し遂げたことがわかる。のちの共和党大統領もまたコークのめがねにはかなわないだろう。たとえばアイゼンハワーは、フレッド・コークに共産主義者だと言われていた。ニクソンは進歩的な環境および社会的プログラムを可決し、中国との関係を築いた。またレーガンですら、現在の「共和党員」と比べれば、穏健すぎる存在だっただろう。コーク兄弟はトランプのことを、言わばあとから遅れて彼らのパーティーに押しかけてきたおぞましい人間として、ひどく嫌っている。だが、入念に選ばれた彼らの取り巻きを使って、トランプ政権を取り込むことに成功したのである。

トランプがクレイジーであると決めつけている人は、このような状況を見落としている。そうした人々は、トランプのクレイジーな発言やツイートが確証だと考えている――それらが明らかに間違っていると証明されたり、裏づける信頼に足る証拠がなかったりしたとしても、トランプは自らの主張を力説するのだからクレイジーに違いないというのだ。トランプは就任後の数カ月の間、大統領選で彼にとって不利になるような不正がおこなわれたとされる二つの事例にこだわっていた――五〇〇万票の不正投票がクリントンに流れた、そして病んだ邪悪なオバマが自分の事務所を盗聴した、と主張したのである。トランプの心理的・政治的動機づけは、あまりにも見え透いている。彼にとって不利になるような不正選挙がおこなわれたという誤った陰謀論は、実際はプーチンがトランプに有利になるように（おそらくトランプとその取り巻きは黙認のうえで）巧みに選挙を操作したという真実を打ち消そうとするものになっている。

自分の行動、思考、衝動の理由を自分の敵に帰する行為は、投影と呼ばれる心理的防衛機制である。陰謀論は、厄介な予想外の新事実を、それが帳消しにされるような非難という霧の中に覆い隠す政治的防衛機制だ。トランプが実際に自分の発言している奇妙な事柄を信じているのか、あるいはアメリカ国民を騙す手段の一環として、あえてそうした発言をしているのかはわからない――そんなことは大した問題ではない。どちらであっても結果は実質的に同じだからだ。だが私はその両方ではないかと思っている。困った状況になるとトランプは陰謀論に基づく口実を探し、それをまるごと飲み込んでから、すべてを吐き出す。これは危険で卑劣な行為だが、クレイジーでもなければ妄想的でもない。妄想というのは、凝り固まった、非現実のとっぴな信念で、その人だけの特有のもので、当人が困った状態に陥る。有権者の四六パーセントがあなたのとっぴな信念に賛同し、あなたを大統領に選んだとすれば、それは社会の妄想であって、あなたの妄想ではない。広く知れわたり、多額の資金がつぎ込まれた陰謀論に対抗する唯一の希望は、ひるまずに声をあげられる報道の自由だ——だからこそ、メディアはトランプにとって「野党」なのである。

政治の二極化

初代大統領のジョージ・ワシントンは退任時に不安を覚え、建国間もないアメリカが不確かな未来を生き抜くうえで、政治の二極化が深刻なリスクとなることを真剣に考え、こう警告した。

「それは根拠のない嫉妬や間違った警告によって共同体を動揺させ、他者に対する敵意をあおり、時に暴動や反乱を誘発する。外国からの干渉や腐敗への扉を開き、党派的情熱という経路を通じて、悪影響が容易に政府そのものに及ぶようになる」

これはまるでトランプ政権下のアメリカのようだ。アメリカには、政治的に二極化したデマゴーグが常に相当数存在していた——だがそうした人間が大統領に選ばれたことは、これまで一度もなかった。

私の父は政治に関してはひどく懐疑的だった。どの選挙でも党派にかかわらず、現職の政治家には投票しなかった。在任期間が長くなることによって、政治家は腐敗につながる手腕や人脈を作り上げるようになるのではないかと疑っていたのだ。どんな新人でも前任者と同じくらい（あるいはもっと高い確率で）腐敗する可能性があるが、それでも腐敗に至る駆け引きをすべて覚えるまでには、しばらく時間がかかるというのである。私は決して父親ほど懐疑的ではなかったが、今に至るまでに政治に対しては十分消極的になり、どの政党にも大きな希望を託したくないと思うようになった。こうした姿勢はおそらく妥当なものだっただろう。一九六〇年代までは、民主党と共和党の二党には、重なり合う部分がきわめて多かった。当選する者が一時的に変わったことで多少の問題が生じても、政策が劇的に変化することはなかった。ところが今やもうそのような状況ではなく、もはや政治を軽視してもいい理由はなくなっている。今、政党を隔てる違いは、明確で不変で妥協できないように思える。アメリカの民主主義と、世界の持続可能性の両方を賭けた選挙は、いちかばちかのギャンブルとなった。政治に対するわれわれの倦《う》んだ気分を治さなければ、それはわれわれの命を奪うことになる。

「政党内のふるい分け」は、過去五〇年のアメリカ政治を支配し二極化してきた。[29] それが始まったのは、南部テキサス州出身の民主党大統領リンドン・ジョンソンが積極的に取り組み、一九六四年に公民権法を可決させたときだった——南部出身の民主党議員の激しく執拗な反対を押し切って可決させたのである。南北戦争以降、南部は民主党の強固な支持基盤だった（南北戦争や奴隷制の終結に関して、リンカーン率いる共和党を決して容赦しなかった）。社会、経済、人種、宗教、軍隊に関しても、南部は一貫して保守的な価値観を保っていた。共和党は「南部戦略」（一九六四年に、バリー・ゴールドウォーターが大統領選に出馬したときに初めて掲げられ、一九六八年と一九七二年の大統領選を制したニクソンによって完成された）によって、民主党の強固な基盤である南部を突如、共和党支配の南部へと確実に変えることに成功した。こうして共和党全体はさらに保守寄りに、民主党はさらにリベラル寄りの政党となった——そして両党が重なり合う部分はほとんどなくなったのである。[30]

南北戦争後の南部再建時以来、アメリカの政党における二極化の度合いは、今が最大となっている。[31] 政党間の隔たりが広がり続けてきたのは、共和党が極度に右傾化したからで、民主党の立ち位置は以前からあまり変わっていなかった。ヒラリー・クリントンは、五〇年前の典型的な共和党穏健派に相当する。一方、現在の共和党員のほとんどは、かつてはいかれた陰謀論者と思われていた過激派のジョン・バーチ協会にだって快く入会するだろう。アイゼンハワーとニクソンは、現在の共和党員よりもずっと民主党員に近い。レーガンやブッシュでさえも、現在の共和党過激派と比べれば根っからの穏健派と名乗れる。またクリントンは、ほとんどのヨーロッパ諸国ではまぎれもなく中道派の政治家だが、トランプと現在の共和党員はヨーロッパの急進右派よりも、ずっと過激な右派である。

政治の二極化が進むにつれて、党派的嫌悪の感情が強まってきた。二〇一四年にピュー・リサーチ・センターがおこなった一万人の成人を対象とする調査では、対立する政党に対して強い嫌悪を感じる人の割合が増えていることがわかった（共和党員では一七パーセントから四三パーセント、民主党員では一六パーセントから三八パーセントに増加）。また対立する政党が国の安定の脅威であると心配する人も増えていた（民主党員の七〇パーセント、共和党員の六二パーセント）[32]。両党とも、極端に党派心の強い人ほど政治プロセスに深く関わり、中道の穏健な人々を納得させるよりも党の極性化を進めることに熱心だ。そして穏健派は消えつつある（四九パーセントから三九パーセントに減少）。政治に関心を持つ人々は、自らと同じ政治的思考を持つ人々ばかりで集まる傾向もみられる（共和党員の六三パーセント、民主党員の四九パーセント）[33]。この調査の最も恐ろしい結果は、半分以上のアメリカ人が、現在の「民主主義のあり方」について不満を抱いているということだ[34]。

トランプはこうした状況の中から登場した。現在みられる政治の二極化や政治的憎悪がなければ、トランプが大統領選に勝利することは考えられなかっただろう。党派的な憎悪をあおり、政治の二極化につけこむトランプ独特の才能がなければ、彼のはなはだしい不適格性、道徳的鈍重さ、自己陶酔のせいで選挙戦そのものが不可能だったかもしれない。一般得票数が少なかった中での当選だったが、トランプ大統領は独裁的な動きを推し進め、自分の支持層がそれについてくると信じている。それは、政治の二極化によって彼らに中道の選択肢がなくなっているからだ。政治の二極化は、こうした独裁者を目指す者がぜひとも埋めたいと思うような政治の空白を生んだのである。

アメリカの選挙はすべて不正に操作されている

トランプは、九対一の確率でヒラリー・クリントンに敗れ、それも圧倒的大差で負けるとされて恐怖を感じていたとき、自分が不利になるように選挙が不正操作されていると常に不満を訴えていた。実際、選挙ではきわめて重大な不正がおこなわれていたが、結局はすべてがトランプに有利になるように仕組まれていたことがわかった——一般投票でクリントンにほぼ三〇〇万票及ばなかったにもかかわらず、選挙人の獲得数でなんとか勝利にこぎつけたのである。その後、大規模な不正投票がなければ（これは完全にトランプの想像だが）一般投票でさらに数百万票獲得できたなどという、とっぴな嘘を編みだしたところが、いかにもトランプらしい（それを今もさらに声高に力説し続けている）。一時は誰にも止められないほどの勢いがあったクリントンの選挙活動は、アメリカの民主的な選挙プロセスに手を突っ込んだ三人の旧敵のせいで、最後の最後に思わぬ形で頓挫した。その三人とは、ロシアのウラジーミル・プーチン、FBI長官のジェームズ・コミー[*1]、そしてジュリアン・アサンジである。

アメリカの政治制度に対する不正操作は、今回の一選挙だけでおこなわれた特殊なものとは到底言えず、アメリカの選挙プロセス全体に、しっかりと組み込まれているものである。一九八八年以来、一度（ジョージ・ブッシュが当選した二〇〇四年）を除いたすべての大統領選挙で、民主党候補者が一般投票の得票数で勝利した。また、たいていの議員選挙では、上下院共に全米の総得票数で民主党員は共和党員を上回っている。このように民主党は国民から多数の支持を集めているにもかかわらず、今は共和党が南北戦争直後の南部再建時代よりも、さらに強力に政治プロセスを支配している。連邦政府の三部門すべてを牛耳り、州知事の三分の二、州議会の三分の二の座を勝ち取っているのである。さらに注目するべき点は、繰り返し公約の実現に失敗し、アメリカ国民の要望から明らかにはずれた過激な方針を共和党が強く主張しているにもかかわらず、かつてないレベルの権力を獲得したことである。政権と国民の支持にこうしたずれが生じているのは、アメリカの政治制度が民主党にとってきわめて不利に、また共和党にとって非常に有利にできているからだ。

建国の父たちは徹底してやりぬく抜け目のない政治的侮辱と派閥闘争に常に精を出してきた政治家で、高校の歴史の教科書に描かれている聖人のように純潔な人間ではなかった。彼らはフランス革命のときのような完璧な人間像への心酔を欠く代わりに、人間を利己的で欲望にとらわれた生き物とみなし、歴史上ほとんどの時代において、独裁的権力による制約なしにはその欲望は抑えられないと考えていた。アメリカは強力な共和党と民主党の組織を作り、チェック・アンド・バランスという包括的な仕組みを用いて人間の本能を抑えたからこそ、過去に独裁的支配を免れることができた。そうした仕組みの目標は、多数派による専制と少数派による専制の両方を避けることだった。当時は、各州の間に大きな隔たりがあり、争いが多かったことから、より緊密な結束への賛同を得ることは容易ではなかった。今では神聖な文書になっているアメリカ合衆国憲法は、激しく議論を戦わせた末（なんとかたどり着いた）妥協の連続から生まれ、大きな州の支配から小さな州の権利と財産を持つ少数者の権利を守ることと、多数の下層階級の人々、女性、奴隷の権利を守ることを目的としていた。

上院は州の人口規模にかかわらず、各州に二議席が割り当てられている——憲法を批准するときは人口規模の小さい州の支持を得るには譲歩が不可欠だ。こうした制度では、すべての州の人口規模が比較的小さく各州の人口格差も小さかったときには政治的権力の配分にそれほど偏りが出なかったが、人口格差が大きくなるとそうはいかない。たとえばカリフォルニア州の各上院議員（現在は常に民主党員）は、ほぼ二〇〇〇万人の有権者を代表しているが、ワイオミング州の各上院議員（現在は常に共和党員）が代表するのは三〇万人以下である。だからワイオミング州の共和党員に投じられた一票は、カリフォルニア州の民主党員に投じられた一票よりも、上院で六〇倍大きな影響力を持つ。

選挙人制度も同様に、人口規模が小さい州に有利になるような偏りを生んでいる。ヒラリー・クリントンは、一般投票の得票数で大きく勝利していたにもかかわらず、選挙人の獲得数で負けてしまった。その理由としては、民主党支持の有権者が人口の多い州に大きく集中していたことと、選挙人票の特殊な配分のしかたがあげられる。たとえばワイオミング州の有権者の一票は、カリフォルニア州の一票よりも、選挙人の票集計において、三・六倍大きな影響力を持つのである。時間の経過とともに変わる人口動態の傾向のために、こうした格差はさらに不公平で破壊的なものになるだろう——大きな州の都市部にますます集中する多数の民主党員が、小さな州の田舎に住む少数の共和党員に支配されるのだから[35]。

下院には「一人一票」という民主的原則があるとされていた。しかし当初から、政治的な策略が、そうした高尚な考えを名ばかりのものにした。黒人をはじめ、女性も、財産を持たない人も都合よく排除された。また最初から、選挙制度は熱心に、しかも簡単に操作されてきた。たとえば「ゲリマンダー」は、一〇〇年以上前に作られたスラングで、当時マサチューセッツ州知事を務めていたエルブリッジ・ゲリーの名字とサラマンダー（火中に住むという伝説上のトカゲ。この形と、選挙で自党が有利になるようにゲリーが作り上げた選挙区のいびつな形が似ていた）を組み合わせた言葉だ。それ以降、ゲリマンダーは共和党の妙技となった。コンピューターの高度なテクノロジーのおかげで、選挙区ごとに有権者を分類し、いびつな形に作り上げた選挙区に有権者を集約させることができるようになったのである――それは、ゲリー知事の素朴な夢をはるかに超えていた。また共和党は、多くの場合、汚い手を使って最高水準の不正操作をおこない、共和党への反対票を抑えた。その汚い手段として、投票所へのアクセスを悪くすることをはじめ、選挙人登録の妨害、選挙人名簿からの登録者削除、有権者に対する脅迫、写真つき身分証明書の要求などがあげられる。こうしたやり方は、表向きは不正投票（実際にこれまで不正投票があったという裏づけはほとんどないが）の防止を装いながら、投票するための手段の少ない人たちを欺いて投票の権利を奪うものだったのである。

これまでも政治の世界でものを言うのは巨額の金だったし、今後もそれは変わらないだろう――今やその額はかつてないほど大きくなり、不正はますます欲深さと危険性を増している。裕福な者が、そうでない者を犠牲にしてますます豊かになっているのは、自分の富を利用して政治家を買収し、その政治家が彼らをさらに裕福にする法律をやみくもに通過させてしまうことが一因としてある。特権のある者にさらに利益を図ることは、古代ギリシア、ローマ、メソポタミア、ペルシア、インド、中国でもおこなわれていた――時代や場所を問わず、世界の至る所で見られる。だがテクノロジーと税務政策が合体したことによって、現在アメリカは富の格差が世界で最も大きく、世界の歴史を通じてもその格差はきわめて大きい部類に入るまでになった。また大企業には、非常に大きい政治的な見返りもあった。共和党に好意的な最高裁判所が、企業の自由な発言を守るという浅はかな口実で、企業に対し無制限の選挙献金を認めたのである。金でロビー活動の影響力を買い、金で政治家、票、政府を買収できるようになったのだ。

　また、共和党の狡かつさと宣伝活動は群を抜いている。民主党は、おおむねすぐれた政治的価値観を持っているが、それがつたない政治的手腕によっておとしめられている。一方、共和党はおおむね後ろ向きで不公平な政治的価値観を持つものの、それを言葉巧みな宣伝力が補うという皮肉な状況が生まれている。共和党は富裕層を利する法案を意図的に通過させてきた――そして裕福な者に対する減税をおこない、企業に有利な不公平税法を適用する一方で、弱者を守るふりをしてきた。これは人民の人民による、人民のための政府ではなく、超富裕な個人と企業の、超富裕な個人と企業による、超富裕な個人と企業のための政府である。

　社会の妄想を克服するのはいっそう難しくなるだろう。というのも、アメリカの選挙制度はその仕組みがきわめて不公平で、多数の人々の幸せよりもごく少数の人間の私利私欲を助長し、守り、永続させようとするからだ。民意と、われわれの未来の差し迫ったニーズは、巨額の金の影響と、ルールを無視した政治的操作のために、満たされないままである。アメリカの選挙制度はさまざまな形で、政治的な力を不公平に少数派に割り振っているため、社会の妄想に立ち向かおうとする誠実な候補者が名乗りをあげても、組織的で不公平な壁にいつまでも立ちはだかられることになる。

　民主党にとって目の前の険しい坂を登る最初の一歩は、党の結束を固めることだが、この点においても組織のうえで明らかに共和党に分がある。さまざまな心理学的研究によると、右派の有権者が自民族中心主義に傾き、指導者に追随する傾向がある一方、左派の有権者は個人主義的であることが多く、ネコと同様他者と群れることが苦手であることがわかっている。歴史上では、少数の右派政党が独裁的な権力を獲得し、敵対する多数の左派政党が生み出した政治的空白を埋めた例が多くみられる。たとえばイタリアのムッソリーニ、ドイツのヒトラー、スペインのフランコ、チリのピノチェトがそうだ。

トランプは共和党の歴史上、最も分断を促す不人気な政治家だと思われた。一六人のライバルと個人的な中傷を激しくぶつけ合った予備選の戦いで、トランプは大きく打ちのめされた。彼が共和党支持の有権者から多数の支持を集めることは決してなく、大部分の予備選挙では、三分の二の党員から激しく批判されていた。だがいったん総選挙が始まると、共和党支持の有権者は一線を越え、彼の女性や金銭がらみの忌まわしい過去、態度の悪さ、ロシアに追従する姿勢や、時に反共和党的な政策に目をつぶり、鼻をつまんで受け入れ、ほぼ全員でトランプを支持したのである。大統領に就任して間もない頃にも、あれだけスキャンダルや失敗があったにもかかわらず、彼らはいまだにこぞってトランプを支持している。

バーニー・サンダースとヒラリー・クリントンの間で繰り広げられた民主党の予備選挙は、共和党とは対照的に、政治の世界における礼儀を示す手本となった——些細な政策の違いも知的レベルの高い丁寧な言葉で議論された。しかし多くのサンダース支持者はうるさく執拗にクリントンを批判し、予備選挙後から大統領選挙の日まで彼女に対して敵意を抱き続けた。彼らはクリントンを支持する有権者に対し、自宅で待機するか、緑の党の奇抜な候補者に投票することを勧めた。実際その候補者は、選挙の行方を変えたであろう一〇〇万票をクリントンから奪うことになった。私は左派の有権者に（面と向かって、あるいはブログやツイートで）、二〇〇〇年のひどい失敗を繰り返さないように訴えた。その年、善意から大統領選に立候補したラルフ・ネーダーのせいで、災難とも言うべきブッシュ政権誕生につながった。だが、われわれは失敗を繰り返してしまった。フロイトはこうした現象を「些細な違いのナルシシズム」と呼んだ——似た者同士は、些細な事柄をめぐって激しく争う傾向があることを意味する表現である。民主党は分断され共和党は一体となっている。共和党が完全に権力を掌握していることは、アメリカや世界にとって大きな不幸であり、あらゆる社会の妄想を強め、それらを解決する真剣な取り組みを妨げる。民主党もまた利己的な特定の利益集団に支配されることがよくあり、完璧というにはほど遠い。だが、そうした欠点も含めて民主党は、われわれと世界の問題に向き合いそれを解決する、さしあたっての希望となる存在である。アメリカを再び偉大にすることは、不幸をもたらす共和党の政策からわれわれを救うことだ。そのためには、民主党が結束し、意義のある一貫したメッセージをもっとうまく有権者に届けることが必要になる。

選挙運動の巧拙

トランプが大統領選の選挙運動で大成功を収めたものの、大統領就任後に数々の大失敗をしでかしたことは、それぞれの行動に必要なスキルに、ほとんど相関がないことを示している。見せかけがものを言うテレビの世界において、大統領候補を政治的手腕ではなく、演技の能力で判断することは特に危険なことだ。クリントンは有権者の心をかき立てない候補だったが、それなりに優れた大統領にはなっただろう。トランプは（一部の人にとっては）心を躍らせてくれる大統領候補だったが、今ではすべての大統領候補者のなかではおそらく最悪の（間違いなく一番大統領らしくない）人物である。

検死では、亡くなった人の身体を検査して何が死因であるかを特定する。多くの人々にとって、クリントンの思いがけない敗北は、家族の突然死のように感じられた——それは彼女が負けたからと言うより、トランプが勝ったからである。選挙後に当時の状況を簡単に振り返っておくことは、クリントンが（きちんとした人物で、多くの長所があったように思えたにもかかわらず）何をやって負けたのか、またトランプが（困った人物で、あれほど負けそうな状況から始まったというのに）、何をやって勝ったのかを明らかにするのに役立つ。クリントンの選挙運動が想像以上にどれほどまずかったのか、また、トランプの運動がいかに驚異的な成功を収めたのかを知ることは、実際に起きたことの原因を明らかにし、それが再び起きることを防ぐ一助となるだろう。

不思議なのは、非常に賢い人物であるクリントンが、いかに政治の世界でこれほど劣等生になってしまったのか、また素人のトランプが天才になってしまったのかということだ。その分かれ目はそれぞれの振る舞いにある。クリントンは長期間にわたって弱者のために戦い、トランプは常に羊の皮をかぶってきた──だが、ステージ上でのクリントンはよそよそしく、トランプには直接的な親密さがあった。また、クリントンは真実を話していても説得力がなかった。一方トランプは、感情をあらわにし、大げさにしかも効果的に嘘をつくことができた。トランプ支持の有権者は、事実に反するめちゃくちゃの信念を鵜呑みにしてしまった。つまり、トランプは有権者のことを気遣っているがクリントンは違う、また、トランプは信頼できるがクリントンはそうではないと信じてしまったのである。さらにクリントンは、自分がトランプをはるかにリードしているのだから、あえて自分を意地悪く見せるようなリスクを冒すべきではないという誤った考えのもとで、トランプの好き放題にさせてしまった。クリントンにとって困難な戦いだったことは間違いない。二五年にわたり、彼女は極右派によって、組織的かつ戦略的に容赦なく悪者扱いされてきた。また、二〇一六年の大統領選で再び彼女が出馬すると政敵が正しく予測した二〇〇八年以降、彼女を批判する運動は至る所で展開された。クリントンを攻撃するプロパガンダは、大脳皮質の理性に支えられない扁桃体由来の本能的嫌悪を多くの人に感じさせるように働いたのである。

だがクリントンは庶民の声をよく理解していなかった。およそ二〇年前、彼女が初めて上院議員に立候補したとき、ニューヨーク州のほぼすべての小都市をまわって「市民の声を聴くツアー」をおこなった。

そこで、自分は自動的に選挙に勝てると思っている都会ずれした人間ではないと強調したのである。有権者からするとよそよそしく近寄りがたい存在だったのだが、この選挙においてクリントンは、他の候補に対する大幅なリードと過去の栄光に甘んじていられると考えていた。だが田舎やラストベルトに住む有権者は、クリントンが自分たちに敬意を抱き、その苦しい状況を理解しているとは決して思っていなかった。政策による本当の解決策は、その政策の対象となる人々と間近に接することから生まれる。自分が貢献しようとする有権者から直接その人たちのことを学ばなければ、その信頼を得ることは到底できない。

クリントンの磨き抜かれたイェール大学仕込みの雄弁術は、結局大きなハンデとなった。彼女は優れた弁護士で、見事な一貫性とめりはりのある、完璧な構成の演説をおこなう。一方、トランプの演説は筋の通らないことも多く、常に言いたいことが不明瞭だ。彼が最も生き生きと輝いて見えるのは、一四〇文字のツイートにおいてである。だが、多くの人々はトランプを好み、クリントンに関心を持たなくなった――それは、トランプが大衆にとって親しみやすく、庶民の言葉で語ったからである。クリントンは違っていた。トランプはあたかも一個人として市民の一人ひとりに語りかけ、彼らと個人のレベルで気持ちを通わせ、彼らの痛みや不安、怒りを理解し確かめているかのような印象を与えることができた。また、自分こそが状況を正しい方向に導く覚悟と意志、強さを持ったビッグ・ダディであると、人々に思わせることができた。生涯をとおして口先のうまいトランプは、そのスキルと経験をもって、臆面もなく支持者の信頼をもてあそび、自分だけが支持者に対してやるべきことをわかっている、自分だけが皆の生活を改善できると、嘘の約束をしたのである。すべてインチキだったが、トランプの支持者は、自分たちが必要としていたことや聞きたかったことを聞けたために、トランプの嘘や幻想と、世界の現実との区別ができなくなった。一方クリントンの演説はメッセージとしては正しかったが、語り口がまずかったのである。

クリントンは常に堅苦しく、原稿どおりに話しているようだった。それに対してトランプは感情を抑えることなく表に出していた。クリントンの集会は退屈で聴衆の数も少なかったが、トランプのほうは親愛の情を深める場となっていた。トランプが表す感情（一部の熱心な支持者が実際に味わった感情）は不快なものであることが多かったが、常に気持ちをすっきりと解放してくれた――トランプにとっても聴衆にとってもそう感じられたのである。クリントンは聴衆の心をつかむことに失敗した。本来彼女を最も強力に支持する集団であったはずの女性、ラテン・アメリカ人、黒人、イスラム教徒、移民、同性愛者の心に訴えることができなかった。トランプが恥知らずの女性嫌いでありながら、気に入った魅力的な女性に次々と性的な働きかけをし、それを平然と自慢していたにもかかわらず、白人女性の五三パーセントもの票を集めたことは、なんとも信じがたいことだ。それに対してクリントンは、何世紀もの間、女性が二流市民として扱われたのち、ついに女性がアメリカの頂点となる役職に就く体勢を整えたあとでさえも、かわいそうなほど女性の熱い支持を増やすことができなかった。トランプがラテン・アメリカ人や黒人を絶えず威嚇または非難し、白人至上主義と密接なつながりを持っていたにもかかわらず、クリントンへの彼らの投票率は、オバマへの投票率よりもずっと低かった。音楽に喩えるなら、クリントンはいつも歌詞をきちんと正確に理解していたが、音痴だったのである。

クリントンが示したのは事実のみで感情がなかった。逆にトランプが示したのは事実ではなく、偽の事実と感情だけだった。選挙運動の間クリントンは、考えられるあらゆる問題についての政策を詳細に記述した一一万二七三五文字に及ぶ六五枚のファクトシートを公表した。一方トランプは、苦労して政策を示すことには力を入れず、合計およそ九〇〇〇文字の七つの主張だけを発表した――だがそれらは中身のないものだった。支持を求める彼の訴えは、もっぱら攻撃的なツイートや挑発的なスローガンにこめられた。

たとえば「アメリカを再び偉大に」「壁を造ろう」「彼女（ヒラリー・クリントン）を刑務所に入れろ」「腐敗を一掃する」といったものである。ドラマチックな（しかし不正確な）イメージや比喩は、重要な課題や問題に関する（正確で）理知的な説明を簡単に回避させてしまう。クリントンは政策論争では勝ったが選挙には負けた。彼女の選挙運動は有権者の頭脳に訴えようとしたが、トランプの運動は本能に直接狙いを定めていたのだ。

クリントンは歯医者よりも選挙運動が嫌いで、はたから見てもそれがわかった。対するトランプは称賛されるのが大好きなうえにそれを必要としていたために、大統領としての職務が終わりのない遊説旅行となっている。クリントンがトランプを相当軽蔑していたこと（これは十分理解できる）もまた、多くのトランプ支持者に伝わった。残念ながら彼女はそれを完全に抑えたり隠したりできなかったのである。選挙における一つの転機は、彼女がトランプの支持者を（珍しく気が緩んだ瞬間に）「嘆かわしい人々の集団」と呼んだことが発覚したときだ。確かにトランプ支持者の一部はレイシストで、嘆かわしい人々だった。だが自分の感情を選択して伝える能力がクリントンに欠けていたために、態度を決めかねていて、トランプへの投票にためらいのあった有権者の支持を獲得する機会を失ってしまった。夫ビル・クリントンが存分に発揮していた政治的才能が妻に引き継がれることはなかった。人々の痛みを理解していることがビル・クリントンからは感じられた。ヒラリー・クリントンは人間を愛してはいたが、個々の人間にそれほど親しみを感じているようには見えなかった。絶頂期のビル・クリントンなら、おそらくアメリカ史上に例を見ないような大差でドナルド・トランプを倒したことだろう。

トランプは自分を誠実であるかのように見せかけていた――延々と嘘をつき続けているにもかかわらずである。一方、クリントンはおおむね正直で裏表がないのに、嘘をつく者であるかのような誤った印象を与えた。人々がトランプを信じたのは、頭に真っ先に思い浮かんだことを、彼が常に口にしているように見えたからだ。だがその内容は、たいていの場合、完全に間違っていた。クリントンがまったく正直であっても心がこもっていないように見えたのは、彼女の振る舞いがわざとらしかったからである。トランプが嘘をついていても正直に見えたのは、それが彼が生まれながらに持つ第二の本性だからなのだ。

結局こうした事実は何を意味するのだろうか。成功する政治家は、人の心と頭脳をうまくつかみ取る。なぜなら彼らは人間の本性を理解し、それを利用することが得意だからだ。綱領、政策、意見表明は空虚な言葉にすぎず、そこに有権者との感情的なつながりはない――政治家が有権者の話に耳を傾け、彼らのことを理解し、今後も彼らを大切にするということを伝える感情の絆がそこにはないのである。トランプのような宣伝屋はこうしたつながりを装う達人だが、われわれ全員に悪影響を及ぼしている。本当の政治家は、その人生を有権者と共に、また有権者のために無私無欲で歩んでいくことを望んでいる――それは自分を売り込むことでもなければ、自分の権力を拡大することでもない。民主主義の実験が始まった頃、政治的言説は、啓蒙という格調高い知的な形式で発せられていた。議論には論理が必要とされ、理性に訴えなければならなかった。今回の大統領選の選挙運動では、皮質と扁桃体との戦いで扁桃体が勝った――度を越した感情が理性的な思考に勝ったのである。

トランプは勝った。そしてアメリカの民主主義、社会の健全さ、われわれの子どもたちと地球の未来の幸せはすべて敗北した。彼がクレイジーなのではない。彼を選んだのはわれわれである。またトランプのような人間を、大統領候補として真剣に考えるところまで社会を堕落させてしまったのも、われわれだ。数々の不測の事態がトランプに勝利をもたらした。共和党予備選挙で戦った一六人はいずれも弱小候補で、対立候補は選挙運動に弱点があった。プーチンの後押し、ＦＢＩの厳しい捜査、ジュリアン・アサンジの嫌がらせがあり、少数政党の奇抜な候補者がクリントン票を取り崩した。こうしたことがたまたま重なるという、恐ろしくありえないことが起きたのである。そして今、われわれはそのツケを払っている。

［訳注］

＊1　二〇一七年五月解任。二〇一六年大統領選挙期間中の、ヒラリー・クリントンの私用メール問題に関する捜査の処理が誤っていたことが解任の理由であるとトランプは説明している。一方、コミーは同選挙にロシア政府が干渉した疑惑をめぐる捜査を指揮していたため、この解任はトランプの側近とロシアの関係をめぐるＦＢＩの捜査を封じることが狙いだとの疑問が民主党からあがった。

第五章

トランプと部族主義、攻撃される民主主義

議論でアドルフ・ヒトラーを引き合いに出すのは、安っぽい常套手段で禁じ手だという非難は適切だろう。一九五〇年代に初めてレオ・シュトラウスが「ヒトラー論証」と揶揄したこの現象は、インターネットの時代になって新たに「ゴドウィンの法則」と名づけられた。「オンライン上の議論が、そのテーマや対象範囲にかかわらず長引くにつれて、ヒトラーやナチスが引き合いに出される確率は一に近づいていく(1)」という法則である。だが最近、この警句を作ったマイク・ゴドウィンの、ヒトラー論証に対する異議は控えめになった。現代における一部の人々および状況が一九三〇年代のドイツとかなり似ていることから、インターネット上でどんな振る舞いが受け入れられるのか、アドバイスしてほしいという依頼がゴドウィンのもとに殺到している。それに対する彼の回答は、ゴドウィンの法則の縛りを解き放つものだ。「ドナルド・トランプの件に関しては例外だ。つまりそれについて十分に考え、歴史に関わる認識を本当に示せるのなら、トランプについて語るときに、ヒトラーやナチスに言及してもかまわない」と述べているのである。もしトランプの語り口がヒトラーの流儀にこれほど近づくことがなかったら、ヒトラーとトランプの

類比は不当な攻撃と言えるだろう。アメリカでヒトラーのような独裁的支配をトランプにさせたくなければ、ヒトラーの権力奪取からわれわれは学ばなければならない。そして手遅れになる前に、今すぐ力を合わせてトランプに抵抗しなければならない。

トランプと同様、ヒトラーは国民による一般投票で勝ったことがない――最もよかったときでも、四四パーセントの得票率にとどまった。トランプと同様、ヒトラーは民主主義の伝統、報道の自由、司法機関、知識人、人権を最も軽蔑した。トランプと同様、ヒトラーは、真実は変えられるもの、嘘は効果的な武器、道徳は余計なものだとみなした。トランプと同様、ヒトラーは陰謀論者であり、自分の間違った考えや判断に異議を唱えようとしない、あるいは唱えることができない従順な「イエスマン」で自分のまわりを固めた。トランプと同様、ヒトラーは世界でも指折りのナルシシストだった。トランプと同様、ヒトラーは政界の既成勢力から嫌われ、過小評価されていた。彼らは自らの目的のためにヒトラーを利用し操れると考えていたのだ。トランプと同様、ヒトラーは政界の既成勢力に盾突き、自分（だけ）に忠実であり続けた。トランプと同様、ヒトラーは自分が軽蔑され不当に扱われていると感じ、多くの恨みを抱えていた。ヒトラーは、トランプと同様、自分に誤りはないと主張し、将軍や顧問よりも自分のほうが賢く、自分の直感が国を最もよい方向に導くと断言した。ヒトラーはトランプと同様、市民の不安、怒り、敵意を利用した。ヒトラーはトランプと同様、部族主義をあおり、マイノリティを危険な害虫だと罵《ののし》った。ただしヒトラーはいくつかの点で、トランプとは確実に違っていた。ヒトラーのほうがずっと頭が切れ、よく本を読み、分別があり、頭の中が整理され、歴史に関する無知の度合もいくらかましだった。また自分に厳しく、注意散漫ではなく、礼儀をわきまえ、助けを必要とせず、見かけは信頼できそうな人間だった――ただこれまでのところ、トランプよりもずっと残虐で、情け容赦がなく、命を脅かすような人間であった。

ヒトラーはやすやすと、すばやく完璧に独裁的権力を手にした——単に憲法の形式主義を利用するだけで、彼の権力に対する憲法上の制約すべてを無効にしたのである。それはあまりにも簡単で、見かけ上は無害を装いながら突如として起きた、取り返しのつかない破壊的な行為だった。その手段の名称には「全権委任法（権能付与法）」という婉曲的な表現が使われた——これは一九三三年に制定されたワイマール憲法の修正条項で、議会や司法の承認なしに法を制定できる「全権」をヒトラーに与えるものだった。これによって、ヒトラーは公民権を廃止し、簡単に反対勢力をつぶすことができた——こうした行為は完全に合法で、必要とされたのは、怯えた議会の承認を得てペンを少し走らせることだけだったのである。われわれにとって最も恐ろしい教訓は、ドイツ国会議事堂放火事件[*1]という一件のテロ行為が、ヒトラーに全権が集中する独裁政治の十分な引き金となったことだ。「国家の安全」は民主主義を破壊する、効果的で都合のよい口実である。われわれは間違いなくもっと多くのテロ行為に苦しむことになるだろう。そしてトランプはそのテロ行為に乗じるだろう——われわれがそれを許すことになればの話だが。

ヒトラーとトランプが似ていることは火を見るよりも明らかだ。ありがたいことに、はっきりとした違いもいくつかある。アメリカはワイマール時代のドイツほど脆くはない——アメリカの立憲民主主義は、およそ二五〇年にわたるしっかりとした伝統があり、たった一四年の歴史しかなかった当時のドイツとは違う。アメリカは、失業率が三〇パーセントというひどい不景気にはなく、たった一世代でインフレ率が驚異的な一兆パーセントに達したわけでもない。世界で最も壊滅的な戦争に負けて屈辱を与えられてもいない。何百万人という戦死者と負傷者も出なかった。路上で右派と左派の過激分子が、日々激しく命を脅かすような内戦を繰り広げてもいない。しかしこうした恵まれた立場にあっても、これまでトランプが、明らかに民主主義を破壊する道を、これほどすばやく進んでいることに安心はできない。議会や司法機関、メディア、国民が継続的に抵抗すればトランプを止められる。しかしこれまでのところ、議会はワイマール時代の様相を呈している。司法機関の状況はまだ不透明だが、トランプによる判事の任命によってさらに右寄りになるだろう。メディアは激しく非難され、国民はようやく現状に気づき始めたところである。

よい未来、悪い未来、恐ろしい未来

真っただ中に生きている人間には、今後歴史がどう展開していくかは決して正確にはわからない。不測の事態がとても多く、それぞれが相互に影響し合い、しかもその影響を計りにくいため、些細に思える出来事が、驚くほど大きな衝撃をもたらす可能性がある。この予想外の転機――アメリカの民主主義が初めて直面する、強い意志を持ったデマゴーグによる支配の可能性についても同じことが言える。私がおこなっている精神療法では、患者が望んでいる最善の結果、最も恐れている結果、その中間で起こりうる結果を患者に予測してもらうことが効果的である。起こりうる未来を考えられる人には、よりよい未来が待っている――思いつくままではなく、もっと自らがコントロールできる範囲内で未来の生活を送れるのである。情報を集めることによって驚きが和らぎ、弱点や不意を突かれることを避けられる。おそらくこれがトランプの大統領就任後、ディストピア小説がベストセラーになっている理由だろう。人々は恐ろしい現在を理解し、さらに恐ろしい未来を避けようとしている――脅威に満ちた状況で気分をよくする現実逃避の本を読むのは、あまり意味がない。われわれが進んで現実と向き合い、社会の妄想を捨てようとしているのは、期待が持てる兆候だろう。

では、われわれの未来を予想してみよう――トランプ大統領の下での最悪の未来、最良の未来、その中間の未来をこれから考えていくことにしたい。

最悪のシナリオ――イル・ドゥーチェ[*2]となるトランプ

事の始まりは、トランプの「報道機関は自分の敵であるだけでなく、アメリカ国民の敵」というツイート――さらに記者たちを「野党」と呼び始めたことだった。トランプの報道官は、トランプに好意的なメディアに対して興味深い特ダネを与え、真実を報じようとするメディア対してはブリーフィングへの出席を禁ずることで、メディアを分断支配する――これは今までになかったことだ。トランプは次々とばかげた嘘をつき続ける。それに対して報道機関は粘り強くファクトチェックを続ける。国民の四〇パーセントにあたるトランプの支持層は、引き続きトランプを信じるか、少なくともその言い分を進んで受け入れる。真実は暗闇の中に覆い隠されているので、多くの人々は真実がそれほど重要なものであるとは考えなくなる。またトランプは裁判所を激しく責め、「国家の安全」に関連する大統領令の司法審査に異議を唱える。そして、公民権の保護よりもテロから国を守ることを重要とする「トランプ主義」に抵抗する勢力を、少しずつ弱らせていく。

連邦政府は急速に「解体」される。それは筋書きに沿って進められることもあれば、トランプが任命した者たちのあまりの無能さやイデオロギーのために、きわめて有能な職員がトランプに仕えることなく退職すること、あるいは解雇されることも理由である。ホワイトハウスの政策は次々と変わり、実施されるときも一貫性がない。大方の有望な新規採用の候補者は、トランプ政権下で働く意志がないため、何百という政府要職のポストが埋まらないままになっている。環境保護庁は骨抜きにされ、パリ協定から離脱し、エネルギー産業では規制緩和がおこなわれる。企業は政府の監督がないのをいいことに、製品や労働者の安全に対する注意を怠り、賃金を下げ、製品価格を引き上げる。企業の幹部はトランプを嫌い恐れてもいるが、彼が何をやろうと彼のことを支持する。それがビジネスにとって有利であり、巨額の減税をもたらす可能性があるからだ。

ロシアの大統領選挙介入に関するＦＢＩの捜査は、トランプによるＦＢＩ長官の解任によって妨害される。またトランプが、独立捜査をおこなう特別検察官に対する協力を拒み、その捜査結果を認めないため、さらに捜査が遅れる。トランプは、捜査と批判にイライラを募らせた結果、扇動的で内容が矛盾するツイートを次々と投稿し、報道機関、政敵、かつて好意的だった海外の指導者たち、与党の幹部、さらに自分の取り巻きも攻撃する。ホワイトハウスでは、職員の間で権力争いが繰り返し起きるために、その多くが解任されるか辞任するかし、人事が頻繁に入れ替わる。どの報道官の意見に耳を傾けたか、どんな噂が右派のソーシャルメディアでトレンドになっているか、といった条件次第で、トランプの声明や決断は、突然大きく変わる。そしてその噂の多くは、プーチンの情報工作チームによって仕掛けられたことが明らかになっている。

トランプは日々非難を浴びるなか、自分の権力を拡大し憲法上の制約を徐々に骨抜きにするために、「国家の安全」という口実を使う。大統領令を発し、「わが国の結束を弱め、敵に援助と便宜を与える可能性」に言及したうえで、ロシアに対するすべての捜査を終わらせ、記録を封印する。大規模な抗議デモが全米五〇都市でおこなわれ、多数の逮捕者が出る。秩序の回復を進めるために、混乱を助長した原因とされる主流メディアに対して、一時的な検閲がおこなわれる。また、数万人の不法滞在外国人を逮捕するようトランプが地方警察に命じ、さらに混乱が広がる。

避けられそうもない次のテロ事件がアメリカで起きると、トランプは「国家非常事態」を宣言し、テロを防ぐために十分な権力をあらかじめ自分に与えなかったとして、裁判所を非難するだろう。そして、司法のチェック・アンド・バランスが時代遅れで今や危険なものであるという理由から、トランプは二度と躊躇することなくアメリカを守ると誓う。エスカレートする抗議デモに対して、トランプを支持する武装した私設民兵が応戦する。報復のヘイトクライムが相次ぎ、多くの都市が混乱に陥る。イスラム教徒が集中する地域では戒厳令が発令され、イスラム教徒の若者が何千人もジハード支持の疑いをかけられて「予防拘留」される。拷問を受ける者もあるだろう。繰り返される抗議のデモ行進は、アメリカの各都市を混乱させ続ける――トランプのある特定の行動に反対する者もいるし、彼が独裁的権力を掌握していること自体に抗議する者もいる。暴力に頼らずに抗議する者もいれば、乱暴を働く者もいる。腹を立てながらも組織化されたトランプ支持者と激しく衝突する者もいる。その多くを、警察が催涙ガスや犬、こん棒を使って追い散らす――警察はトランプの命令に従い、いかなる民衆暴動の兆候にも断固とした対応を取る。報道機関は国家の安全を理由にデモの取材を禁止される。数千人が逮捕され、数百人が重傷を負う。第二波の抗議はさらに容赦ない仕打ちを受ける。公共の場での集会が一時的に禁止されるが、その緊急の禁止令は決して解除されない。

　トランプは、海外や国内の敵が無秩序な暴力行為でアメリカを屈服させたいと考えていると国民に警告する。そして、どんなことがあってもアメリカを守り、「アメリカを再び偉大にする」と約束する。議会も最高裁判所も怯えている。トランプの支配に対する批判は抑えられてしまい効果がない。民主党員は落胆し、次に取るべき行動についても意見がまとまらない。報道は徹底的に検閲され、何十人もの記者が逮捕されて反逆罪で告発される。ソーシャルネットワークでは言論の自由が封じられ、脅威の気配に対する強い政府の対応を支持する方向に誘導される。(2) 軍隊と警察はトランプの命令に従う。非常事態は自然に解消しないため、トランプの一時的な権力は無期限に延長される。トランプはアメリカ初の独裁者となるが、最後の独裁者とはならない。トランプが突然亡くなったあと（陰謀論者は毒殺を疑う）、トランプの子どもたちと側近との間で権力継承をめぐる争いが繰り広げられる。その争いに義理の息子であるジャレッド・クシュナーが勝利し、妻のイヴァンカと共にアメリカを支配する。

最良のシナリオ——民主主義が守られる

選挙後のハネムーン期間というものはトランプにはない。報道機関は言論の自由を封じられることを拒み、市民はトランプのますます見えすいた嘘や、常軌を逸した行動、果たされない嘘の約束にすぐに気づく。就任の時点ですでに低迷していたトランプの支持率は、二〇パーセント台半ばから三〇パーセント台前半の間に落ち込む。インターネットを活動の中心とする一般市民のグループが、大規模な反トランプ集会を計画し、政治家に対して執拗に強い圧力をかけ、トランプの法案に反対する。採算のあげくトランプの勢いに乗ってティー・パーティー運動で勝利を収めたいと願っていた共和党の主要議員たちは、今度は沈みつつあるトランプの船から降りるかどうかが、自らの生き残りを左右するという皮肉を悟るだろう。結局わずか二七人によってトランプの暴走は止められることになる。三人の上院議員と二三人の下院議員が、共和党の支配に対して（数人は愛国心から、残りは政治的な思惑から）反旗を翻した。これによって、権力掌握に向けたトランプのあらゆる試みに繰り返し反対してきた、反トランプ派で民主主義を支持する連立勢力が、議会で過半数を獲得することが確実となる。さらに共和党が任命した一名の最高裁判所判事が民主党任命の判事の判断に賛同し、トランプの独裁的な大統領令の合憲性を否定する。州知事の一団は、トランプの直感ではなく、憲法に従う州の権利を主張する。トランプの支持層はさらに減って、頑固に抵抗する過激派だけになる。それ以外の支持者たちは、トランプの政策のひどさ、がっかりするような人間性、そして彼がやがて裸の王様になることに気づいたのだ。トランプは譲歩し、大統領令の発令をやめ、その活動は辛らつなツイートと、熱意に欠け減り続ける支持者たちに対しておこなう遊説だけになる。二〇一八年の中間選挙で民主党は下院を支配し、かつて共和党の地盤であった州でも上院の議席を獲得する。二〇二〇年の大統領選挙でトランプは大差で敗北する――代わって求心力を持った大統領が国民の信と民主党優位の議会を束ねながら、傷を癒やし、社会の妄想をなくし、未来の難題に対処する立法措置を進めていく。

最も可能性の高いシナリオ――なんとか難局を乗り切る

トランプは、リンカーンを除いて、アメリカ史上最も国を分断した大統領だ。自分の管理に関しても、国の統治に関しても混乱が多く、何が起きるか予測できない。劇的な事態が起きなかった八年間のオバマ政権のあと、アメリカは大きく揺らぐ。日々危機にさらされ、高官が頻繁に辞任したり解任されたりする。平和的な反トランプデモとそれに対抗する乱暴なトランプ支持のデモが続き、政府機関が機能不全に陥り、国家安全保障や軍の指導者たちが辞任する。政府機関は信用を失い疲弊する。共和党議会はおおむねトランプについて行き、恵まれない人たちをさらに不利な状況に追い込み、かえって世界の地球温暖化を加速させるような、後ろ向きの法案を多く可決させる。オバマケア導入前の医療制度は、整っていないうえに不公平で高額なひどい制度だったが、オバマケアの一部が廃止されて制度はよりいっそう悪化する。最高裁判所は憲法に関わる主要な問題についてはトランプに反対しているが、公民権や参政権、対企業規制を徐々にむしばんでいく彼の行為を許している。

トランプが支持率の低下や、自分に対する絶え間ない攻撃、共和党の変節にイライラを募らせるにつれて、おおむね彼に忠実だった支持者たちにさえも、ますます強く当たり侮辱するようになる。そして陰謀論に満ちたばかばかしいツイートをさらに多く投稿する。共和党は二〇一八年の中間選挙、特に二〇二〇年の大統領選挙で国民から厳しい審判を受けるが、その前からすでに大きなダメージを受けていて修復は困難だ。二〇二〇年は、トランプをホワイトハウスに送り込んだことを後悔した有権者たちが、その意志を投票行為によって示したため、民主党が史上最大の大差で勝利を収める。歴史学者たちは、トランプがアメリカ史上最悪の大統領との見解で一致し、こうしたひどい指導者を生み出す原因となった社会、政治、経済、テクノロジー、人口の影響力について考察する。多くの学術論文で、民主主義の成果と危険性が取り上げられる。ディストピア小説や映画は引き続き話題を集める。

民主主義を脅かすカラー戦争

私がサマーキャンプに参加し始めたのは一〇代前半の頃で、一九五〇年代のことだった。私は自然、仲間との協力、スポーツ、新しいことを学ぶことが大好きだった。だが、カラー戦争は嫌いだった。キャンプではブルー、レッド、グリーン、イエローと、勝手なチーム分けがおこなわれた。夏の間ずっと、考えられるあらゆる（また、考えられないほどばかばかしい多くの）力試しの競技で互いに競わされた。多くの者は真剣に自分のチームに忠誠を誓って競技に励み、賞品を目指した。だが私には、ばかげたことだとしか思えなかった――自分のチームであるグリーンの仲間の多くを私は特に好きだったわけではなく、自分が好きな子たちは他の色のチームに振り分けられていた。そこから生まれた重大な疑問は、ミッキー・

マントル[*3]やニューヨーク・ヤンキースに対する私の英雄崇拝に、それほど大きな意味があったのかどうかということだ——嫌っていたドジャースのほうが、いい人たちだったかもしれない。数年後、私は男子大学生の社交クラブで、同じような落胆を感じた——一年生のときは助けてくれる仲間がいてとても安心した。二年生のときはそんな仲間がいて楽しいと思うが、三年生になると束縛されるように感じ、四年生のときには、そういった関係はまったくどうでもよくなった。アインシュタインが認識していたように、部族主義は未熟さそのものであり、成長によって部族主義から脱することができるのである。

私は先日、ロバーズ・ケーブ州立公園でおこなわれた「カラー戦争」に関する有名な研究をまとめた書籍を見つけた。出版年は一九五四年で、偶然にも私がサマーキャンプに出かけた年であり、『蠅の王』(究極の「カラー戦争」小説)が出版された年だ。そこでおこなわれた実験は、われわれの世界を引き裂く部族主義について、説得力のある具体例を示している——さらにこれは、部族主義を終わらせるための実用的な手引きともなっている。実験では五年生の男子からなる二つのグループが、オクラホマ州南東部の山中での「サマーキャンプ」体験に招かれる。全員が中流階級の家庭で育ったプロテスタントで、同じ地域から参加し心理的な障害がなく、知的機能が平均以上の子どもたちだった。各グループはまず一方のグループから隔離された状態で、一週間のキャンプ活動に参加した。各グループは自然と団結力を高め、さらにはグループに象徴的な名前までつけた(イーグルスとラトラーズ)。その後、両グループが互いに接触することを許されるとすぐに、「われわれ」対「彼ら」という対決姿勢が生まれた。キャンプ指導員たちは、価値のある賞品やトロフィーが与えられるゲームを用意した。すると両グループは、大小さまざまな問題で衝突し始め、特に資源が不足したとき(一方のグループが夕食に呼ばれる前に、夕食用の食料が底をついてしまった場合など)、競争が激しくなった。スポーツ競技では、相手を挑発するような言葉を発し、典型的な侮辱の応酬となった。間もなく両グループは互いの小屋に侵入し、持ち物を壊し賞品を盗んだ。また、チームの旗を燃やし、威嚇し、相手を直接攻撃する計画を立てた。カラー戦争は文字どおり「戦争」となった――そしてキャンプ指導員の仲裁により、ようやくその戦争は収まったのである。これはオクラホマの山中で起きた、まさに『蠅の王』の物語だ。

こうした敵意をなくさせるために、キャンプ指導員は、両グループを競争を伴わないさまざまな活動に一緒に参加させることにした。たとえば、食堂で一緒に食事をさせたり、みんなでピクニックに行かせたり、日々の雑用を一緒にさせたりしたのである。だが、互いを嫌がり、相手と交わりたくないという気持ちは根強く続いていた。両グループにまたがる団結力が見てとれたのは、実験のために仕組まれた数々の「災難」に両グループが向き合って共に作業し、互いに犠牲を払わざるをえないときだけだった。反目し合う集団が一つになるのは、先に経験した集団間の相違よりも、共通の利益が重要になったときだった。これは思わぬハッピーエンドにつながった。キャンプ終了時に、一方のグループが賞金を勝ち取ったとき、そのグループはもう一方のグループと賞金を分け合うことにし、その結果、最後にみんなで一緒に麦芽ミルクを飲むことができたのである(3)。

この研究における科学も『蠅の王』における芸術も、原始時代の部族にみられた攻撃性が、無意識のうちに現れてしまうことを示している――それはわれわれの社会生活に関わるＤＮＡに刻みこまれているもののようだ。悪い知らせは、部族に対する忠誠という、一見よさそうな大義名分のもとに、われわれは実にひどいことをいとも簡単にやってしまうことだ。よい知らせは、人々が共通の困難に対応したり、共通の敵に立ち向かったりするために互いを頼らなければならないときに、集団間の敵意が薄れることである。残念なことに、競争意識を生み出すことは、それを解消させることよりもずっと簡単である――だが幸いなことに、条件が整えば、競争に代わって協力し合うことが可能になる。

カラー戦争にみられる部族主義は、残念なことに現代生活の至る所に存在する――そして人口増加の圧力が高まり資源が不足しつつあるために、部族主義は激しさを増している。シーア派がスンニー派を殺し、スンニー派がシーア派を殺しているのもそのためだ。イスラエルとパレスチナは和平プロセスに七〇年間関わっているのに、まったく平和はもたらされていない。ロシア内戦では「赤軍」が「白軍」と戦った。アメリカでは「ブルー」（北軍）と「グレー」（南軍）が戦った。われわれは旗を振り、ひいきのスポーツチームを応援し、自国を愛する。白人はあらゆる有色人種に対して寛容ではなかった。割礼を施す集団もあれば施さない集団もある。そして今、共和党（「赤」の州を支配）と民主党（「青」の州を支配）は、国家の問題を解決するための基盤となる一致点を見いだすのにひどく苦労している。

数年前、シーワールドの海洋ショーで、恒例の出し物とされている「カラー戦争」とおぼしきものを友人と共に見た。ショー全体の所要時間は三〇分で、ばかばかしい内容だった。そこでは、レッドとブルーの二チームが、ボートこぎ、水上スキー、水泳、自転車などの一〇種目の競技と、きわめてわざとらしく、恐ろしいほどばかげた芸で競い合う。司会者は独断で二〇〇〇人の観客を一〇〇人ずつの区画に分け、レッドを応援する区画とブルーを応援する区画を交互に割り振り、観客には指示されたチームを全員で応援するように指示する。数分もしないうちに、各区画にいる観客は指示されたチームを熱狂的に応援していた。ショーが終わるまでには、一部の人々が、相手チームのメンバーや、隣の区画で相手チームを応援する観客を大声でののしっていた。私の友人は悲しそうに私のほうを見て「ここまでしなきゃいけないのか？」と言った。流れからすると、そのとおりだ。

人間が持つ部族主義には、進化の過程を生き抜くうえで大きな価値があった。われわれの祖先である狩猟採集民は、経済の面でも安全の面でも自分が属している小さな集団に全面的に頼っていたため、そこから追放されたり離れたりすれば、ほぼすぐに命を落とすことになる。だが、今や縮小した世界に住むわれわれにとって、過去から受け継いだ部族主義は、先の見えない未来に向かう途上で最も致命的な障害になりかねない。さらにトランプの影響によって、部族主義の熱はわれわれの社会全体で高まり、とりわけ子どもたちの過熱ぶりは穏やかではない。私はアメリカ南部に住む友人から悲しい話を聞いた。彼の五歳の息子と別の子どもが、トランプを支持する側と攻撃する側に立ち、幼稚園で殴り合いのけんかをしたという。また観察力の鋭い高校二年生の私の孫も、トランプが当選してからの大きな変化に気づいていた。以前、クラスでの討論は礼儀を守っておこなわれ、そこで発表される意見は政治的視野を広げるものだった。だが今はトランプの勝利にあおられ、授業でも校庭でも議論は激しさを増し、かつてタブーとされていた、人種差別、性差別、女性嫌悪、同性愛反対を進んで主張したがる生徒たちに牛耳られているという。孫はこのことを、生徒たちが一夜にして変わったのではなく、一般市民による議論の基準が変わったのだと解釈している。世論調査員は選挙前、国民の心に訴えかけるトランプの力を過小評価していた。それはまさに、調査を受けた人の一部があまりの恥ずかしさに、トランプに投票しようとしていることを認めなかったからである。だが今やそういった人たちも、その子どもたちも、トランプ支持を公然と認めるようになっている(4)。

アメリカ社会の二極化をなくす（そして二極化が徐々に民主主義を蝕むことを防ぐ）ために、「われわれ」と「彼ら」という部族的感覚で広がり続ける亀裂を埋めなければならない。南北戦争以来、対極にある二つの政治的見解が、互いにこれほどかけ離れたことはなかった。左派寄りの都会人の多くはトランプ支持者のことを、もの知らずで現実を直視しない偏狭な愚か者だとみなしてきた。それに対してトランプ支持者はリベラル派のことを、エリート主義者で人を見下し、テロに対する姿勢が甘く、世間知らずで、「増税と歳出拡大のリベラル」であると考えている。だが、いずれの側の悪口も正確というわけではなく、共通理解に向けた対話を進めるものではまったくない。アメリカの二極化は部分的には実体を反映している。だが二極化の多くは、政治的操作やレトリックの巧妙なごまかしを示すものである。議論がかみ合わなかったり、互いにののしり合ったり、紛らわしい言葉を使ったり、聞く耳を持たなかったりすると、互いに満足のいく解決策を練り上げることはできない。自分の味方だけに通じる言葉をわきに置き、どんな解決策が有効かそうでないかを、わかりやすい言葉で話し合わなくてはならない。

心を操る武器が政治闘争を制する

「原爆の父」であるJ・ロバート・オッペンハイマーは、原爆を作ったあとに後悔の念をこう表現した。「物理学者たちは罪を知ってしまった。このことは消し去ることのできない知識である」心理学も罪を知ってしまった――民主主義をひどく残酷に扱いおとしめる政治プロパガンダのための有害な武器を作ることに、われわれは手を貸したのである。

広告とは、人々を騙して、もともとは欲しくもなく必要もないものを買わせる技法である。政治広告は、国民に悪い考えを売り込み、国民のことを一番に思っていない政治家を支持するように仕向ける技法だ。広告は心理学の応用である――扁桃体がつかさどる無意識の感情を操作するために、大脳皮質による意識的で理性のある思考プロセスを回避することによって広告は機能する。一九世紀後半、心理学理論（精神分析学、行動主義、社会心理学）の急増が、そうした理論の消費財売り込みへの活用（「誤用」と言う者もいる）につながった。さらにこの数十年、心理学は政治のでたらめを売り込むことに活用（この場合はまったくの「誤用」）されてきたのである。

エドワード・バーネイズは「ＰＲ（パブリック・リレーションズ、広報活動）の父」として知られている。彼が「ＰＲ」という言葉を作ったのは、それまで使われていた言葉である（そして実体もそうであった）「プロパガンダ」よりも、ずっと洗練された響きがあったからだ。ジークムント・フロイトの甥であるバーネイズは、精神分析学、行動主義、集団心理学に由来するテクニックを組み合わせ、企業の経営状態を改善して大成功を収めた。彼の基本的な着眼点は「集団心理のメカニズムと動機を理解すれば、大衆に気づかれずに、われわれの意志にしたがって大衆を管理し統制することができるのではないか」というものである。これが独自の専門技術につながった。つまり「同意の操縦」によって、消費者の行動に働きかけるのである。バーネイズは、ファッション、食品、石けん、タバコ、書籍など数多くの消費財の大衆消費者向けマーケティングのパイオニアだった。彼の巧みな演出のもと、公共の場で女性がタバコを吸う姿は不品行の気配すらなく、かえってファッショナブルで道徳的に正しく、適度にセクシーだった。それは、タバコのパッケージを毎年の流行色にあわせて作るように提案することと、一九二九年ニューヨークでのイースターパレードで、（小さな「自由のたいまつ」と謳われた）ラッキーストライクを持った美しいモデルを披露するように演出することだけで実現したのである。

またバーネイズは、有名人やオピニオンリーダーによる製品の推奨というコンセプトを考案した。「意識的な協力の有無にかかわらず、リーダーたちに影響を与えることができれば、彼らが感化する集団にもおのずと影響を及ぼすことができる」とバーネイズは述べている。彼のマーケティングの才能は、今でも毎日の朝食の習慣に感じとれる。彼は豚肉業界で働いていたとき、五〇〇〇人の内科医に対する調査をおこなった。そして、ベーコンと卵のしつこい朝食が、当時のお決まりだった紅茶とトーストという軽い朝食に比べて、はるかに健康的だという結果を広く宣伝したのである。もちろん、これはまったくナンセンスな話だったが、そのメッセージは人々の心に焼き付いた。バーネイズとP・T・バーナム[*4]は似たような精神の持ち主で、二人とも「簡単に騙されるカモはいくらでもいる」と考えていた。そして二人ともそう信じた結果、裕福になったのである。それは多国籍企業にしても大物の政界関係者にしても同じだった。

バーネイズとほぼ同じ頃、ジョン・ワトソンも心理学理論を広告という金貨に変え、思わぬ大成功を収めた。彼の立身出世の物語はアメリカだからこそ実現した。貧しいながらも大きな希望を持った少年は優れた教育を受け、アメリカで最も有名な心理学者にまで上りつめたが、その後突然すべてを投げ打ち、新たに急成長を遂げる広告業界に入り会長として富を築いた。ワトソンは、パブロフの研究である犬の条件づけを人間に拡大して解釈し、自覚した意識を回避して潜在意識に働きかける手法によって、人間の行動に大きな影響を及ぼせることに気づいた。彼はこの手法を「行動主義」と呼んだ。それは、行動主義が意識の複雑さや人間の心に関心を向けない（あるいはそれらを評価しない）からだ。そして人間も犬と同じように操ることが可能だというのである。ワトソンは、行動をコントロールする自分の手法を用いて、人々に商品の購入を促した。たとえば、コーヒーブレイクというものを考案してマックスウェル・ハウスのコーヒーを売り込み、ペベコの歯磨き粉を使っていれば喫煙は魅力的であると女性たちを説得し、戸棚を化粧品でいっぱいにする必要があると女性たちに言い聞かせたのだ。ワトソンは行動心理学と現代広告の両方の父として、驚くべき二つの顔を持っていた。大量消費主義に科学的な手法を取り入れたのである。

消費者向けの広告用に開発された手法は、政治プロパガンダというもっと汚れた世界でも、きわめて大きな効果を発揮した。ヒトラーの代弁者であったヨーセフ・ゲッベルスは、心理学で学位を取得したことはなかったものの、それを注意深く研究していた。そのことをバーネイズはこう嘆いている。

「ゲッベルスは、私の著書『世論の結晶化』（原題 *Crystallizing Public Opinion* 未邦訳）を根拠として活用し、ドイツにいるユダヤ人に対して破壊的な運動をおこなった。それを知って私は衝撃を受けた」

かつてゲッベルスは、トランプの選挙運動戦略を予見するような発言をしていた。

「知識人を変えようとしても無駄だ……一般市民にとって、議論は単純明快で説得力があり、知性ではなく、感情や本能に訴えかけるものでなければならない。真実は重要ではなく、駆け引きと心理作戦に完全に従属している。」

これは要するに、ヒラリー・クリントンをおとしめるために、共和党が長きにわたっておこなってきた、人を惑わす選挙運動のことだ。

アメリカの政治広告は、テレビとともに発達した。一九四八年の大統領選における選挙運動で、ハリー・トルーマンは、一〇〇万人と握手し、三万一〇〇〇マイル（約五万キロ）を移動した。一九五二年、ドワイト・アイゼンハワーにとって、選挙運動ははるかにやさしくなった。彼はテレビのスポット広告を一日で四〇本撮影し、その広告がトルーマンの訪れた地域よりもずっと広い地域で放送されたのである。最もテレビ映えした大統領であるジョン・ケネディは、二〇〇本のテレビ・コマーシャルでメッセージを拡散した。一九六四年には、ネガティブ広告の大きい可能性が明らかになった。この年リンドン・ジョンソンは「デイジー」と呼ばれたテレビ広告で、バリー・ゴールドウォーターを軽率で頼りにならず、核の全面戦争をしたがっている人間であるかのように描いた。それ以来、政治プロパガンダのほとんどはネガティブな内容で、なすべきことに関する見解を示すのではなく、敵対する相手の政策や特に人格を攻撃するものが多くなった。ラジオのトーク番組は政治論を粗悪な陰謀論におとしめた。さらに、インターネットによって、嘘が瞬く間に世界中を駆け巡るようになったのである。

ステレオタイプ化は、政治の二極化と洗脳を実現する鍵である。ウェブスター英語辞典で「ステレオタイプ」は「ある集団の成員が共有する画一的なイメージで、極度に単純化された意見、偏見を持った態度、正当な批判基準に基づかない判断を指す」と定義されている。「ステレオタイプ」は、二〇〇年前に生まれたばかりの言葉で、フランス語に由来し、もともとは、同じ規格の複写を作るために使われる印刷機用の鋳型を意味した。しかし、ステレオタイプになる傾向は、人間の脳と同じくらい古くから存在する。ステレオタイプのおかげで、すばやく手軽に経験を理解し、集団の一員として認められる。だが先入観が一度出来上がってしまうと、変えることは難しい。それが集団内の仲間と共有されている場合はなおさらである。そして悪循環に陥る。つまり、集団の間で二極化が起きるとステレオタイプ化が生じ、それでいっそう二極化が進み、さらなるステレオタイプ化を招くのだ。自分たちと異なる人々に対する知識と理解の不足は、ネガティブなステレオタイプ化が起きる格好の条件である。特に政治家が、底意地悪くわれわれ国民同士を敵対させようとしているときはそうだ――それは、われわれの利益のためではなく、常に政治家の利益のための態度である。ステレオタイプ化は、単純な問題を扱う場合には最も効率的な方法だが、複雑な問題を扱う場合は、最も破壊的な方法である。

政治は多くの職業と同様、独自の言葉を生み出し、簡潔なバズワード（それっぽい言葉）を使って理性的な思考と丁寧な議論を妨げる。「バズワード」は「重要そうに聞こえるが、多くの場合ほとんど意味のない言葉およびフレーズで、おもに印象づけのために使われる」と定義されている。経済学におけるグレシャムの法則によれば、「悪貨は良貨を駆逐する」。政治に当てはめた場合、「意味のないバズワードは、理性的な思考と意義のある議論を駆逐する」と言えそうだ。バズワードは対話を簡略化し、皮質を寄せつけず扁桃体に訴えかける――それは、思考を怠惰にさせ、意図的なごまかしとぼかしによって、常識とよい判断を狂わせる。わけのわからないはやり言葉でほのめかした、不正確で意図的にぼかされた表現は、たいていの場合、真実を追求し実行可能な選択肢を提示することよりも、プロパガンダを強調することを目的として考案される。政治問題を表現するために使われるその種の言葉は、われわれがそれらを解決することを妨げ、利己心と偏見を覆い隠す。たとえば共和党の（ポピュリストのような響きを持った）バズワードである「納税者の反乱」は、トランプと億万長者の仲間たちに税金逃れをさせることを覆い隠す表現である。

カラー戦争を戦う各政党には、それぞれ好みのバズワードがあるが、共和党のほうが言葉の作り方がずっと巧みで、国民の心への刷り込みもずっとうまくやっている。

共和党のバズワード

自由市場／生まれる権利／権利の付与（給付金制度）／格差の嫉妬／州の権利／活動家判事／死の審査会／不正受給女王／リベラルのエリート／ラテ・リベラル／リムジン・リベラル[*5]／税の軽減／対テロ戦争／アンカー・ベビー[*6]／共産主義者／社会主義のアジェンダ／出生地主義（国籍陰謀論）／街の安全／国家の安全／愛国心／自由／解放／個人の責任／建国の父／宗教の自由／エリート主義／既成勢力／増税と歳出拡大／ポリティカルコレクトネス（政治的な公正）／原意主義者

民主党のバズワード

公平／ファシスト／環境保護／イスラム教徒嫌悪／条件を平等に／パラノイド／偏狭な石頭／社会正義／持続可能性／被害者非難／市民的自由／選択／恵まれない人々／多様性／平等／過激派／右翼／結婚の

平等／女性嫌いの人／トリクルダウン／ナルシシスト⑸

「過激派効果」とは、たとえ完全に主流派で常識的な主張をしている人でも、その人のことを「過激派」と呼ぶ、強力なプロパガンダ戦略を説明する言葉である。たとえば、中道派で女性の権利の支持を訴えている人のことを「フェミニスト」と呼んでおとしめる（右派のラジオ・パーソナリティであるラッシュ・リンボーなら「フェミナチ」と呼ぶだろう）。また、地球温暖化や汚染による環境の悪化を食い止めようとする人々のことを、不思議なことに今では蔑称となった「環境活動家」（もっとその人たちをばかにしたい場合は「過激派環境活動家」）と呼んで、彼らに対する信用を失わせる。さらに、少し前まで「リベラル」は、多くの人々にとって相当な誇りを感じさせる言葉だったが、今ではどういうわけか、侮辱的で道徳的退廃や経済認識の甘さを暗示する言葉になったようだ。このように、ある立場に対抗するのに反証をあげる必要はなく、そうした立場を取る人をただ非難していればよいのである。

トランプ支持者で本書を読んでいる人がいたら、私がやっきになって何度も「過激派効果」を利用していると非難してもらってまったくかまわない。ただ一つ言い訳をするなら、トランプはこれまでのアメリカのどんな政治家たちにも劣らず過激であり、毒をもって毒を制することが時には必要だと言いたい。対極にある二つの議論の中間にいつも真実があるとは限らない――一方が極端な見解を支持している場合、決して中間に真実はないのである。極右派に牛耳られて以来、共和党の戦略は柔軟性がない偏った立場を出発点とし、それに固執してきた。そしてこうした戦略は、すばらしく功を奏してきた。一方、民主党は一般的にイデオロギー色が薄く、もっと柔軟で、進んで妥協し、あらゆる現実的な解決策を受け入れる姿勢がある。金権政治家の偽ポピュリズムに乗っ取られる前までの共和党は、民主党の姿勢に近い者が多かった。われわれが事実を事実と認め、科学的エビデンスを認め、「もう一つの」真実が身勝手な嘘であり、まったく真実ではないと認めたときにのみ、社会の妄想を正すことができる。

ゴルディロックス政府

政府には三つのモデルがある——そのすべてに、真実の核がある。またそのすべては極端に傾くと危険なものになる。民主党は政府のことを、子育てをする母親のような存在として、国民のためになるよいことをおこない、国民の面倒をみるものとみなす傾向がある。一方、共和党は強い父親のような政府を求めている——強い軍事力で海外の敵を退散させ、テロリストや犯罪者の抑止と処罰のための治安対策に厳しく、共和党と宗教的・道徳的信念を共有しない人々に対しても厳しい態度で臨む政府だ。また自由至上主義者は、政府のことを口やかましく邪魔をしてくる乳母とみなしている——最少の統治しかない政府が、最良の政府だと考えている。立場を分極化させるこうした政治的姿勢によって、バランスのとれた「ゴルディロックス（ちょうどよい）」解決策の必要性が見えにくくなる。政府は他の方法では満たすことのできない特定のニーズを満たさなくてはならない。また安全な環境を作らなくてはならない。ルールを決め公平な審判員となって、フェアに活動できるようにしなければならない。しかし同時に皆が楽しく活動し、能力を最大限に生かせるように、国民に自由を与えなければならない。

トランプは、省庁を壊す意図を持った、イデオロギー色の強い指導者を数多く採用し、彼らを省庁のトップに任命することによって、ある意味で政府を「解体」している。環境保護庁はもはや環境を守らない。司法省はもうわれわれが公正であることを保証してくれない。エネルギー省を運営しているのはエネルギー産業だ。保険福祉省は国民に医療保険を提供せず、医療サービスをますます非人道的なものにしている。

食品医薬品局は大手製薬会社によって運営されている。内務省は連邦政府の土地を保護するのではなく、安く売り払おうとしている。住宅都市開発省は、補助金を支給する住宅を減らす意向である。アメリカの通商代表は既存の貿易協定を破棄するつもりだ。国務省は外交官を解雇している。さらにトランプは、自分が任命した者たちが懸命に政府の解体に取り組むようにと、ＫＧＢのように攻撃的な人間を各政府機関に送り込んだ。彼らの仕事は「上司」を痛めつけるとともに監視し、ホワイトハウスの本部に報告することである。

トランプは、よい母親のような最も必要とされる政府にまで宣戦布告すると同時に、市民の自由を犠牲にして、厳しい父親のようなかつてない権力を獲得しようとしている。また、政府機関にもっと政治色の強い運営をさせるために、そこに深く介入し、まさにトランプ流の縁故主義や利益相反、そして腐敗をなくすために南北戦争後に導入された行政機関を破壊しようとしている。さらに公務員から権力を奪い、それを自分と多国籍企業の役員たちの手に集中させている。これがヒトラーの戦略であったことは偶然ではない――ヒトラーは絶対的な政治的権力と警察権を自分に与え、ほとんど野放しの経済的権力を製鋼・兵器業者のクルップ社などの巨大企業に与えたが、国民には何の権限も与えなかった。

これだけははっきりさせておこう。私はけちな人間だ。無駄なことは嫌いだし、余計なものがない効率的な政府を望んでいる。だがそうは言っても、政府の役割であったものの民営化が、これまでほぼ常に大失敗に終わったという事実に向き合わなくてはならない――利益のために民営化して、まったく駄目になった公共サービスがいくつかある。外注は、理論と実践がかみ合わない典型例で、理論はすばらしくても、やってみると大失敗という場合が多い。民営化の議論は説得力があるように思える。政府は市場の規律に向き合う必要がないため、もともと肥大化し、怠惰で無駄が多く、無能で非効率的なものだ。公共サービスに民間業者が入札すると、自由市場での競争によって、さらなる低コストと高い効率性が実現する。だが、たいていの場合、民営化によっていくらか非効率的だった政府による独占事業が、さらに非効率的な(またきわめて貪欲であることが多い)民間企業の独占事業となり、その結果、もっとコストがかかるようになって無駄が増え、公益を提供するという責任感や義務感が失われる。概して民間業者の選定には、談合という汚職がはびこっている。利益の追求は常に公共の利益の上に立つ。株主と企業幹部は、市民を犠牲にして利益を得る一方、公共サービスの質は低下する。ではここで、現在の政府に対する評価を簡単におさらいしてみよう。

インフラ

公共の利益になる活動全般に資金を提供するという点で、政府は民間企業よりもずっとよい仕事をしている。警察、科学研究、道路、橋、通信システム、電気・ガス・水道設備、下水道、洪水対策、国立公園および自然保護区域の管理などがそうだ。私が最もよく知っている分野は医学研究だが、医療・保健を最も向上させた発見は、国立衛生研究所によるもので、医薬品産業によるものではない──医薬品産業での「研究」は、患者を助けるよりも、もっぱら法外な利益を得るためにおこなわれている。医薬品の特許の有効期限を延長し、独占的な薬価設定ができるようにするためだけの「同等」医薬品を製造するのに、毎年数百億ドルが無駄になっている。また、州間高速道路網を民営化してもらいたいと思う人はいるだろうか。トランプ政権の教育長官を務めるベッツィー・デボス以外に、無償の公教育という貴重なシステムを終わらせたいと思う人はいるだろうか。さらに、すべて民営化された警察が、その業務に対して料金を払える人々だけのために働くとしたら、われわれは安心できるだろうか。

防衛

常にコストがかかりすぎ、事実上説明責任も負わずに貧弱なサービスを提供する民間の軍事業者に対して、われわれは法外なほど膨らんだ請求額を支払っている。現在の司令官は、やがてレイセオン（軍用エレクトロニクス製品メーカー）の役員となり、軍の元同僚たちと交渉して、旨みたっぷりの契約を結ぶだろう。

医療

わが国の混沌としてわかりにくい利益優先の制度は、多くの先進国のわかりやすい単一支払者制度と比べると、ずっと高額で無駄が多く非効率だ。単一支払者制度のもとでは、ずっと費用を低く抑えることができ、もっと納得できる治療を提供できる。

精神保健

脱施設化と地域精神保健センターの民営化によって、重度の精神疾患を患う人々に対して州は責任を負う必要がなくなった。その結果、現在およそ三五万人が刑務所に入所し、二五万人がホームレスとなっている。

水道

貴重な水道事業の民営化によって、水はさらに高くなり、未公開株投資ファンドが利益を上げた。

刑務所

民営化によって、刑務所はアメリカの大きな成長産業の一つになった。現実離れした厳しい薬物関連法を求める圧力のために、巨額の公費支出と司法の不公平という代償を払って、民間企業が儲かる契約が結ばれた。

裁判所

慢性的な資金不足のために、公的な裁判所がまるで利益を追求する民間企業のように高額の裁判費用を請求するようになり、被告人は常に借金を抱えることになった。現在のアメリカでは、正義を金で買わなくてはならない。

警察

度重なる警察の不適切な発砲は偶然の出来事ではない——警察は人手が足りず、低賃金で働かされ、訓練や身元調査も不十分である。警察のモラルが低下し危険な存在となることは、警察の保護に頼る比較的貧しい地域にとっては最悪の事態だが、民間の警備員がいるゲート付きの高級住宅地では、まったく何の問題もない。

学校

チャータースクール[*7]は、死に体とも言えた教育の官僚主義的停滞を刷新する大きな希望となっていたが、

いるように見える。これまでその約束を果たすことはできず、子どもたちよりも利害関係者に利益をもたらす運命をたどっている。

失敗し続ける民営化が、自ら正しく変わることはない。民営化は、政治の面でも経済の面でも理屈を無視するような強い勢いを持ち、繰り返す失敗から生じた結果にも鈍感で、国民の目にはわかりにくく、改革に激しく抵抗するものである。こうした明らかに不利な点があるにもかかわらず、何が民営化を促しているのか。それはお察しのとおり金だ――金はただ語りかけてくるのではなく、大声で呼びかけてくる。利益を求める欲は民営化への大きな原動力となりうるのだ。

（たとえば「シチズンズ・ユナイテッド」に対して言論の自由という名目で最高裁判所が認めた権利とされる）超富裕層や大企業による巨額の献金は[*8]、彼らに好意的な政治家を後押しし、その政治家は彼らに有利な民営化を支援する。また政府から、企業への天下りによって、民間業者には利益がもたらされるものの公共の利益は害されるような、馴れ合いの法令や規制が取り決められるようになる。その裏にいるのは巨額の資金を持つ貪欲な者たちばかりで、自分には必要がなく使うこともないという理由で、税金で支えられている公共サービスを身勝手にも懸命に削減しようとしている。

資本主義と民間企業は、増加する交易・取引の機会への対応として、四〇〇年前に西欧で生まれた。以来、その長所と短所、また公的機関と民間企業が提供するサービスの最良のバランス関係について、多くの経験が積み重ねられてきた。「自由市場」を支持する共和党は、その政治哲学の父としてアダム・スミスを拠り所としているが、共和党が彼の意図を誤解し、また誤って伝えていることにスミスは愕然とするだろう。スミスは、自由市場の何物にも代えがたい価値は、合理的な価格設定と、財、サービス、資源の効率的な配分にあると指摘した。また自由市場では提供できないサービスを提供する政府の役割も強く支持した。たとえば国防、郵便局、警察、消防、公共事業、保健、教育、司法、運輸、銀行、独占事業の管理、契約の施行、貧困層や弱者への対応だ。アダム・スミスが二五〇年前に予測したとおり、バランスの悪いシステムは機能しない。トップダウンの政府に管理された経済も、規制がまったくない自由市場経済も、腐敗の蔓延と資源の誤った配分につながる。ドイツやスカンジナビア諸国は、世界の中でもきわめてうまく統治されていて、民間企業と公的機関が適正なバランスでサービスを提供している。

アメリカにおける歯止めのない仲間内資本主義の行きすぎは、皮肉なことに、共和党の英雄であったセオドア・ルーズベルトによって抑えられた。彼はトランプが今まさに破壊しつつある、政府による規制と国立公園の制度を始めた人物である。トランプによる「政府の解体」は、国民とその資源を企業の野蛮な行為から守るために前世紀から築かれてきた政府機関を、過激にまた衝動的に骨抜きにするものだ。われわれは、アダム・スミスのバランスのとれた経済と、セオドア・ルーズベルトの適度に規制された経済に立ち返らなければならない。政府がそうした経済を育てていくべきだが、やりすぎは禁物である。国民の安全は保つべきだが、他国やアメリカ国民を痛めつけることによってそれを実現してはならない。また政府は、他国の人々の自由を侵害しない範囲で、できるだけ多くの自由をアメリカ国民に与えるべきである。それはアメリカ国民全員の全員による全員のための政府だ——専制政治家、億万長者、多国籍企業といった少数者の少数者による少数者のための政府ではない。われわれが持つ資質、夢、機会、活力、運は同じではない。一部の人は常に他の人よりも恵まれている。だが、われわれは皆ルールにのっとって活動し、公平な審判員を持つべきだ。政府は決してこうした責任を外部に委託することはできない。

済んだことを悔やまない

トランプ、共和党、企業、億万長者は勝利した。そして、アメリカ、一般市民、民主主義、地球の気候は敗北した。常に何もかもぶち壊す乱暴者のガラス店で暴れる雄牛のようなトランプは、すでに計り知れないダメージをもたらしているが、その惨劇はまだ始まったばかりである。トランプが与えた害をどの程度修復できるのか、できないのかを判断できるようになるまでには、今後数十年にわたるさまざまな観点からの検証が必要となる。だが、われわれは一瞬たりとも無駄にすることなく、できる限りのダメージコントロールを始めなければならない。私の孫たちがスポーツや学校でミスをしたとき、私はいつも「次、頑張れ」と声をかける。ミスから学び、ミスをしたことにくよくよしてはいけない。次章ではトランプが起こしたと思われる惨事を、勝利に導くポジティブなもの――政治の二極化と社会の狂気を癒やす、ぎりぎりのチャンス――に変えるための次の一手について述べよう。

［訳注］

＊1　一九三三年二月二七日、ドイツの国会議事堂が放火のため炎上した事件。オランダの元共産党員ファン・デア・ルッベが犯人として逮捕された。事件の翌日には、緊急令によって憲法の基本的人権を停止し、共産党を事実上非合法化するとともに社会民主党の選挙活動を弾圧、三月五日の総選挙でナチス党は、全六四七議席のうちの二八八議席を得た。

＊2　第二次世界大戦中のイタリアで、ファシスト政権を率いたムッソリーニに対して使われた「指導者」を意味する敬称。

＊3　（一九三一～一九九五）ニューヨーク・ヤンキースでおもに外野手としてプレーし、三冠王を獲得してヤンキースの黄金時代を支えた選手。

＊4　（一八一〇～一八九一）アメリカの興行師。一八七一年から二〇年にわたりアメリカ各地を巡業したサーカス「地上最大のショー」の興行者として有名。

＊5　ラテ・リベラル（ラテを飲むリベラル）、リムジン・リベラル（リムジンに乗るリベラル）という表現から、貧しい人々の守

護者であると言いながら実際は贅沢な生活を送るような、リベラルな主張と現実がかけ離れている裕福な人々のことを指す。

＊6　在留許可のために不法移民や旅行者がアメリカで生んだ子どものこと。

＊7　保護者・教員・地域団体などが州や地域の教育行政機関から認可（チャーター）を受けて設置し、公費で運営される、公設民営型の学校。民間企業が運営に携わっている学校もある。

＊8　保守系政治団体「シチズンズ・ユナイテッド」が二〇〇八年、当時大統領候補だったヒラリー・クリントンをこき下ろすテレビCMをケーブルテレビで流そうとしたところ、選挙管理委員会からストップがかかったため、これを「言論の自由」への制約として訴えた。これに対し最高裁は、企業・団体にも憲法第一修正事項で保証された言論の自由があり、政治資金への制限はこの言論の自由を制約するという判断のもとに、事実上企業献金を制限した過去の法律に違憲判決を下した。この判決によって、厳しい制約が課されていた企業・団体からの政治資金の提供が、事実上無制限になった。

第六章
民主主義を守るために進むべき道

私は絶望的な気分になると、トランプは神の悪い冗談を体現している人間に違いないと考えることにしている。あるいは彼は、人類の進化の過程での不適応が残した避けがたい傷と言うべきかもしれない。もう勝負はついているのかもしれないが、われわれにはまだわからない。運命は決まっているのかもしれないが、私はまだだろうと思っている。夜明け前が一番暗いということもあるし、運命論から生まれる受け身の姿勢は、恐ろしい予言を自ら実現することになる。われわれは未来を形作らなければならない。形作るような未来などないというような敗者の考えを抱いて、未来から逃げてはいけない。希望は必要であり現実的なものでもある。人間の最低の愚かさと、最高の才覚は交互に現れる傾向にある。

トランプを擁するアメリカは、(ファシズムへのさらなる退行や、壊滅的な戦争、環境災害がなければ)これ以上悪くなりようがない状況であることを願いたい。トランプは、人間の本性の最悪の部分と社会の妄想を凝縮した存在で、それを代弁し体現した恐ろしい存在だ。人間の原罪を罰する役割を与えられたとしたら、ドナルド・トランプという人間を創りだし、世界の未来を支配するとてつもない権力を彼に与えるに限る。そうすれば、米英戦争、南北戦争、二度の世界大戦、大恐慌の時期に並ぶ、アメリカ史上最も恐ろしい四年間となるだろう。

だが災難はチャンスを与えてくれるものでもあり、それによってわれわれは、すばらしい復活を遂げるはずである。私が精神科医として最もよい結果を出したのは、危機的な状況にある患者と共に治療に取り組んだときだ。どん底に落ちた者は、はい上がるしかない——どん底の経験は、変化に向けてのすばらしい動機づけとなる。私の友人の何人かは、トランプが「創造的破壊」をしてくれるという、私から見ればわけのわからない希望を抱いて彼に投票した。意外にも彼らは正しいということになるかもしれないが、その創造的破壊の形は彼らが思っていたものとは違う。トランプの破壊性は、われわれが世界の現実に触れて、社会の妄想を癒やすのに必要な、絶妙のタイミングでおこなわれるショック療法なのかもしれない。国民がトランプの本性を見抜くようになるとき、それと同じくらい重要なのは、トランプが主張する明らかに利己的なティー・パーティーの政策を見抜くことである。トランプは弾劾されるよりも大統領職にとどまるほうがよい——というのも、後継者だと彼の政策をもっと巧みにまことしやかに推し進め、その実施に対する必要な反対意見を引き出す可能性が低くなるからだ。

こうした暗い時期に、歴史は慰めを与えてくれる。われわれは最悪の時期のあと、何度もすばらしい復活を遂げてきた——道をはずれた不正は分別に、とんでもない失敗は合理的行動に取って代わられたのである。内戦は避けられなかったが、残酷な奴隷労働に代わって黒人に投票権が与えられた。また、貧富の差が極端だった一八九〇年代の金ぴか時代は、次の世紀に移るまでに、労働環境の改善と非道な商習慣の規制が進む進歩主義の時代に変わった。一九二九年の株式市場の暴落は、ニューディール政策と繁栄をもたらした。さらに、南部で一世紀にわたって続いてきた人種隔離政策の時代は、一〇年余りの抗議運動ののち、画期的な公民権法への道を開いた。直近で言うと、われわれは、理性を失ったジョージ・W・ブッシュによる軍事・経済の失敗から立ち直り、理性的なバラク・オバマがもたらした比較的平和で繁栄した世界に到達した(1)。

過去五〇年の記録では、同じパターンが繰り返し起きていることが明らかになっている。失敗した共和党の大統領たちが、より現実に根ざした民主党の大統領たちに救済される、というパターンだ。ニクソンは嘘つきの悪党であることが発覚して辞任した。レーガンの「供給重視の経済」は巨額の財政赤字を生み、彼が「自由の戦士」と呼んだ者たちは今、テロリストとなっている。ブッシュ（息子）は、大恐慌以降最大の経済不況を招いた金融バブルを促進し、多額の費用がかかるうえに終わる気配が見えない二つの戦争を始めた。人間的にも政策的にも、能力や倫理、品位に欠けるトランプは弾劾されるか、あるいは激しい争いの中で辞めていく可能性がある。その争いとはアメリカ史上最悪の大統領になるという不名誉をかけたもので、相手はブッシュだ。

おそらく二〇二〇年に、もっと理性的な人物や政党がトランプの混乱を一掃する責務を負って、ほぼ確実に政権を取るだろう――ちょうどカーターがニクソンのあとに、クリントンがレーガンやブッシュ（父）のあとに、またオバマがブッシュ（息子）のあとに政権を取ったように。そして遅かれ早かれアメリカ国民は、共和党（今や事実上ティー・パーティー）が売り込んできたのがまったくのまやかしだと気づくだろう。それは今われわれに悪影響を与えるだけでなく、われわれの子どもや孫たちにとってさらなる不幸をもたらす社会の妄想だ。エイブラハム・リンカーンは述べている。

「すべての人々を時々騙したり、一部の人々を常に騙したりできても、すべての人々をずっと騙し続けることはできない」

トランプの一番よいところ、おそらく唯一のよいところは、愚かさゆえにそんなに多くの人々を長期間にわたって騙せないことだ。トランプは、成熟した指導者の登場に向けた道を開いてくれているのである。

進歩主義的ポピュリズムによる救済

マキャベリの『君主論』はいかに権力を保つかについて、「持てる者」に向けて書かれている。だが『過激派のルール』はいかに「持てる者」の権力を奪うかについて、「持たざる者」に向けて書かれている。

——ソウル・アリンスキー

平和を愛する者は、戦争を愛する者と同じくらい効果的な組織づくりを学ばなければならない。

——マーティン・ルーサー・キング・ジュニア

アメリカの政治権力は今、ドナルド・トランプ、コーク兄弟などの過激な極右の富豪たちが巧みに利用する「偽の草の根」ポピュリズムの手にしっかりと握られている。共和党というのは今や名ばかりの存在だ。過激なティー・パーティーが共和党を乗っ取り吸収し、共和党の名前を借りてはいるものの、もはや伝統的な共和党の政策を反映してはいない——もはや保守としての戒めを尊重せず、チェック・アンド・バランスを与えず、党よりも愛国心を優先することもなく、大切にされてきたアメリカの民主主義制度を攻撃から守ろうともしない。勝っていても弱々しかった民主党は今、負けてバラバラになり無力の状態である。現在の偽ポピュリズムに対する唯一の解毒剤は、未来における本当のポピュリズムだろう。効果的で意味のあるプログラム、幅広い支援を獲得し、政治プロセスを退化させる二極化を覆すことができるプログラムによって、人を惑わす安易なスローガンに対抗しなければならない。

トランプが登場するまで、私はポピュリズムの重要性を意識したり、その精神を身をもって感じたりしたことは一度もなかった。一九六八年、私はコロンビア大学から一マイルと離れていない所に住んでいたが、学生デモを見にわざわざ出かけて行ったことはない（ましてデモに参加したこともない）。マーティン・ルーサー・キングが、新たな時代を告げる「私には夢がある（I Have a Dream）」の演説をしていたとき、私はビーチでのすばらしい時間をのんびりと楽しんでいた。戦争は嫌いだったし、兵役にも行きたくなかったが、ベトナム戦争に反対する座り込みにも参加しなかった。よい市民として行動していたかという観点で言うと、私は情けない人生を送ってきた。候補者支援のボランティアをしたこともなければ、投票を呼びかけたこともない。公民権のデモに参加したこともないし、ピケを張ってストライキをしている人たちを支援したこともない。アースデーの運動にも参加したこともなかった。

だが、距離を置くこうした私の姿勢は変わっていった。年齢とともに（わがままや快感を求めることが少なくなった）、また恐怖（社会の健全性にがむしゃらな攻撃を仕掛けるトランプに対する恐怖）を感じるとともに、さらに、条件つきの希望だが国民が努力すればトランプを止められる可能性が統計的にも高いとわかるにつれて変わっていったのである。幸いトランプは、潜在的なポピュリストを多くの人の注目する表舞台に登場させてもいる。女性、マイノリティ、同性愛者の権利や、医療保険、真実、科学、環境を支援する大規模なデモが組織されてきた。行政府、司法府、立法府がすべてトランプの仲間に支配される中、残された望みはメディア、および市民によるボトムアップ型の本物の草の根運動である。この運動には国民全員が参加することが必要だ——私のようにこれまで参加しなかった人間も含めてである。ゆったりと傍観者を決めこんで、誰かが助けに来てくれるのを待つことは誰一人できないはずだ。

一九六〇年代を私はほぼ傍観者として過ごしたが、心を動かされる草の根運動の指導者が二人いた。遠くから消極的にではあるが、尊敬せずにはいられなかった。ものを見る目、聞く耳、感じる心を持つ者は皆、マーティン・ルーサー・キングに感銘を受けた。彼は、ワシントンが一八世紀に、リンカーンが一九世紀に果たした役割を、二〇世紀に果たした――アメリカの指針となり、人間のよき本性を最もよく体現した人物だった。ソウル・アリンスキーは、ずっと知名度は低かったが、もっと広範囲にわたって現在の政界に影響を及ぼしてきた――ただし、彼の心をくじくようなゆがんだ形で。アリンスキーによるコミュニティ組織化のすばらしい手法は、弱者が強者から公平な扱いを受けられるように考えられたものだったが、実際は強者によって弱者の位置を現状のままに留めておくために取り入れられたのである。アリンスキーが亡くなった年に始めた私の最初の仕事は、彼の信条に基づいた、コミュニティの精神保健プログラムにおける活動だった。私はそこで、彼の手法が正しい理由で正しい人々に用いられたとき、いかに効果的であるかを日々身をもって体験したのである。

人柄や戦略の点で、アリンスキーとキングほどかけ離れて見えるリーダーも珍しい――アリンスキーは、強引で人をいら立たせるような対決的姿勢を取った。一方キングは、何でも受け入れる抱擁力があった。だが、二人とも不利な状況でも勝利を収め、真実によって権力を打ち破るユニークな才能に恵まれていた。また、自分の民衆運動に幅広く人々を迎え入れようとした。キングは黒人の公民権を要求する運動家として活動を始めたが、最終的にはあらゆる人々の人権を求める運動家として活躍した。一方、アリンスキーは、白人のコミュニティから活動を始めたが、人生のかなりの部分を黒人のコミュニティでの運動に費やした。二人とも弱者を守り最前線で汗を流した。また、個人的・政治的危機に恐れることなく立ち向かった。共に状況を多角的に捉え、短期的な戦術と長期的戦略のどちらを考えることも同じくらい得意だった。

二人ともモーセのように遠くから約束の地を見ることはできたが、そこにたどり着くことはできなかった。そして彼らは多くの小さな闘争には勝ったが、大きな戦いでは勝てなかった。二人に共通の悲劇とは、アメリカの様相を一変させ、のちのティー・パーティーによる偽のポピュリズムの支配を防ぐことができる幅広い連合を打ち立てることができなかったという事実だ。キングは雄弁な人格者で、広い心を持ち名声を得ていた——だが暗殺によって、未来の時間が奪われてしまった。アリンスキーが及ぼした影響は彼の生存中もその後も大きかったが、より限られた状況と狭い領域にとどまり、その手法は、彼自身が一番嫌っていた有力者たちに最も活用された。

マーティン・ルーサー・キングは、ドナルド・トランプとは正反対の人物だ。彼の品格、忍耐、自己犠牲は、トランプの偏狭的な態度、衝動性、自己アピールに対する声なき批判となっている。「愛は敵を友人に変えることのできる唯一の力である。憎しみに対し憎しみで応じていては、決して敵を一掃することはできない」とキングは言う。これは現実的ではないように思えるが、キングは実践的なノウハウや心理面の理解、組織化のスキルを理想主義と組み合わせ、その運動は効果を発揮した。彼の基本的な手法は非暴力の大規模な民衆デモで、その様子は全米のテレビ画面に映しだされた——目の前で繰り広げられる受難劇のような行進の様子は、アメリカに潜む人種意識を刺激した。キングは当初から自らが道徳的に正しいことを主張し、その主張を決して捨てることはなかった。白人の差別的扇動家たちは、彼の人間としての尊厳を揺るがすことはできなかったし、短気で攻撃的な若い黒人の活動家たちも、キングに対して明らかに挑発的な戦術を取るように迫ることは決してなかった。私は疑い深い人間で、英雄崇拝というものはたいていてい受け入れないのだが、マーティン・ルーサー・キングは特別な存在だった。彼の誠実さは偽善に切り込み、その高潔さは欺瞞をあらわにした。また、彼の善良さは悪を辱め、明快な表現は政治の世界だけで通じる意味不明な言葉に打ち勝った。

キングのポピュリズムは、ポピュリズムのなかでも最大限の愛情にあふれ、対決姿勢がなく、それでいて効力を失わなかった。右の頬を打たれても左の頬を差し出したのは、それが彼の本能的行動であっただけでなく、効果的な戦略だったからだ。キングは述べている。

「暴力を用いずに抵抗する者は、非協力やボイコットで抵抗の意志を表さなければならないことが多い。だが彼はそうした行動自体が目的ではないことをわかっている。それは敵対する者の中にある恥の意識を呼び起こすための手段にすぎない……非暴力によって、愛すべきコミュニティが造られる。一方、暴力は結果として悲劇的な苦痛をもたらす。非暴力の目指すものは、敵対する者を負かしたり辱めたりすることではなく、友情と理解を勝ち取ることである」

キングは、差別を助長するレイシズムという悪と戦ったが、レイシストたちのことを、どうしようもない邪悪な人間で、今後協調できる相手ではないとは決して感じていなかった。レイシズムを実践する者はある意味でその被害者だとも言えることから、キングは彼らがターゲットとする人々を解き放つと同時に、レイシスト自身をもレイシズムという偏見から解放したいと願っていた。敵に対する憎しみは、運動だけでなく憎しみを抱く人自身も破壊してしまうのである。

早すぎる（しかし想定外とは言い切れない）死を迎える前に、キングは、経済、社会、性別に関わるあらゆる形の不平等をなくし、悲劇的なベトナム戦争を終わらせることを目的とした、きわめて幅広い連合を作ろうとしていた。だが、労働運動の強力な支援者であったキングは、メンフィスで清掃労働者のストライキ支援に参加しようとしたところを銃撃された。今、キングが生きていたら、社会の妄想に対抗し、われわれ民衆の幸福や未来の世代のために戦っているだろう。移民のためにデモ行進し、ウォール街占拠運動にも加わっているだろう。銃の被害者家族を慰め、全米ライフル協会を恥じ入らせるだろう。住宅を差し押さえられた者たちを守り、彼らの苦境に救いの手を差し伸べるよう銀行に呼びかけるだろう。多国籍企業から環境を守ろうとするだろう。そして国民に発言の機会を与えるだろう——自らの利益を図るような言葉（コーク兄弟よ、私は今あなたたちのことを思い浮かべている）とは違う国民の声が聞けるはずだ。

キングは、彼がいなければ一致しなかった人々の信条を、本来の意味でのポピュリズムという一つのテントのもとに取りまとめることができたために、エリートにとって特に危険な存在だった。数のうえでも、共同する取り組み方においても、相乗的な力が発揮された。キングの暗殺は歴史の転換点となった。それは、さらに重要な、彼のライフワークの第二章が道半ばで終わることになったからである。キングの道徳的な力は、アメリカのあらゆる領域に存在する不正に及んだ。多数の人々を動員する彼の実践的なスキルは、アメリカをもっと違った、より生産性の高い方向に導いたかもしれない。また健全で思いやりのある彼のポピュリズムは、今日われわれを支配しているティー・パーティーによる逆行的な偽のポピュリズムに打ち勝って広まっただろう。キングが平均的な寿命を全うしていれば、トランプが大統領職を勝ち取ることはなかったかもしれない。包容力のある愛情に根ざしたキングのポピュリズムの影響を受けた世界に、トランプの憎しみと搾取が入り込む余地はないだろう。マーティン・ルーサー・キングのような人物の登場が待ち遠しい——彼の登場は、一世紀に一度しかない現象だった。だが、われわれはキングを思い出すことで気持ちを奮い立たせ、彼の手法に学ぶことができる。

一九七一年、ソウル・アリンスキーは亡くなる直前に、後世の遺産となる『過激派のルール』と題した書籍を出版した。これはコミュニティを組織する者に向けた一〇章からなる手引書で、彼の三〇年にわたるコミュニティの組織作りの手法――ボトムアップで少しずつ世界を変える方法の詳細を凝縮したものだ。アリンスキーの非凡さは、人々に自分の運命は自分で決めるよう後押ししたことにある。そのために必要な前提条件について、彼は明確で説得力のあるアドバイスをした。

「戦術がいくら独創的であっても、また戦略がどれほど抜け目ないものであっても、人々の信頼と尊敬を勝ち取らなければ、戦いを始める前に負けが決まってしまう。それらを勝ち取る唯一の方法は、あなた自身が人々を信頼し尊敬することである」(2)

コミュニティに力を与えるアリンスキーの取り組みは、暴力は用いなかったものの、きわめて対決的な姿勢をとっていて、多くの点においてキングの取り組みとは正反対だった。アリンスキーは、前述のカラー戦争にみられる集団意識によってコミュニティを団結させ、メンバー間の類似点と敵との大きな違いを強調した――一方キングは、敵との共通点を見つけようとした。アリンスキーは、共通の敵に対する敵意を通じて、コミュニティの団結力を強めるような争いを引き起こす方法を模索していた――それに対してキングは、そうした挑発を認めず、争いを減らす方法を求めていた。アリンスキーは敵を倒すことを目指していた――一方、キングは敵と協力したいと思っていた。アリンスキーはコミュニティの意識を一つにするために悪者を必要とした――だが、キングは悪者はいないとし、彼らは一時的に間違った方向に導かれただけで、今後友人になれるかもしれない人々であると考えた。二人とも広く周知された非暴力のデモを展開し、デモに対する暴力的な過剰反応を利用した。だが、キングの目的が敵を恥じ入らせて善良な仲間に引き込むことであったのに対し、アリンスキーの目的は、敵に屈辱を与えて降参させることだった。

アリンスキーの『過激派のルール』は、マキャベリの説に似た雰囲気もあるが、そのアドバイスは、君主ではなく一般市民のためになるように書かれたものだ。以下に彼の忠告をまとめた。

1 あなたは、実際に持っている力だけでなく、敵が想定するだけの力も持っている。
2 人々の力は金の力と戦える。
3 あなたの得意分野で敵と戦え。敵の得意分野で敵を戦わせるな。
4 あざけりによって敵を小さくすることができる。
5 楽しんで実行できる戦術なら皆が従い、うまくいく可能性が高い。
6 敵に圧力をかけ続けろ。
7 敵より一歩先を行け――敵は防御の方法を考え戦略を変えてくる。
8 敵の暴力によってあなたには友人ができる。
9 ターゲットを選び、孤立させて戦いを挑め。
10 人は組織よりも速く倒れる。

アリンスキーは、力のない者が、力を持つ者の略奪から身を守れるようにするという正義に人生を捧げた。力を持つ者が、力のない者に対する支配をさらに強めるために彼の手法を組織的に採用してきたのは、実に悲しい皮肉である。コーク兄弟はアリンスキーの手引書にならってティーパーティーの組織化をおこない、彼の手法を彼の目標を反故にするための武器に変えた。キングによる非暴力のポピュリズムは、道徳性を最重要視することを基本としていた。対してアリンスキーの手法は実践的で戦術的であり効果的である。それは、どんな闘争でも両陣営が等しく使える手法だった――味方にとって頼りになる武器は、敵が手に取っても有力になる。アリンスキーは、人の力で金の力と戦いたいと願っていた。コーク兄弟は人の力を買うために巧みに金の力を利用し、その結果誕生したティー・パーティーの「ポピュリズム」によって、アメリカの極端な右傾化が実現した。

人種嫌悪が残る五〇年前、キングが暗殺されたあの恐ろしい時期に、黒人がこれほど早くアメリカ大統領に選ばれることになるとは誰も予測しなかっただろう。これは、アメリカの歴史の中で救いとなった瞬間であり、ポピュリストがさらに前進する大きなチャンスを与えるかのように思えた——だが、結局そうしたチャンスはほとんど失われることになった。オバマは大統領に再選され、一個人としては人気を博していたが、八年にわたる任期中、共和党の過激分子が、議会とほとんどの州政府で主導権を握った。彼らは疑わしい政策によって、また多くの場合、信用できるとは言えない者たちと共にそれを実現したのである。皮肉なことに、偽のポピュリズムは、かつてコミュニティの組織化に実績のあった大統領による真のポピュリズムを、いとも簡単に打ち負かした。当然ながらティー・パーティー側には数々の強みがあった——巨額の資金、恥知らずのシニシズム、自己の利益をあからさまに追求する姿勢、FOXニュース、ラジオのトーク番組がそれである。

ロースクールを卒業したオバマの初仕事は、シカゴでのコミュニティ・オーガナイザーだった。彼が大統領に選ばれたのは、ポピュリストが集まるインターネット上のコミュニティ(MoveOn.org)の尽力によるところもあった。彼が大統領退任後、以前よりはるかに大きな規模でコミュニティ・オーガナイザーとして活動しているのは当然のことである。だが、彼にとってもアメリカにとっても大きな不幸だったのは、大統領に就任したあと、コミュニティ・オーガナイザーであることも、ポピュリストの指導者であることもやめてしまったことだ。オバマは政界の泥沼にはまりこんでしまった——ティー・パーティーに支配された頑強な共和党上層部がオバマをつかんで締め上げ、オバマもろともアメリカを沈めようとしていたのだ。オバマが、頑固で党利にしか関心のない共和党員との妥協点を見いだすためにかける時間や労力、政治的資金を減らし、そうした者たちを超えてアメリカ国民に直接働きかける取り組みをもっとおこなっていれば、彼はもっと多くの成果を上げたかもしれない。

不思議な偶然だが、アリンスキーが多くの活動をおこなったシカゴの地域は、ミシェル・オバマが育ち、のちにバラク・オバマが初めて仕事をした場所だった。さらに偶然だったのは、ヒラリー・クリントンがかつてアリンスキーから仕事を依頼されたことがあり、彼の功績について大学の卒業論文を書いていたことである。ティー・パーティーという敵にとっての手引書となった、対決姿勢を指南するアリンスキーの著書からオバマが教訓を得ていれば、彼はもっとうまく行動しただろう。だが、気質の点からみてオバマはずっとマーティン・ルーサー・キングに近く、自分とは絶対に妥協しないとあからさまに表明した者たちにも歩み寄りたいと強く願っている。

いまだに理由はよくわからないが、オバマは政治家と戦うことよりも、国民を引きつけるほうが大事であることを理解していないようだった。二〇〇四年の民主党全国大会でオバマがおこなった演説を初めて聴いたとき、私はキングの演説以来の感動を覚えた。だが彼が当時最も雄弁な演説家だったとはいえ、そう思える演説は限られていた。フランクリン・デラノ・ルーズベルトは、自分のラジオ番組「炉辺談話《ろへんだんわ》」でアメリカ国民とじかにつながる強い絆を作り上げたが、オバマはそうしたことを一度もしなかった。彼は共和党の敵に対して、彼らのかたくなに協力を拒む言葉と戦うよりも、もっと公の場で、彼らの不誠実さと利己的な偽善を暴露するように戦うべきだった。オバマのカリスマ性は、われわれの抱える問題に対して、もっと組織的で公共心に富む取り組みを導いたかもしれない――パイの切れはしや屑《くず》をめぐって絶えず争うことはなかったかもしれないのだ。度量の狭い共和党議会議員たちとの魂をすり減らすような終わりのない戦いのために身動きが取れなくなったオバマは、自分が泥沼から抜け出すことにも、われわれを派閥間のつまらない争いから救い出すことにも失敗した。

人は意識して誰かに嘘を吹き込んでいるとき、完璧に信じ込ませようとさらに努力を重ねる。だが真実を主張する人は、自動的にその真実が受け入れられるという、暢気で誤った考えを持ってしまう。意識して有権者を騙そうとすれば、最大限の説得力を持つメッセージを届けられるように、有権者の心理を理解し、彼らに合わせた言葉を練り上げようと努力するものだ。コーク兄弟および彼らとよく似た考えを持つ過激な右派は、三〇年という年月と何百億ドルという金を使ってシンクタンクのネットワークを作り、オオカミのように貪欲な自分たちの計画を、一般市民の羊の皮で覆い隠した。巧みに考え出されたバズワードからなる語彙は、利己的な動機を偽善のベールで隠す。嘘やあてこすりも、疑問をはさまれることなく繰り返され続けると、いつの間にか広く認められた知識となり、それと矛盾する事実に屈することはなくなる。

ひとたび無意識の認知バイアスが植えつけられると、それを通してわれわれは世界を見るようになる――特にそうした認知バイアスが集団でも共有されている場合、それを変えるのはきわめて難しい[3]。ティー・パーティーが共和党を吸収し、民主党を打ち負かすことができたのは、ティー・パーティーが両党よりも賢く、多くの資金提供を受け、心理学をうまく活用し、目的達成のために集中し、世の中をあざ笑い、ずっと冷酷であったからだった。特に巧みなのは、相手を攻撃する際に、オーウェルのニュースピークばりの抵抗しがたい用語法を使って言葉をねじ曲げ、罪を美徳に、また強みを負い目に変えてしまうスキルである。たとえば「納税者の反乱」に加わるというのは、超富裕層や多国籍企業による脱税を知らず知らずのうちに支持することを意味する。また「政府に邪魔をさせない」というのは、大手銀行、大手製薬会社、大手エネルギー会社を自由にさせ、彼らが警戒心のない消費者を好きなように操れる——しかも政府の保護によって規制を受けない状況でそうできるということである。「小さな政府」は、民間のサービスを利用する余裕がない一般市民にとって、さらに劣悪な学校、医療制度、公共サービスを意味する。「家庭の価値観」尊重とは、家族間の団結に実質的に役立つようなプログラムに資金を与えないことだ。胎児の「生まれる権利」を守ることとは、生まれたあとの生活の質を気にかけなくていいという意味である。「生活保護を受けている母親」は、無責任な人間で手当を打ち切られるべきだとされるが、大手石油会社や大規模農業企業は巨額の助成金を受け続けている。「権利としての給付」は、給付の権利を与えられるのが軍事産業である場合を除いて、悪いことである。富の「再配分」は、富が超富裕層に流入しなければ、非アメリカ的である。「個人の自由」と「憲法上の権利」の名の下に、銃所持者に対する政府の介入は妨げられるべきだが、女性の子宮に対する政府の介入は妨げられるべきではない。「州の権利」は守られなければならないが、民主党支持の州が右派の政策に反対する権利を行使する場合を除く。礼儀正しさや品位は、リベラル派のいう「政治的公正」だと嘆かれ、態度の悪さや対人関係におけるひどい悪態は、「ありのままを表現しただけ」と賞揚される。「階級闘争」とは超富裕層による下層階級への攻撃ではなく、どんな形にせよ下層階級が超富裕層に対して防御を施そうとすることだ。

アリンスキーの典型的なやり方で、ティー・パーティーは敵を悪者扱いし、支持者固めをおこない、自分たちの主義に転向する者を見いだそうとしている。敵を甘やかし、仲間内での意見の衝突を許し、同志間の説得や調整が必要な進歩主義的ポピュリストよりも、理想主義がまったくないティー・パーティーのほうが裏取引はずっと得意だ。(4) ティー・パーティーの権力奪取に直面しても、左派のさまざまな分派は、実世界に変化をもたらさないような単なるイデオロギー上の違いをめぐり、仲間内で争っている。また民主党は政略的な結果を得るために、基本的な信条を譲歩して勝利を収めるほど打算的ではない。これは、手段を選ばない現在の政治的内戦において致命的欠陥である。右派の連立体制を築いている者たちは、敵になりそうな者に利益を与え、彼らを取り込むことにやましさを感じることがほとんどない。過去に、エイブラハム・リンカーンやリンドン・ジョンソンのような進歩主義者は、こうした巧みな駆け引きに長けていた――それは、公民権法案に前向きでない議会でそれを通過させるために必要だった。政治的駆け引きはオバマの名誉にも関わる問題で、彼自身（そしてわれわれも）苦しんできた。ティー・パーティーは汚いやり方で戦い、オバマは自発的に片手を後ろ手に縛った状態で戦っていたのである。

利益誘導型政治は奇妙な仲間を生み出し、自己の利益が存在する所では節操が失われる。トランプは、福音派、疎んじられた地方の住民、税金逃がれ、企業の規制緩和支持者、銃所持者、白人至上主義者、反ユダヤ主義者、陰謀論者といった、強固な支持層に支えられている。一方、進歩主義者は連携する相手選びへのこだわりが強く、自滅的と言えるほど理想主義がすぎる傾向にある。私は、ブログやツイートで、あるいは面と向かってバーニー・サンダースの支持者に対し、トランプを阻止することを最優先とするべきだと説得したが失敗した――ヒラリーは完璧ではなかったかもしれないが、トランプのひどさは完璧だった。多くの人々がそれに異を唱え、「私は常に自分の良心に従う」などと高尚なことを言って、緑の党に投票すると言い張った。このことは、ジョージ・ブッシュをわれわれに押し付けたことを一度も謝らなかったラルフ・ネーダーを彷彿とさせる。彼が謝らなかったのは間違いなく、彼も「自らの良心に従っただけだ」と主張できたからだ。独自性を気取って分裂もいとわない左派の良心が、左派とわれわれの失敗の原因だろう。

極右派は口では信心深いことを言いながら、巧みに人を欺いている。その偽善にローマ教皇は騙されず、極右派が教皇に気に入られることはなかった。政治的な目的のためにキリスト教の価値観を守りながら、本質的なキリスト教の徳にのっとって生きていない者たちのことを、教皇は嘆いている――また道徳を叫びながら、それにのっとって生きていない偏狭な宗教人（ほとんどの福音派指導者よ、あなたたちのことだ）よりも、道徳的な生活を送っている無神論者のほうがよいと明言している。富をやみくもに追求すること、貧しい者に対する無関心、度を越した消費、苦しんでいる人々に対する冷酷さに支配されている人々が天国に向かうはっきりとした道筋を、教皇は見いだしていない。どんな状況であれ、イエス・キリストがドナルド・トランプに投票する気持ちになるなどと一体誰が考えるのだろうか。ドナルド・トランプが針の穴を通って天国に行くところなど到底想像できない。

ティー・パーティーが認知の枠組みづくりに成功した結果、アメリカ国民が求めるものと現に得ているものは驚くほど食い違っている。アメリカ人の大多数は、現在の民主党（過去の共和党）の綱領に相当する中道の立場を支持している。だがわれわれは、それとは正反対のトランプを選び、連邦政府の施政部門すべてと州政府のほとんどを、ティー・パーティー系の人間に支配させることになった。悲しいことにこれは、民主党のお粗末な政治的スキルと不調和の表れであり、ティー・パーティーが支配する共和党の政治上の狡猾さと、乱れのない足並みを恐ろしいほどに物語るものである。

「われわれ人民」は、ポピュリストの戦いにおいて、どう反撃すればよいのだろうか。一パーセントの者たちの利益ではなく、われわれ一般市民の意向を代弁してくれる政府をどのように取り戻せばよいのだろうか。それにはまず、「われわれ人民」を動員することだ。これまでの歴史を通じて、アメリカ人は民主主義を脅かす外敵と戦うために多大な犠牲を払ってきた。脅威が国内にあり、多くの点で徐々に危険度を増している今このときに、われわれは立ち上がらなくてはならない。トランプとその取り巻きは、十分に強い抵抗を受けるまで、今のやり方を推し進めるだろう。民主主義を守るわれわれの責務は習慣となるべきである――シートベルトを締めるのと同じように。われわれは毎週よく考えてそのための時間を取ったり注意を払ったりして、PTAや教会の礼拝に参加するわけではない。進歩的ポピュリズムを機能させるためには、平和的なデモへの参加や、議会議員たちとの接触、嘆願書の作成や署名、進歩的組織のための資金集め、市民のための茶話会の主催や参加を通じて、民主主義を「守り育てる」ための時間を取り、努力を傾けなくてはならない。こうしたことを自分が言うとは思ってもみなかったが、晩年を迎えた私は、トランプの脅威のおかげでようやく気づいたのである。

インターネットは現代ポピュリズムのツールであり、検閲の厳しい国々を除く各国ですでに力強い勢力を動員してきた（アラブの春、ウクライナのオレンジ革命、ブレグジットなど）。正式な選挙がおこなわれるのは数年おきだが、インターネットなら文字どおり数秒で影響を及ぼすことができ、コストはごくわずかで済む。オバマはインターネットを活用したアメリカ初の大統領だった。一方、ティー・パーティーは、アメリカで初めてインターネットを活用して政治運動をおこなった。ティー・パーティーは共和党を征服したあと、オバマを妨害し、彼が残したものをおとしめ、今やほとんど反対されることもなく国を動かしている。今後インターネットは、あらゆる政治闘争において戦う両者が選択する武器となるだろう。アメリカのツイッター大統領が今、執務室に座っていられるのは、政策に関する詳細な声明文よりも一四〇文字のほうが、集団の気持ちを操るうえでずっと重要だということをわかっているからにほかならない。

進歩的ポピュリズムは、インターネット上に独自の効果的な武器を持っている――だが、これまでのところ、ソーシャルネットワーキングにおける戦いではティー・パーティーに負けている。インターネット上で最古かつ最大のポピュリスト団体であるMoveOn.orgは、一九九八年にシリコンバレーの二人の技術者が、ふとしたきっかけから立ち上げた組織で、予算もないところから活動を開始した。彼らは議会に対し「クリントン大統領を非難せよ。そして（モニカ・ルインスキーとのみだらなスキャンダルから離れ）政治を前に進めよう」と求めた嘆願を議会に対して投稿した。これがインターネット上で拡散されると、彼らはこうした取り組みに手応えを感じた。二人が当初の署名者のリストと研ぎ澄まされたテクノロジーを活用して立ち上げた組織は、間もなく多様な活動を繰り広げ、うまく組織化されたオンライン上の強大な勢力となり、九九パーセントのダビデを一パーセントのゴリアテから守ることを目指した。民主党がブッシュに反対する責任から逃れると、MoveOnがおのずとイラク戦争反対の旗振り役を担うことになった。MoveOnは、オバマの大統領選出および再選の鍵となった存在であり、過去二〇年間、あらゆる政治的問題に対して正しい立場をとってきた。MoveOnによるテクノロジーを活用した選挙運動やリサーチ能力は大いに進んでいて、常に草の根に寄り添っている。MoveOnはすばらしい組織で、非常にうまく振舞ってはいるが、ティー・パーティーにとって重要な対抗勢力となるほど十分な成果は上がっていない。その理由としては、資金調達の機能（寄付の平均額は二〇ドル）、ラジオのトーク番組やその他のメディアの支援がないこと、汚い政治的な策略に加わる意志がないことがあげられるが、一番の理由は、MoveOnの草の根支援が、都会に住む知的エリート層に限定されすぎていることである。九九パーセントの人々が一パーセントの人々に対して成功を収めるには、九九パーセントが結束する必要がある。MoveOnはこれまでのところ、その結束につながることを何も成し遂げていない[5]。

Indivisibleも、インターネット上の有力なポピュリスト団体で、トランプとティー・パーティーの支配に恐れを抱いた元議会職員たちが立ち上げた。「内部の人間」であった彼らがまとめた手引書は、一般市民の代表である議員を本当の意味での代表にするために、どのように圧力をかけるかを市民に指南するもので、インターネット上で拡散された。これは政治プロセスの一翼を担うために市民が知っておかなければならないことすべてを一箇所にまとめた、きわめて充実した手引きで、すでに数百万回ダウンロードされ、トランプとその政策に反対する五〇〇〇以上の地域グループの形成を支援している。その初期の段階では期待が持てる結果が出ている。たとえば、トランプの傘に隠れていたと思われる政治家たちが、市民との意見交換会に呼び出されたり、メディア上で面目をつぶされたり、有権者から大量の電話やメッセージを受けたりしたのだ。Indivisibleの一部の人々は、オバマケアや、ロシアによる選挙の不正操作、任命された閣僚の選択について、トランプ政権に抗議する驚くべき気概を見せているように見える。(6)

SwingLeftの運動もまた、活気のある大きなうねりとなり、二〇一八年に民主党が下院の議席を取り戻すための取り組みを集中的におこなっている――かつてないほど、ひどく均衡が失われた現在の政府に、チェック・アンド・バランスを取り戻すことを目指しているのだ。ただ、その目標を達成することはほぼ不可能に思える――ゲリマンダー（不公平な選挙区割り）の結果、わずか六五の下院議員選挙区でしか争えず、民主党はその六五パーセントで勝たなければならないからだ。だが、SwingLeftのモットーである「あきらめるな、動員せよ」が、まったく非現実的かと言うとそうではない。一般的に中間選挙は野党に有利であることに加え、トランプには突飛な振る舞いや、評判がよくない政策、政権運営能力のなさがみられるからだ。SwingLeftのウェブサイトはシンプルでユーザーが使いやすい設計になっている。アイコンをクリックすると、近くの激戦区がわかる。また、近隣住民の関心事や姿勢、彼らが望む解決策を見いだすための、コミュニティにおけるボトムアップ型の議論の場である「ハウス・パーティー」への参加およびその主催方法を知ることができる。働きかけるべき最も重要な相手は、無党派の有権者と、働きかけがなければ投票に行かないと思われる人々である。そういった人々に対する働きかけは、説教するのではなく、彼らの話を聞いて共通点を見いだし、人々の力でティー・パーティーの金の力と戦うことである。最近SwingLeftは、全米で五〇〇の「ハウス・パーティー」を立ち上げたが、これがさらに広がることを願わずにはいられない。私は、SwingLeftにいち早く加わった数人に会ったのだが、われわれの支援によって、彼らの及ぼす影響が急拡大し始める可能性はあると思う(7)。

OurStatesは、トランプおよびコーク兄弟による政策の実施に向け、すばやく動いている州議会に影響を与えることを狙いとしている。取り上げる議案は、経済的正義や、移民、生殖に関する権利、投票権、同性愛者に対する平等、治安維持に関わるものだが、ウェブサイトは、審議中の重要な議案と、審議のプロセスによい影響を与える方法について詳しい情報を提供している。また、州議会議員の見つけ方、彼らと会う方法、「要望」の伝え方とその後のフォローアップの方法を指南している。さらに、あまり物わかりのよくない州議会議員を、選挙資金の提供者ではなく一般市民のために働かせるための圧力のかけ方について、役に立つ実践的なアドバイスもある。州レベルでの最も重要な取り組みは、二〇二〇年までに十分な民主党の議席数を取り戻し、共和党のゲリマンダーから生じる不公平な事態を覆して、州の民主主義を復活させることである。

これら以外にも多くのポピュリスト団体が作られており、今後さらに多数の団体が出来ることは間違いない。現在のポピュリストの取り組みは多方面にわたるものもあれば、ある問題に特化したものもある（渡航の禁止、移民、女性の権利、科学の否定、最高裁判所判事の任命、トランプの精神的な健康状態など）。政府のチェック・アンド・バランスが欠如していることによって、トランプを抑止する重い責任は、「われわれ人民」と（これまでのところ）自由な報道機関に課されている。トランプがさらに強大な力を握ろうとしたり、大失敗をしでかしたりするとき——このどちらも頻繁に起きる可能性が高いのだが、そうしたときは常に、彼に対する反対の声が高まるだろう。

トランプの支持基盤は、見かけほど強固ではなさそうだ。特に彼はすでに支持者を裏切っている。支持者の多くから医療保険を奪おうとしたり、ロシアと疑惑のつながりを持ったり、億万長者を閣僚に任命したり、超富裕層を利する減税を提案したりしている。この幻滅感によって、ポピュリストには反トランプを訴える嘆願やデモを相次いでおこない、トランプの支持基盤を崩すチャンスが生まれている。たとえば「トランプ支持者はトランプケアに反対」「トランプ支持者はトランプによる富裕層のための減税に反対」「退役軍人はトランプに反対」「福音派はトランプに反対」「白人女性はトランプに反対」「銃支持者はトランプに反対」「田舎に住むアメリカ人はトランプに反対」、さらに、アメリカの民主的な選挙プロセスを操作したトランプとプーチンに嫌気がさした人々のために「プーチン、帰れ」という運動さえ起こるかもしれない。就任後間もない段階で、トランプの支持率は、歴代大統領の平均を二〇パーセント下回る衝撃的な数字を示している。彼は明らかに人気がなく得票数が少なかった大統領で、国民の信を得ず、政府を過激な方向へと向かわせているが、それに伴う多くの危険には気づいていない。クリントンに五〇〇万票を投じさせた大規模な不正投票がなければ、一般投票の得票数で（三〇〇万票差で負ける代わりに）二〇〇万票差をつけて勝っていたなどという、ばかげた主張をトランプはしつこく繰り返している。クリントンに対して不正投票が一票でも投じられた証拠はまったくない。トランプの嘘は、擁護する家族やこびへつらう側近の者たちを除いて、誰からも（共和党員からも民主党員からも）受け入れられていない。トランプの支持層が崩れだすと、日和見主義者の政治家たちは、彼に便乗することをやめ彼を操ろうとし始めるだろう。

しかしわれわれは、共和党が巧みに画策し、コーク兄弟が資金を提供した深刻な不正投票スキャンダルが、確実にアメリカの民主主義に泥を塗っていることを見過ごしてはならない。共和党主導の最高裁判所が、投票権法に対する長年の支持を続けることができなくなったあと[*1]共和党主導の二二州の議会は急遽、投票者を制限する新たな法律を制定した（そのうち一四州が二〇一六年の選挙にちょうど間に合うように法律を制定した）。ウィスコンシン州では、クリントンがわずか二万七〇〇〇票差で負けたが、三〇万人（ほとんどが民主党員）が写真付きの身分証明書がなかったために投票できなかった。進歩的ポピュリズムは、有権者を投票に行かせる現場での取り組みをおこなうと同時に、不当に投票権を剝奪された人々に対して再び投票権を与えるために戦わなくてはならない。また、オバマには投票したものの、投票日に自宅にいたり、トランプ支持にまわったり、緑の党に投票したりしたために、クリントンに投票しなかった人々の支持を再び取り戻す大きなチャンスもある。(8)

ティー・パーティーは、有権者全体のたった三分の一の考えしか代表していないにもかかわらず、アメリカ政府を支配している——今こそ、声なき多数派がアメリカを取り戻すときだ。すでにアメリカの多くの都市や世界中の都市で、トランプに反対する大規模デモが繰り返し起きている。アリンスキーとキングの考えは多くの点で異なってはいたが、進歩主義的な運動は暴力を容認してはならず、悪影響を及ぼす人物を粘り強く排除することが必要不可欠であるという点では一致していた。すべてのデモは競争である——先に相手に石を投げたほうが負け、相手が先に石を投げてくればこちらの勝ちである。過激な挑発を受けても、自制心があれば道徳的に優位に立ち、「国家の安全」という、さらに強大な力を手にするための格好の口実をトランプから奪うことができるのだ。

非暴力とは、対決しないということではない。頑固な敵（ティー・パーティー系の議員）と戦うとき、われわれはアリンスキーのように振る舞う必要がある。小さな嘘を見過ごすと、ますます大きな嘘を招く。

すべての「もう一つの事実」を食い止め、それを拒絶しなくてはならない。また、トランプが提案する法案の利己的な部分すべてに強く反対し、あらゆる閣僚の任命に異議を唱え、縁故主義や腐敗、利益相反を暴露しなければならない。トランプの閣僚の多くは、指導者としての地位に就く者にしてはモラルや知的レベルが低い。必要な議会の監視は、怒りの世論が粘り強くそれを要求し続けなければ実現しない。大統領らしく振る舞うことへの期待度を低くしてしまうと、トランプの衝動性と傲慢さはもっと度を超したものになるだろう。早めにしかも頻繁に、大声で戒めなければならない。ポピュリストにとって最も重要な目標は、少なくとも二〇一八年の中間選挙までに、議会を説得してトランプを押し止めることである。民主党は気概に欠けることが多く、分断されているが、大衆運動の力でその姿勢を整え、党の結束を固めさせなければならない。心からトランプを支持する共和党議員や、トランプに立ち向かう十分な愛国心をすでに持つ少数者に対して、わざわざ無駄な取り組みをするには及ばない。そうではなく、利己的な日和見主義者である大多数の共和党員――トランプを利用して、政治資金献金者が求める過激な政策を通過させる一方、鼻をつまみながらトランプの行きすぎた最悪の行為をなんとか鎮めたいと願っている人たちに対して、ポピュリズムは集中的に働きかけなければならない。少なくともその一部の人たちは、トランプや献金をした人、およびティー・パーティーよりも、幅広い有権者のほうをさらに恐れるようになるだろう。そして最も重要なのは、国民が報道の自由を守らなければならないということだ。トランプの「報道機関はアメリカ国民の敵」という主張に対し、ジェファソンの「われわれの自由は、報道の自由なくして守られず、それを失う危険がなければ、われわれの自由は制限されない」という主張を掲げて強く反対しなければならない。戦いは始まったばかりだ――これは、大きな圧力を粘り強くかけ続けたときにようやく勝つことができる消耗戦となるだろう。

イエスが信徒に求めるのは、極右派ではなく正しい相手への投票

トランプはクリントンの四倍という驚くべき大差で福音派の票を獲得し、白人のカトリック教徒からはクリントンの二倍の票を得た。これはトランプが純粋な信者だったからではない——むしろ怪しい裏取引でトランプに魂を売り渡した身勝手なキリスト教指導者の仕業によるものだ。中絶や同性愛者の権利に反対する彼らの強硬な立場をトランプが支持することと引き換えに、彼らは何千万という信者に、なんとしてもトランプを支持させようとした。こうした駆け引きは、アメリカの多くのキリスト教指導者の宗教上の偽善だけでなく、彼らの政治的手腕をはっきりと物語っていた。三〇枚の銀貨で裏切るようなことはしなかったにしろ、イエスの教えは間違いなくないがしろにされたのである。

イエスは中絶も同性愛もまったく気にかけていなかった。当時、中絶は合法で広くおこなわれていた——だが、イエスは多くの説教の中で一度もそれをとがめたことはなかった。また同性愛も容認されていた——これもイエスはまったく非難しなかったのである。イエスは、トランプのような特権に浴した金持ちから弱者を守る英雄だった。彼は、身分の低い者や弱者をこう讃えた。

「心の貧しい人々は、幸いである。天の国はその人たちのものである。へりくだった人々は、幸いである。その人たちは地を受け継ぐ」[*2]

「あなたがた皆の中でいちばん小さい者こそ偉いのである」[*3]

イエスは、「原理主義者」の宗教的政策や、億万長者の意志を受けた右派の主張を後押しするために、貧しい人々や抑圧された人々が必要とするものを駆け引きの材料とすることは絶対にない。

イエスがトランプのような者を支持することがありうると考える人は、もっと聖書を勉強する必要がある。イエスは世界でも類を見ない「与える者」である。

「求める者には、誰にでも与えなさい。あなたの持ち物を奪う者から取り戻そうとしてはならない。人にしてもらいたいと思うことを、人にもしなさい」[*4]

「もし完全になりたいのなら、行って持ち物を売り、貧しい人々に与えなさい。そうすれば、天に宝を積むことになる」[*5]

「宴会を催すときには、貧しい人、体の不自由な人、足の不自由な人、目の見えない人を招きなさい。そうすれば、彼らはお返しができないから、あなたは幸いな者となる。正しい人たちが復活するとき、あなたは報われるだろう」[*6]

イエスとは逆に、トランプは世界有数の「奪う者」である――貧しい者を食いものにするよう億万長者たちに促している。

仮にもトランプがイエスに匹敵するなどということがありうるだろうか。

「『姦淫するな、殺すな、盗むな、貪るな』、そのほかどんな戒めがあっても、『隣人を自分のように愛しなさい』という言葉に要約されます」[*7]

トランプは次々と不貞を働き、ビジネスで不正をおこない、税金をごまかし、法外な規模で物を欲しがる。彼は神が定めた法も人間が定めた法も超えていると言わんばかりに、あからさまにこう述べている。

「私が五番街の真ん中で誰かを銃撃しても、支持者を失うことはないだろう」

トランプは直接誰かを殺したわけではないが、医療保険を奪う試みは、何百万人という国民の命を奪い、地球温暖化を促進する行動は、最終的に何千万人、あるいは何億人もの人々を死に至らせる可能性がある。

イエスは歴史上、とても寛大に許しを与える人物だった——だが、宗教上の偽善は黙認できなかった。以下は、イエスがそれを非難した数多くの例の一部である。

「祈るときは、偽善者のようであってはならない」[8]

「偽善者よ、まず、自分の目から梁を取り除け。そうすれば、はっきり見えるようになって、きょうだいの目にあるおが屑《くず》を取り除くことができる」[9]

「偽善者たちよ、……『この民は唇で私を敬うがその心は私から遠く離れている……』」[10]

イエスは中絶と同性愛を認めたものの、過激な宗教右派のあまりにもあからさまな偽善と慈悲心の無さを受け入れることはできなかった。エルサレム版トランプと言えるような人間と向き合ったイエスは、すぐさま彼らを礼拝堂から追い出した。そして、金持ちが天国に行くことは、ラクダが針の穴を通るくらいに困難だと明言したのである。

ローマ教皇フランシスコは、貧しい人々へのイエスの教えに従って生き、イエスに共感して宗教上の偽善に対する嫌悪感をこう述べている。

「『私は正真正銘のカトリック教徒で、いつもミサに行っている』と言う人がいる……だが彼らは従業員に適正な給与を支払わず、人々を利用し、汚いビジネスに手を染め、資金洗浄をおこなっている……そんなカトリック教徒になるくらいなら、無神論者であるほうがましだ」

また教皇は宗教上の偽善者に対して、以下のようなメッセージを発している。

「あなたは天国にたどり着いて、その門をたたき『神様！　私です』と話しかける——『覚えておられませんか？　私は教会に行きあなたのおそばにいました……私が献金したことをすべてお忘れになったのですか？』。『覚えています。しかしその献金はすべて貧しい人々から巻き上げられた汚い金です。私はあなたのことを認めません』。これが、裏表のある人生を送る恥ずべき者に対する神の答えである」

教皇は同性愛者について聞かれたとき、「私にその者を裁く資格などあるだろうか」と答えた。教皇は貧しい人々に対して謙虚に接している。一方トランプは、上位一パーセントの富裕層にさらに有利となる税金の優遇措置を与えられるように、貧しい人々から医療保険を奪おうとしている。

政界の有力者になるために、アメリカの多くのキリスト教指導者は、基本的な教義の多くを無視している。彼らはイエスの警告を無視しているのだ。

「偽預言者に注意しなさい。彼らは羊の衣を着てあなたがたのところに来るが、その内側は強欲な狼である」[*11]

彼らは貧しい人々を食いものにし、富裕層をさらに豊かにさせるために、共和党（貪欲な狼）と緊密に連携している。

「たとえ人が全世界を手に入れても、自分の命を損なうなら、何の得があろうか」[*12]

イエスの本当の信者なら、あらゆる人々に対する医療保険や、貧しい人々に対する住宅、精神的・肉体的疾患がある人々に対する治療、母親や子どもに対する適正な保護、迫害されている移民の保護、地球の保護を求めなければならない。発言においても行動においても、ドナルド・トランプほどキリスト教信者の資質に欠ける人間を思い浮かべるのはむずかしい。責任感のある多くのキリスト教徒は、すでに自分の良心に従い、指導者に抵抗し（自身にとって不利益となることが多くても）トランプの政策や人格に対する非難の声を上げている。キリスト教の価値観を真面目に捉えている人は、そうした人々にならい、自分の政治的判断を形成すべきだ。聖書のことを滔々と語りはするが、それにのっとって生きていない偽善的な福音派の指導者による非難に従ってはならない(9)。

ポピュリズムの逆襲に必要なリーダー

三四〇〇年前のトゥキュディデスの時代から、歴史学者の間では、優れた指導者が歴史を作るのか、あるいは歴史が優れた指導者を作るのかという議論が続いている。指導者が偉大に見えるのは、単に彼らが地理、人口、気候、社会がもたらす計り知れない力の波に乗っているからなのか、それとも彼らが歴史を動かす自立した力を発揮できているからなのか。トランプという人間を体験することで、めったに問われることがない、同様の興味深い逆向きの疑問が出てくる——本当に恐ろしい指導者は、どの程度歴史の流れを変えるのだろうか、それとも彼は歴史の流れを示す存在にすぎないのだろうか。この二つの問いのどちらも、私には頷けるところがある。つまり、長期的に見れば歴史に存在する力がその流れを変えるが、短期的に見れば、偉大な（かつ恐ろしい）指導者が歴史を変えるのである。トランプは、悪い指導者がいかに大きなダメージをもたらしうるのかを示した。偉大な指導者が、そのダメージをどの程度修復できるのかを（できるだけ早く）見られればいいのだが。新たに登場する有能な指導者が、このあと本章で述べる「われわれ人民の契約」であげられた常識的な目標にわれわれを導けるかどうか、まだ疑問は解けない。おそらく、きわめて賢明で先見の明がある指導者でも、これほど深刻な問題や、資金豊富な政治的反対勢力、人間の心にもともと備わっている欠陥、ますます壊れやすくなる地球環境に直面すると、失敗は避けられないだろう。もちろんオバマは賢明であり先見の明もあった。彼の失敗は、もともとそうなる要素があったのか、それとも不測の事態だったのか。オバマの敵が見事なまでに台無しにした合理的な政策を、他の誰かがうまく推し進めることができるのだろうか。

歴史には政治の面で希望を与えてくれる前例がある――われわれの姿勢を変え、わが国が進むべき新たな方向性を示した、時代の変化をもたらす大統領たちの存在だ。ジョージ・ワシントンが持つすばらしい統率力がなければ、アメリカという国はまったく存在しなかったかもしれないし、存在したとしても、現在のような形の国ではなかっただろう。それから七〇年後、エイブラハム・リンカーンの優れた指導力がなければ、国民はアメリカという国を存続させることはできなかった。さらに七〇年後、フランクリン・デラノ・ルーズベルトの介入がなければ、大恐慌の規模はずっと大きくなっていただろう。ルーズベルトが大統領に就任したとき、アメリカは現在よりもはるかに深刻な問題に直面し、今よりもずっと大規模な制度の変更を必要としていた。世界中の株式市場が暴落し、貿易が行き詰まった。労働者の四分の一が失業し、人々が飢えに苦しみ、経済およびその中で生きる人々すべてが麻痺したかのようだった。だが、こうしたことがあってもルーズベルトはくじけなかった。彼は自信にあふれていたし、皆に自信を抱かせる方法を知ってもいた。「唯一恐れなければならないのは恐怖そのものだ」という、大統領として彼が発した最初のメッセージは全米に響き渡った。その後、彼は「炉辺談話《ろへんだんわ》」を通じて、アメリカ国民と深い心のつながりを築き続けてきた。アメリカ経済の落ち込みを癒やすためには、まずアメリカ人の心の落ち込みを癒やさなければならないことを、ルーズベルトはわかっていたのである。ハーバート・フーバーは、非常に有能な人物だったが、アメリカ人の心の落ち込みを癒やすことはできなかった――それは、彼の政策が間違っていたこともあるが、彼がルーズベルトのような人柄や対人関係のスキルを持ち合わせていなかったことが大きい。

さらに七〇年後、アメリカ国民の多くは、オバマも変革をもたらす大統領になると期待した。選挙運動での彼の「Audacity of Hope（大いなる希望）」や「Yes, We Can（われわれはできる）」というキャッチフレーズは、ルーズベルトの精神を取り入れたものだ。彼はあらゆるアメリカ大統領のなかでも、きわめて賢明で、論理的であり、公明正大で、客観的であり、独善的なところがない人物と言える。アフリカ系アメリカ人が大統領に選出されたことは、リンカーンの時代以降、人種問題が前進していることを示す心強い証拠だった。最も重要なことは、社会の妄想がもたらすあらゆる危機をオバマが深く理解し、そうした危機を避けるための最も合理的な提案をしていた点にある。彼のビジョンに従い、その政策を実行していれば、アメリカと世界は持続可能性に向かって今よりもずっと先へと進んでいただろう。オバマはブッシュから――急激な経済の落ち込みと勝つことができない二つの戦争という――ひどいと言うしかない手札を引き継いだ。だが、オバマは自分に配られた悪いカードで慎重かつ上手にプレーした――経済を回復させ、さらなる外交の失敗をほぼ回避したのである。だが、偉大な大統領になる可能性を秘めて就任したものの、オバマは大半で失敗した（そして、明らかに変革をもたらさなかった）大統領として退任した。アメリカを傷つけることになろうともオバマの改革をつぶすと明言した、利己的でかたくなに妥協を拒む共和党の反対によって、彼はほとんど無力にされてしまった。また、自分の人柄がもたらす限界にも苦しんだ――彼はまさしく、ごく普通の人間で人がよすぎたのである。彼の大統領としての弱点は、人間としての彼の長所にあった――その謙虚さ、あらゆる問題を両面から見る能力、冷静で控えめな態度、感情に流されない客観的な判断力があだとなったのだ。

最も変革をもたらす大統領というのは、よかれあしかれ、並はずれた自己愛の持ち主であることが多かった――普通のいい人ではなかったのである。歴史の進路を変える、あるいは少なくともその進行を先延ばしにする能力は、とてつもなく大きな自我と、非現実的とも思える夢、それに大衆の本能的な感情を非常に深いレベルで引きつける、持って生まれた才能によって決まる。個性という単純な力によって、彼らは山をも動かし、これまで社会の大原則だと思われていたやり方を変えることができる。ルーズベルト、レーガン、クリントンは皆、その政策に賛否はあるだろうが、明らかに前世紀の政治の形を変えた。残念なことにオバマは、変革という点においては、彼らと同じ功績をあげることができなかった。そして同じくらい残念なことに、トランプにはそれができるのである。最悪の大統領も並はずれた自己愛の強い者たちだ。トランプは、彼独自の不可解かつ破壊的なやり方で、すでに歴史上で最も変化をもたらした大統領の一人となっている。国の指導者とは自己愛が強い者であって、人柄のきわめてよい男性（あるいは女性）ではないと考えるべきだ——問題は、彼らが自分の自己愛を国民のために利用するか、それとも国民の意志に反する形で利用するかということである(10)。

効果的なポピュリズムには必ず指導者がいる。指導者がいないポピュリズムは決まって混乱状態に陥るからだ。だが、偽ポピュリズムにあおられた激情を抑えつつ、進歩的ポピュリズムの力を利用することができなければ、どんな指導者もわれわれに正気を取り戻させることはできない。人間は基本的に群れをなす動物で、群れの動きに従い最善の方向にも最悪の方向にも進む。数々の問題に関するわれわれの意見は変わりやすく、まさにそのときの状況や指導者によるところが大きい。正しい方向に正しいメッセージを発する正しい指導者は、われわれを正しい方向に導くことができる。一方、間違ったメッセージを強力に発する間違った指導者は、われわれを破局に導く可能性がある。トランプは、オバマの「われわれはできる（Yes, we can）」という大胆な希望を、「われわれにはできない（No, we can't）」という重苦しい不満の響きによって打ち消してきた。だがトランプは行き詰まっている。常軌を逸しているのが一時的であることを願いたい。われわれは、次世代のリーダーたちが、人々の目を現実に向けさせてくれることを願わなくてはならない。アメリカは常にやり直すチャンスに恵まれてきた。今われわれにはそのチャンスが必要なのである。

トランプの暗黒時代から、われわれを救い出すために、指導者は政策、個人のカリスマ性、他者への共感、コミュニケーション能力、人々との本物の絆を、ほどよく持ち合わせていなければならない。反トランプの人間は、既製品の偽ポピュリズムではなく、本当のポピュリズムを代弁する者でなければならない。先の大統領選挙において、バーニー・サンダースはこうした存在に最も近かった。私の心は彼にあったのだが、頭ではトランプを止める者として、クリントンに賭けるほうがずっと安全だという誤った考えを持ってしまった。サンダースは、高尚な夢を持ち、優れた政策を提案し、支持者たちとの間にすばらしい絆があった。だがサンダースは、われわれが求める、変革をもたらす反トランプの指導者としては、あまりにも風変わりな候補者だったと思う。知識層にとっては完璧なポピュリストだったが、田舎に住む人々にとってはそうではなかった——あまりにも都会的で、年を取りすぎ、あまりにもユダヤ人らしく、説教じみていて、「社会主義者」「リベラル」「革命家」などという恐ろしいバズワードでいとも簡単に汚名を着せられる人物だったのである。

対極にある両者のよき本性を引き出すことができ、分断を生むバズワードを常識的な解決策に置き換えられる資質を兼ね備えた反トランプの大統領を、われわれは見いださなくてはならない。ビル・クリントンは、政策でも個人の問題でも数多くの失敗があったものの、未来の反トランプ大統領の手本となる。彼は広範囲の人々に働きかける進歩的ポピュリストで、彼の訴えは知識人から南部の白人大衆にまで及んだ。彼は、大学のしゃれたキャンパスでも、郡の政治集会でも、黒人や白人の中にいても、億万長者や貧しい人々の中にいても、同じように馴染んで溶け込んでいた。彼がアメリカの地方で勝利を収めた最後の民主党員であったことは偶然ではなかったのだ。クリントンは、人を説得する並外れた能力を持ち、聴く者に共感を伝え、複雑な問題を簡単なわかりやすい言葉で表現した。そして人々に犠牲を受け入れさせ、正しい行動をとらせるようにできた。ただ、短期間の減税でわれわれ国民を喜ばせるようなことをしなければ、財政赤字はもっと減少していた可能性がある——そうすれば、間接的に将来の社会保障による恩恵を守ることができただろう。クリントン個人の行動は、確かに大統領職に対する不名誉な汚点となったが、それでも、彼はきわめて有能な指導者となり国民を団結させた。トランプに反対する者たちが今、数々の問題に対して団結せず、また彼らの意志を最もよく代表する指導者も現れなければ、二〇二〇年の選挙で、国民のために変革をもたらす大統領は選ばれないだろう。

政治家が精神療法から学べること

私はこれまでの人生で四〇年にわたって精神療法に深く関わってきた——研修生、臨床家、患者、教官、スパーバイザー、研究者、研究助成金の審査委員の立場で関わった。そこから学んだことは、私の個人的な欠点をなめらかに修復したし、今でも人生の中で大きな困難を感じたときに役立っている——たとえば死を目前にした友人の心を癒やすとき、途方に暮れた人をなだめるとき、妻との口げんかを解決するとき、請求書の金額でもめている修理工と交渉するとき、生意気な孫たちをおとなしくさせるとき、また、人生における重大な決断について同僚にアドバイスをするときなどに。精神療法は、単に働きかける行為なのではなく、それをおこなう人そのものである。

精神療法家と政治家には多くの共通点があり、影響を及ぼす範囲は大きく違っていても、目標や手法はきわめてよく似ている。両者とも、明言されることも隠されることもある動機を理解し、それらに訴えかけることによって相手の態度や行動を変えようとする。精神療法家が一度に一人の患者に働きかけるのに対して、政治家は何百万という人々に影響を与えるが、両者が持つスキルはよく似ている。私は有能な政治家の手法の研究から多くを学んだが、政治家は精神療法の手法を学ぶことによって、もっと有能になれると思う。トランプが体現し悪化させているアメリカの狂気を癒やそうとする政治家には、巧みな精神療法的アプローチが特に必要である。

精神療法家が、妄想を抱く患者に対して、その患者の信じているものが間違いで自滅的であることを証明しようとして、事実に基づいた議論をおこなうことはまずない。いかにその妄想がばかげていて、有害だとはたから見えたとしても、妄想は患者がつらい現実の埋め合わせをする手助けをしてきたのだ——妄想が間違いで害を及ぼすものだからといって、捨て去ることができるものではない。先走って患者に現実を押し付けようとすると、患者は怒りや不安、困惑を感じ、さらに頑固な妄想を抱いて、精神療法家と共に治療に取り組む意欲をなくしてしまう可能性がある。真実は人を自由にすることもあるが、患者の側にそれを聞き入れる準備ができていなくてはならない——そしてその真実は、正しいタイミングと方法で伝えられなければならない。救急処置室で妄想を抱く患者を診るときは、まず患者の信頼を得なければならない。信頼という前提条件の下で、患者のどんな恐怖、感情、幻想、ストレス要因、もっともな不満、経験によって誤った信じ込みが生まれるのかを探ることになる。優れた精神療法家は、妄想を必要とする患者の隠れた苦悩をくみ取ると同時に、その苦悩を和らげる現実的な方法を見つける取り組みを、患者と共に少しずつおこなっていく。精神療法家は患者の苦しみへの共感を表すことが重要で、患者が妄想によってその根本原因を避けていることの是非は問わない。

ゆっくりとおだやかにアメリカ社会を現実に引き戻すために、政治家には精神療法家と同様の戦略が必要になる。社会の妄想は、それを広め信じる者にとっては、逆に有益な目的を果たす――そしてそれが世界にとって誤った危険なものであるからという理由だけで、捨て去れるものではない。勇気を持って事実に向き合うよう有権者に率直に呼びかけたとき、政治家は選挙に負けることがある。(ジミー・カーターの「社会の沈滞(malaise)」と呼ばれた演説*13がその例だ)。(11) それに対し、トランプ勝利の秘密兵器は、政治的あるいは個人的利益のために社会の妄想を育てる彼独自の才能だった。彼は純粋な恐怖や不安を冷酷に利用し、長年の不満をくみ取って、自分を救世主の再臨であると売り込んだ――普段なら分別のある人々を、あからさまな嘘の約束で説得し、彼のことを信じさせた。見え透いたとんでもない嘘を語っていたにもかかわらずだ。この世にいるトランプのような人間たちは、真実と密接に関わっても感覚が麻痺したままだが、トランプ支持者の多くは、もっと政治的な能力や精神療法のスキルを持った相手から働きかけられていれば、トランプによるまやかし戦術の影響を受けにくかっただろう。エイブラハム・リンカーンやフランクリン・デラノ・ルーズベルトのような人物が再びタイミングよく現れることは期待できない。だが、有権者の心の悪を利用するトランプに対抗してどのように彼らのよき本性に働きかけるのが最善なのか――その方法について、精神療法のアプローチは役に立つヒントを必ず与えてくれる。

精神療法家が最初におこなうべき最も重要なことは、患者の立場に身を置いて考えることである――「自分がこの人の状況にいたら、私もこの人のように行動し考え感じるかもしれない」という前提に立つことから始めるのだ。われわれは、細かい部分に違いがあるとはいえ、おおまかなところでは基本的に皆同じ人間なのだから、似たようなニーズや不安、欲求不満を抱え、似たような形で人生の危機に対処している。今後の生活をめちゃくちゃにされたとき、政治家に無視されたり、誤解されたり、嘘をつかれたりしたとき、何でもしてくれそうな政府が自分のニーズや不安には対応してくれていないとき、メディアや知的なエリートに見下されたとき、列に並んで待っているのに他の誰も（たとえば、女性、マイノリティ、移民）が追い越していくように思うとき、また他の大多数の人々がもはや大切にしていない伝統にのっとった行動をとるとき、自分ならどう感じるかを想像することは難しいことではない。劣った立場にある者は、優位に立つ者に対して怒りを募らせる。マイノリティがあなたから特権を奪ったり、彼らと仕事の獲得をめぐって争うことになったり、彼らがあなたの給付金を奪ったりしていると感じるときや、あなたの娘と結婚しようとするとき、彼らに対する恨みを抱くことになりやすい。正統な信仰こそ、急速に変化する冷淡な世界の中で命を救うものになる。科学の価値を信用しなければ、幻想が心を癒やしてくれる。こうしたことに加え、認知と神経科学の研究から、政治的保守派の人々は、精神的にも生物学的にも、恐怖を感じる状況に対してより強い反応を示す傾向があることがわかっている。

トランプの支持層が、銀行員や実業家に限られていたなら、彼は勝利を収めることができなかったはずだ。彼は一般市民の熱烈な支持を得て勝ったのである――彼らの利益を満たすという点では民主党のほうがはるかに優れているが、共和党のほうが彼らの心理をはるかによく理解（利用）しているのだ。民主党がもともとの支持者を失ったのは、彼らを理解する努力を怠ったからである。一方、共和党は、民主党よりもずっと優れた心理学者となり、口のうまいセールスマンにもなって、もともと共和党支持ではなかった有権者を獲得した。今後、効果的に戦って選挙に勝ち、国を治めるために、民主党はもっと優秀な心理学者になり、かつ優れたセールスマンにならねばならない。

精神療法において精神療法家と患者との協調に必要なことは、政治家とわれわれとの効果的な協調に必要なことでもある。以下は精神療法での基本的ルールである。

- 精神療法家は誠実であること、また患者にも誠実であるように促すこと。
- 患者との強い絆を築かなければ患者を助けることはできない。
- 患者の言葉づかいで話をする。
- 患者の話をよく聞き、患者が精神療法家から学ぶのと同じくらい多くのことを患者から学ぶようにする。
- 精神療法家の努力すべてが患者本人に向けておこなわれていることを、患者にわかってもらう。
- 共感と信頼が治療に最も必要な要素である。
- 痛みや恐怖、怒り、落胆を自由に表現するように、患者を励ます。
- 患者のニーズと、患者がそれをどのように満たしてほしいと感じているかを確認する。
- 現実的な目標と期待について話し合う。
- 性急な判断をしない。
- 徐々に希望を持たせる。
- 事実や数字を示すよりも、比喩やイメージ、たとえ話を用いるほうが有効である。
- 精神療法家が自分の感情を意識し、それを効果的に活用する。
- 治療中の何もかもが同じ重みを持つわけではない——精神療法で語られた内容の一〇パーセントに満たないことが、患者の変化の九〇パーセント以上に貢献することもある。患者が潜在的に持つ変化への転換点に常に注意し、変化を起こすためにできることは何でもする。

ルールの中の「患者」を「有権者」に置き換えてみてほしい。偉大な政治家には、生まれながらにしてその素質があるのであって、作られるものではない。彼らはミドルスクールの級長に選ばれるまでに、本能的にこうしたルールをわかっている。だが、よい政治家は、精神療法を勉強し、それを有権者との日々の取り組みに生かせば、さらによい政治家になることができるだろう。

国連事務総長のアントニオ・グテーレスは、精神分析学者の妻から、心理学の知識が持つ政治的な価値を学んだ。彼はこう述べている。

「妻は私の政治的活動すべてに、きわめて有益なことを教えてくれた。二人の人間が一緒にいるとき、そこにいるのは、二人ではなく六人である。おのおの自分に加え、おのおのが考える自分、そしておのおのが考える相手の六人だ。人間に当てはまることは、国や組織にも当てはまる。それぞれのシナリオにおいて、鍵となるさまざまな関係者と関わる際、事務総長が果たす役割の一つは、こうした六人を二人にすることである。すなわち誤解と間違った認識が消えるようにすることだ。認識は政治において核心を成している。政治においては、六人を二人にするということにとどまらない。難題に対処するために一丸となって取り組むことができるように、何百という人々を取りまとめる仕事が多いのである」

未来において決定的に重要な政治家の仕事は、人々が国の問題を解決するために一丸となって活動できるように各国内で人々を団結させること、また、世界中の国々が世界の問題を解決するために一丸となって活動できるように国々を団結させることである。

人民の人民による人民のための契約

具体的な問題に対する常識的な解決策を見つけることにかけては、われわれ国民のほうが、われわれを代表する政治家よりも優れていて知恵があり団結力がある。各政党の綱領は、その政党の中で最も過激な思想を持つ者たちの既得権益を満たすように作成される。そのため、各綱領では共通点よりも相違点のほうが強調される。それに対して、アメリカ国民の大多数は、ワシントンで対立が激化して紛糾している問題についても、実は意見が一致していることが、世論調査で常に示されている。もはや正確には国民を「代表」しているとは言えないこの状態は、アメリカの代表制民主主義制度の大きな失敗と言っていい――国民を代表するとされている政治家よりも、国民のほうが分極化の度合いがずっと小さいのだ。そして国民と政治家の分極化の差は、時代とともに著しく広がっている。五〇年前、それぞれの分極化の度合いはほぼ同じだった。その後、国民の分極化はほんの少し進んだが、政治家の分極化は急激に進んだ。富裕層が金で買えるものではなく、アメリカ国民が求めるもの、必要とするものをもっと十分に政策に反映するように、われわれは政治家に迫ることができるし、そうしなければならない。

われわれは依然として団結した国民であり、今後もそうあり続けたい――対立を生むプロパガンダ、イデオロギー、困惑しか生まない言葉づかいすべてをなくしてしまえば団結できる。われわれの大多数は問題解決能力があり、イデオロギーよりも超党派的な方法で問題が解決されることを望んでいる。議会は強引な少数派の（選挙献金で示された）私的利益や過激なイデオロギーよりも、（不完全な形ではあるが世論調査で示された）アメリカ国民の総意を代表すべきである。目標を達成する方法にはもちろん違いはあるが、意味不明な政界用語を捨て去り、具体的な事実に即して話し合えば、違いは見た目よりもずっと小さくなるはずだ。以下の「われわれ人民の契約」は、超党派の世論調査機関による調査結果に基づいた、重要課題に関するアメリカ国民の大多数の意見を反映したものである。このようにまとめてみると、トランプの政策は、少数派の利益のみを満たし、われわれ国民の大多数の要求とはほとんどかみ合っていないことがわかる。

われわれ人民は以下のことを政府に求める

・気候変動の現実を受け入れ、温室効果ガスの排出を減らすこと[12]。
・石油やガスよりも代替エネルギーを重視すること[13]。
・裕福な個人や企業に対して増税し、公正な税負担をさせるために税金の抜け穴をなくすこと[14]。
・より公平な富の分配を促す政策を取ること[15]。
・社会保障を守ること[16]。
・メディケアにならい、わかりやすい単一支払者医療保険制度を作ること[17]。
・メディケアを維持すること。政府は国民全員に医療保険を提供する責任を負うこと[18]。
・処方薬の薬価引き下げの交渉をおこなうこと[19]。
・政府の無駄と赤字を減らすこと[20]。
・選挙運動の資金調達に関する改革を始めること[21]。
・党派心を抑え議論の行き詰まりをなくすこと[22]。
・教育制度を改善すること[23]。
・最低賃金を引き上げること[24]。
・アメリカで雇用を創出する企業や製造業に対する税率を引き下げること。
・インフラの緊急修理に人材を投入すること[25]。
・一〇〇万人以上の新たな雇用を創出するプログラムに対して公金を投じる雇用創出法を連邦政府で制定

すること。[26]

- 外国人にビザの期限を超えた滞在をさせないための、さらに厳しい政策を打ち出すこと。
- アメリカで生まれた不法移民の子どもたちがアメリカにとどまれるようにすること。
- 現在、不法にアメリカに滞在している移民の多くが合法的に滞在できる方法を打ち出すこと。
- 要件を満たしていない不法移民が政府から給付金を受け取れないようにすること。
- アメリカとメキシコの国境に壁を建設しないこと。
- 暴力や戦争から逃れてきた難民は、十分な調査をして受け入れること。
- 世界中の高い技能を持つ人々がアメリカに移住して働くことを支援すること。[27]
- 医療費を引き下げること。[28]
- プランド・ペアレントフッド（家族計画）に対する連邦政府からの継続的な資金提供を支援すること。[29]
- 中絶を合法とし続けること。[30]
- 刑務所の収容人数を減らすこと。[31]
- 薬物中毒者と精神疾患を患う者を有罪とせず、適正な治療を施すこと。[32][33]

幅広い目標について、広く合意が得られていても、その目標に到達する方法について、簡単に合意に至るというわけではない。だが「解決の忌避」――つまり、問題の解決策について意見が一致しないからといって、問題の存在を否定することは避けなければならない。共和党は、人的要因による地球温暖化の明らかな証拠を否定している（その多くが、真実だと心の中ではわかっているにもかかわらずだ）。自分たちのイデオロギー的価値観や金銭的な私利私欲を脅かす解決策を彼らが好まないからである。解決策が、政府の規制や増税よりも「自由市場」（たとえばテクノロジーの進歩など）の促進を含むような場合、共和党は気候変動を脅威として進んで認めようとすることが、数々の調査でわかっている。ある種の反応を引き起こすきまり文句を避けることで、もっと現実を認識しやすくなる場合がある――たとえば、「地球温暖化」の代わりに「気候変動」という言葉を使うことで、その問題が重要であることを、より多くの共和党員が認めるようになっている。社会の妄想に隠れた現実に立ち向かおうと思うなら、意味不明な業界用語やバズワード、紋切り型、当てこすり、暗号まがいの表現などのほか、注意をそらすものを避けなければならない。たとえ解決策について妥協することが難しくても、解決の必要な問題から逃げることは正当化されない[34]。

「保守派」と「リベラル」との間で、最も二極化した態度の違いの一つは、個人の努力と生活環境がどのようなバランスで自らの運命を決めているのか、その理解のしかたにある。私の友人で保守派の人間の多くは、自分の力で成功を手にしたと考え、あまり成功していない人は十分に努力をしてこなかっただけだという信念を持っている。一方、私やリベラルの友人のほとんどは、自分が成功に値する人間であると言うよりも、むしろ運がよかったのだと考え、運が悪ければ、もっとひどい事態になっていただろうと考える傾向にある。こうした考え方の隔たりを埋めなければならない。成功は努力によって生まれるが、家柄や環境がもたらす運によってももたらされる。誰もが公平に扱われる資格はあっても、「社会は自分の生活に対する義務を負っている」と期待するべきではない。

トランプ弾劾が答えではない

トランプは、表に現れた症状にすぎず、その裏に隠れた病気そのものではない——それは不吉で組織立った極右の道化じみた顔である。アメリカが、極端な色分けを生む戦いの駆け引きによってこれほど二極化していなければ、トランプは大統領に選ばれることもなければ、今まで大統領を続けていることもなかっただろう。トランプを嫌い、また恐れている人々は、トランプが自滅すること——下院で弾劾され、上院で罷免されるという誘惑的希望を抱いている。あるいは、失敗を繰り返すたびに高まる批判と、絶え間なく繰り返される調査・追究に耐えられず、トランプが怒って大統領を辞めるということを期待しているかもしれない。私は誰にも負けないくらいトランプを恐れているが、彼には四年の任期を（首の皮一枚でつながった状態で）まっとうしてもらい、彼がいかに愚かであるか、また彼の政策がいかに不公平で実行不可能であるかを示す、新たな恐ろしい重大ニュースを日々提供してほしいと思っている。

うまい具合にトランプが追い出されるとしても、マイク・ペンスとその共謀者たちが、さらにうまく動いて政府機関を解体し、環境を破壊し、少数の者を利するために多数の者から搾取し、白人男性が優位の排外主義的支配を押し出すだろう。トランプはティー・パーティーを政府の中枢に招き入れたが、ペンスとライアンは、これまでと同じティー・パーティーの恐ろしい政策を推し進めつつ、さらにもっともらしく振る舞うだろう。また彼らは、トランプが大統領職に就く後押しをしたポピュリストの有権者たちのまっとうな要求（アメリカ経済から取り残された者たちに雇用と医療保険を与えること）に対しては恩義をあまり感じておらず、富裕層や、独善的な「宗教上の」偽善者たちに対してずっと大きな恩義を感じている。ロシアとの怪しい取引、利害の抵触、下手なツイートに惑わされず、ペンス大統領率いるホワイトハウスはさらにプロの政治家らしい働きを見せ、他の二つの施政部門を引き込みながら、極右派による一連の後ろ向き法案を強引に通すことができる（二〇二〇年にペンスは再選されるだろう）。トランプが犯した重罪や軽罪に密接に関係していたとして、ペンスが大統領を辞めさせられたとしても、事態は少しもよくならない。大統領の地位を次に継承するのは、下院議長のポール・ライアンである。さらにライアンも失脚すると、重鎮である上院仮議長のオリン・ハッチ[*14]あたりしかいない。さらにその次は、エクソンモービル社出身で国務長官のレックス・ティラーソンか。愚か者ばかりだ。

われわれの社会は長い時間をかけて少しずつ妄想的思考に陥った。だから、ビールの泡の部分を取り除いたところで、ビールに含まれている毒を取り除くことはできない。だが、トランプの愚行は役に立つ。悪役トランプを泳がせておき、実にばかばかしい行動や発言をする、抗いがたい機会を日々与えるのがよい。それで共和党の害悪をもたらす政策が行き詰まり、激戦区における共和党候補者の可能性も縮小するはずだ。トランプから大統領職を引き継ぐと思われる者よりもトランプのほうがよいという私の逆説は、当然、彼が任期の残りの期間、軽率に核のボタンを押さず、われわれを勝つことのできない戦争へとさらに追い込まず、独裁的支配を確立しようとしないことを前提としている。トランプが短期的にはアメリカ史上最大のリスクであることは否定できないが、長期的には、ペンスとライアンのほうがはるかに取り返しのつかない害をもたらす可能性がある。

トランプがもたらすトラブルによって、確かに共和党には厄介な難題が生じている。コーク兄弟のような人間の利害については、自主性に欠けるがより信頼できる取り巻き（ペンスあるいはライアン）のほうが、ずっとうまく調整できる――だが、彼らがトランプ下ろしの過程にあまり手を出しすぎると、トランプは彼らがトランプの失脚を画策した「闇の国家機関」の一味であるとの被害妄想的なストーリーに共和党を巻き込むだろう。トランプは傷つけられた殉教者の役割に乗じて、支持者をたきつけて第三者による熱狂的な反乱を起こさせ、共和党を骨抜きにし、共和党が議会や大統領職を掌握するチャンスをつぶす可能性がある。共和党はトランプのばかげた行為にもかかわらず、彼の味方をしている。敬愛からではなく恐怖から味方になっているのだ。共和党は、それほど危険な人物ではなかったニクソンを見捨てたように、トランプの支持率が下がればたちまち彼を見捨てるだろう。トランプは弾劾されて大統領を辞任すれば、一番好きなことをするだろう――それは、全米で騒々しいヘイト集会を取り仕切ること、そしておそらくヘイトメディア事業を立ち上げることだ。トランプは無力な道化師大統領であるよりも、こうした役割を果たすことで、民主的な礼節をさらに永久的に、そして危険なまでに破壊する者となるかもしれない。

冬の兵士

今こそ魂が問われるときである。夏の兵士と日和見愛国者たちは、この危機を前に身をすくませ、祖国への奉仕から遠のくだろう。しかし今、立ち向かう者たちこそ、人々の敬愛と感謝を受ける資格を得る。

――トマス・ペイン

これはアメリカ建国の数カ月後に書かれた言葉である。兵士の脱走率が高かったために、アメリカは独立戦争の初期段階で敗北しつつあった――民兵たちは依然として、まだ形を成していない新しい国よりも、自分の家族に対してより強い義務感を感じていた。アメリカ国民はジョージ・ワシントンのすばらしい指導力によって、独立戦争を耐え抜いた。またエイブラハム・リンカーンの偉大さと美質のおかげで、さらに苛酷な南北戦争も耐え抜いた。さらに、フランクリン・ルーズベルトの自信と創造力によって、深刻な経済と精神の大恐慌という重い打撃も乗り越えたのである。この三人は皆、アメリカが外来種の植物のようにか弱く脆い実験的国家であることを痛いほどわかっていた。そしてその誰もが、民主政治という贈り物を当たり前のことだとは、少しも思っていなかったのである。

アメリカは、質の悪い多くの大統領の時代を生き延びてきたが、トランプほど基本的な制度や価値観を尊重しない大統領はいなかった。われわれは自分たちの理想である自由と平等を裏切ることも多かったが、こんなにも傲慢にそれらを捨ててしまうことはなかった。トランプのせいで、われわれは、社会の妄想のどん底に行き着いてしまった。今われわれはその状態から立ち直り、現実をしっかりと把握し、よりよい未来をめざし、気持ちを新たに現実の形を造り直さねばならない。トランプが登場する前の、本来の状況に戻れるかどうかは疑わしい——可能性としては、専制と無知に支配された、さらに深刻な暗黒時代に陥るか、あるいは、われわれがさらに強く賢くなって、これまでトランプを育み今は逆にトランプが育んでいる社会の妄想をはねつける力を持つか、そのいずれかである。

私は常に政治に関しては受け身で懐疑的であり、戸惑いを感じ、中立的な立場からそれを見守ってきた。一定の数の票が無効となるのになぜわざわざ投票に行かなければならないのか、両党とも多額の献金で買収されているのにいずれかの忠実な支持者になる意味があるのか、個人の義務や楽しみの時間を奪う公的市民活動に参加する理由はあるのか、と考えてきた。私は、市民権を当然のものと捉え、民主主義に参加することなくその恩恵を被った、アメリカ国民の相当数を占める少数派である。トランプが二〇一六年に大統領に選ばれたのは、四〇パーセントの有権者が投票に行かなかったからだ——怠けて行かなかった者もいれば、市民としての役割を果たすことに無関心だった者もいた。また、有権者を投票に行かせない汚い手段の犠牲になった者もきわめて多かったのである。

今再びわれわれの魂が問われている。実は立ち上がるべきときはとっくに過ぎている。われわれは今回の大統領選挙で大きな失敗をした。大統領にふさわしい女性の代わりに間違った男を選んだ。国家という船は沈みつつある。国民は分断され混乱している。リスクは高まっている。残された時間は短い。ベンジャミン・フランクリンの言葉は今の時代にも当てはまる。

「われわれは皆団結しなければならない。さもなければ間違いなく、めいめいが絞首刑に処せられるだろう」

国民の意志は、国民が声を大にしてはっきりとそれを表明しない限り満たされないのだ。

このあとの三つの章では、理性的思考が社会の妄想に取って代わった場合に実現するであろう世界について述べることにしよう。

[訳注]

＊1　二〇一三年六月二五日、最高裁判所は、南部の一部州に残る投票の人種差別禁止を目的とした投票権法の第四条が違憲であるとの判決を下した。同法制定時の一九六〇年代と比べて人種差別は減り、一部の州を特別扱いすることに合理性はないと結論づけられた。同法では人種差別が顕著な九つの州で、選挙の実施方法や有権者の登録方法などの管轄権を連邦政府に移管し、変更が必要な場合は事前に連邦政府の許可を得ることを義務づけ、差別が復活することを阻止していた。

＊2　『マタイによる福音書』五章三節、五節［聖書協会共同訳］

＊3　『ルカによる福音書』九章四八節［聖書協会共同訳］

＊4　『ルカによる福音書』六章三〇節、三一節［聖書協会共同訳］

＊5　『マタイによる福音書』一九章二一節〔聖書協会共同訳〕
＊6　『ルカによる福音書』一四章一三～一四節〔聖書協会共同訳〕
＊7　『ローマの信徒への手紙』一三章九節〔聖書協会共同訳〕
＊8　『マタイによる福音書』六章五節〔聖書協会共同訳〕
＊9　『ルカによる福音書』六章四二節〔聖書協会共同訳〕
＊10　『マタイによる福音書』一五章七～八節〔聖書協会共同訳〕
＊11　『マタイによる福音書』七章一五節〔聖書協会共同訳〕
＊12　『マタイによる福音書』一六章二六節〔聖書協会共同訳〕
＊13　一九七九年七月一五日にジミー・カーター大統領がおこなったテレビ演説。エネルギー危機の中で、アメリカ国民は自信を失い共通の目的を失っていると指摘。エネルギー問題の解決策を提示すると同時に、この解決策がアメリカの結束と、将来に対する信頼をよみがえらせ、国と国民全員に新たな目的意識を与えると説いた。演説の正式なタイトルは「A Crisis of Confidence（信頼の危機）」
＊14　二〇一九年一月、上院仮議長退任および議員引退。

第七章

「すばらしい新世界」を維持する

われわれは、石器時代の感情と、中世の信念と、神のようなテクノロジーが奇妙に融合した状態で存在している。

――E・O・ウィルソン

世界の持続可能性はわずか四つの変動要素の相互作用によって決まる。その要素とは人口、消費、テクノロジー、人々の協力だ。世界人口に一人あたりの消費量をかけると、減少する資源の量と廃棄物の生成量を予測できる。またテクノロジーによって、物品の生産と廃棄物の除去の効率性が決まる。さらに、人口を抑制し、消費を一様に抑え、持続可能性を損なうのではなく促進するようにテクノロジーを活用したいのであれば、人々の協力が不可欠となる。

現在、これらの四つの要素がすべて誤った方向に進み、持続がより困難になる方向へと一斉に向かっている。過去三〇年間、世界人口は爆発的に増え、二〇億人増加した。[1] 一方、貧困状態にある人々の数は一〇億人減った。[2] 経済状態がよくなる人がますます増えているということは、全体の消費がとてつもなく増加していることを意味する。これまでのところ、テクノロジーは善よりも害悪をもたらしている――代えがきかない商品がこれまで以上に効率的に生み出されることで、継続的な人口増加、消費の増加、資源の枯渇、廃棄物の蓄積が促されてきた。さらに世界は、縮小するパイを取り合う人が増えたために、人々の協力の度合いは高まるどころか、低下しているようだ。持続可能性という難題に対して、唯一のすばらしい解決策があるわけではない。互いに影響し合う小さな解決策が数えきれないほど存在するはずで、それぞれが違った形で、人口、消費、テクノロジー、人々の協力の傾向を好転させるのである。

人口

人口抑制について、すばらしいニュース、よくないニュース、そして実に恐ろしいニュースがある。まず、すばらしいニュースは、世界のほとんどの地域で、出生率がすでに大きく下がったことである。一人の女性が生涯に生む子どもの数の世界平均は、一九六〇年の五人から、現在は二・五人まで下がり、人口置換水準[*1]である二をごくわずかに上回る程度となっている。[3] 最近まで人口統計学者らは、出生率の減少が世界規模で起き、今後三〇〜四〇年以内に到達する人口のピークは一〇〇億人を下回ると楽観的に予測していた。確かに人口は多すぎるが、管理可能な範囲内であり、幸いにも最終的にはコントロールできる数だということである。だが、よくないニュースは、増加のスピードが予想していたほど遅くなっていないことだ。統計上の数字は上方修正されてきたがはっきりしたピークを示してはいない。世界が人口置換水準を上回る出生率を受け入れられないのは明らかだ。人口が少しずつ穏やかに縮小すれば、世界ははるかによい場所になる。人口が増えるままに放っておくと、資源が底をつき廃棄物が蓄積したときに、われわれは大規模な人減らしのリスクにさらされることになる。

さらに恐ろしいニュースは、裕福な国々の出生率が人口置換水準よりもかなり低くなっている一方で、最も余裕のない国々の出生率が、人口置換水準よりも異常に高くなっていることだ。世界で最悪の困難に見舞われている場所はすべて、これまでに類を見ない、居住に適さないほどの人口密集が原因で困難に見舞われている。ほんの七〇年の間に、アラブ諸国の人口は一億四〇〇〇万人から四億五〇〇〇万人と四倍以上に増え、二〇五〇年までには七億人という驚異的な数に達すると予想されている（若い女性の人口が非常に多く、出生率が引き続ききわめて高くなるためである）。アフリカ大陸のサハラ砂漠以南にある国々のほとんどは今でも、一人の女性が産む子どもの数が五〜七人で、ニジェールの七・六人が最も多い。内戦や、大量の移民、飢饉、流行病、自然災害による大量死、水不足に苦しむ国を見てみると、常に出生率が驚くほど高いことがわかる。例をあげると、ソマリアが六・八、スーダンが五・四、アフガニスタンが五・五、イエメンが四・六、ブルンジが六・二、コンゴが六・三、マリが六・五、ガザが四・二、イラクが三・四となっている。難民キャンプで、飢えと渇きに苦しむ子どもを六人抱えた母親を、当たり前のように目にするのはあまりにつらく、胸が張り裂けそうになる。インドは世界の人口問題で最も重要な役割を果たしている。というのも、インドは世界で二番目に人口が多い国であり、最近まで出生率が高かったからだ。幸いにも、積極的な産児制限プログラムと中流階級の増加、および都市部への人口移動が相まって、出生率は一九九一年の三・六から二〇一三年には二・三にまで下がった。[4] できるだけ早く他の発展途上国に、こうした例にならってもらうことが人口抑制の秘策となる。人口増加を抑えられなければ、間違いなくマルサスが示唆した惨事が起きるだろう。

先進国の出生率もかつては高かったが、現在は大きく下がり、人口置換水準よりかなり下がっている国も多い（特にヨーロッパのカトリック国で下がっているのは、生殖に関してばかばかしいほど後ろ向きの教会の方針が、あまり深刻に受け止められていないからだろう）。中国を除く国々で出生率が低下している原因は、経済的圧力、都市化、窮屈な居住空間、乳児死亡率の低下、子どもが財産であるよりも金銭的な負担となっていること、避妊や中絶ができるようになったこと、文化的姿勢の変化、さらに最も重要な要因として、女性の教育レベルの向上、男性と同じくらい多くの女性が働くようになったこと、晩婚化、出産についてのより主体的な取り組み、があげられる。一九七〇年代の後半、中国は人口抑制のためにさらに積極的な役割を果たした。一人っ子政策は、大きな悪影響をもたらしたものの必要とされた政策で、数億人の新生児の増加を防いだ（生まれていたら、当然成長し子どもを産んでいたことになる）。人口爆発を抑えるために中国が取った強権的な手法は好まれないだろうが、新生児が生まれすぎていれば、有害な影響はずっと深刻なものになっていただろう——その影響は中国のみならず全世界に及んだはずだ。

残念なことに、出生率の低い国々の多くは今、国民にもっと子どもを産むように促し、中国を含む先進国の多くで、再び出生率が上昇している。(5) 人口増加を促進する政策は、人口が減少した場合、政治や経済の影響力を失うという国の不安から生まれたものでもある——だが、すべての国が足並みをそろえて再び人口を抑制すれば、そうした不安は問題ではなくなる。もっとわれわれに差し迫っているのは、人口抑制が招く落とし穴に対する不安だ——つまり、高齢化が進むと、きわめて少数の若い労働人口で、非常に多くの高齢の退職者を支えなければならなくなる。家族人数を増やす奨励策は、国によってさまざまである。日本では出産に対して助成金が支給され、デンマークでは、セクシーなコマーシャル（派手なブロンド女性を登場させ、「デンマークのためにやろう〈Do it for Denmark〉」[*2] と呼びかける）が流された。フィンランドでは育児用品のセットが妊婦に配布され、ロシアでは「懐妊の日」を設け、子どもを授かる人がSUVなどが当たる抽選に応募できるようにした。シンガポールでは、セックスはベッドルームでの「市民の義務」と位置づけられている。ただ、高齢化によってできた人口の穴を埋めるために、常にベビーブームが必要という論理は間違っている[6]――多くの世代にまたがるような持続不可能な人口増加を促進するよりも、一世代で人口の不均衡を正すほうが、はるかによい策だ。各国は人口の穴を移民や機械で埋めるか、高齢者の退職年齢を引き上げて人口の穴をなくすかすべきである。退職年齢が独断的に六五歳前後に定められたのは、ほとんどの人々がその数年後に亡くなっていた時代のことだ。寿命が一五年延び、高齢者がずっと健康になった現在、六五歳という年齢設定は低すぎる。

さらにわれわれは、子育てが人間として欠かせない経験であるとか、幸福のための必要条件であるとする文化的価値観を変えなければならない。調査対象となったすべての集団の中で、自分の人生に「あまり満足していない」と答えたのは、ひとり親が最も多かった[7]。金銭上や環境上の困難な状況のために、子どもの存在はあまり大きな喜びとは言えず、むしろ厄介なものとなることが多い。調査によれば、母親は子どもと遊ぶよりも、電話で話したりテレビを見たりするほうがずっとよいと感じている。また親が子どもと過ごさなければならない時間が多ければ多いほど、親の幸福度が下がるという結果が出ている。子育ては全体としてはすばらしいものでも、毎日実行するとなると、つらく感じることもある。すでに忙しすぎるスケジュールの合間に子育てをしなければならないときは、特にそうだ。ある作家の言うとおり、母親は一番不幸せな自分の子どもと同じくらいにしか幸せになれない。人口過剰の世界で最も不要なものは、高度な技術を使う不妊治療クリニックである。こうしたクリニックでは、多胎出産になりやすいし、四〇代後半や五〇代の女性にも子どもを産むことを勧めている。

世界人口に関する国連の長期予測には大きな幅があるが、これはマルサスが指摘した遠い将来の不安すべてを反映したものである。二一五〇年の人口予測は、三〇億人から二五〇億人までの範囲になっている。(8)この下限の人口は、混乱したこの世の終わりのような世界で壊滅的な集団死が起きることを想定している。一方、上限の人口は、決して安定しているとは言えない、破局的に人口が密集した世界を想定している。私の予測では、非常に長い目で見た場合、世界人口は下限に近い数字をやっと維持できる程度だと思う。問題は、段階を踏む合理的な計画によってその数字に到達するのか、あるいは互いに命を奪い合うことによって到達するのかという点だ。先進国は、適切な人口抑制が可能であることを説得力のある形で示した。今後の問題は、人口抑制を発展途上国で実現する良識をわれわれが持ち合わせているかどうかである。

では、どんな対策が取れるのだろうか。問題を解決する最初のステップは、その問題に向き合うことである。アフガニスタン、イラク、シリア、イエメン、エジプト、コンゴ、スーダン、ソマリアなどの極端に出生率の高い国々で、貧困や失業、作物の不作、水不足に直面した惨事が、このところ毎日のように数多く報じられている。ところが、そうした惨状の激化に間違いなく関わっている人口動態についての議論は、まったくと言っていいほどおこなわれていない。テロリズムに関する報道でほとんど触れられていないのは、人口過剰の世界で仕事や結婚のめどが立たず、自らの命以外に失う大切なものがない若者たちであふれた世界から(予想にたがわず)そうしたテロ行為が起きている、という事実である。また、多数の子どもを持つ若い女性の増加が、人口の時限爆弾となっていることも報じられていない。われわれはタブーを破って、人口過剰がその他多くの悲劇を引き起こす原因となっていることを、オープンに議論しなければならない。シーア派とスンニー派の紛争は決して単純なものではないが、そこではほぼ常に、多すぎるシーア派が、減少する資源をめぐって、多すぎるスンニー派と戦っている。それは、ツチ族とフツ族の争いでも、パシュトゥーン族とタジク族の争いでも、タミル族とシンハラ族の争いでも、ユダヤ人とパレスチナ人との争いなどでも同じだ。ほぼすべての戦争や内戦で、（すさまじい勢いで増え続ける）人口過剰の家父長制の部族が、（同じようにすさまじく増え続ける）近隣の部族と、急速に減少する土地や食料、水などの資源に対する権利をめぐって戦っている。人々がマルサスの道理をわきまえるまでは、抑制されていない人口を抑える要因は相変わらず戦争や、移住、飢饉だけとなる。

われわれの持続可能な生存ではなく、現状ではDNAの身勝手な利益にやみくもに仕えていると言っていい文化的伝統によって、とても大切にされている常軌を逸した生殖能力を、われわれはどの程度抑えることができるだろうか。それが簡単な作業ではないことが、今日の新聞に掲載されていた二つの記事からはっきりとわかる（たまたま出会った記事だが、同じような見出しが毎日登場しているように思う）。まず、トルコの大統領が、女性が働くことは非愛国的で女性らしくないと発言している。女性は家にいて、もっと子どもを産まなければならない、さもないと「半人前」だと言うのである。トルコはもともとの住民であるトルコ人とクルド人で、すでに著しく人口過剰となっているうえに、シリアからやって来た三〇〇万人の移民であふれている。(9) 信じられない状況だ。また、世界保健機関（WHO）は、ジカウイルス感染症の流行地域に住む夫婦に対し、妊娠の時期を遅らせるべきかどうかについて明言を避けている——最初は遅らせるべきだと言っていたが、その後「政治的公正」についての配慮や文化上の繊細な問題であることを踏まえて、明言を避けるようになった。(10)

人口過剰についてオープンに遠慮なく話すことを恐れ続けていては、それをなくすことはできない。そして、常に繰り返し起きるマルサスが示唆した惨事を最小限に抑えたいと思うなら、われわれは人口過剰について議論しなければならない。世界中で戦っている部族たちは、自らの生き残りをかけて相手と戦っているだろう。だが実際は自分たち部族の人口過剰と、それを促す不適切な文化的伝統に対して、勝つことのできない戦いを続けているのである。この問題を率直に語ることは、文化的伝統からはずれるように思える（また実際そうである）が、それは必要不可欠なことでもあるのだ。人口抑制をほのめかすことであおられる宗教的、および民族・部族的感情があまりに強く、理屈に合わないものである場合、われわれはその感情に立ち向かわなければならない。世界は人口動態に関し、至る所で粘り強く学ばなければならない――外交会議、ニュース報道、学校、できれば教会や寺院、モスクでも学ばなければならない。多くの子どもを持つことは、その子どもたちをさらに悪条件の人生に追いやることを意味する。生活の質は生活の量に勝るのだ。うまくいっている少人数の家族のほうが、飢えている大人数の家族よりもましである。人生の尊厳とは、われわれの子どもたちを大切にし、われわれが十分に養えない子どもたちとの苛酷な競争に彼らを追い込まないことだ。

生殖に関して、あらゆる宗教の原理主義者は、すでに窮屈で争いの多い世界をさらに過密にすることで生じる苦しみに気づく必要がある。アメリカは、家族計画に対する海外への資金援助を阻む厳しい規制を撤回しなければならない。また、カトリック教会は、避妊や中絶を撲滅するという見当違いの運動を考え直さなければならない。そうした運動は、生命の尊厳を守るためとされているが、結局は、飢えや病気に苦しみ、戦火に見舞われ、難民となる多くの人々に対して、最も尊厳が守られない惨めな生活を保証することになってしまう。どうしても家族計画を必要とする多くの国々に対しての政府の資金援助を、影響力のある福音派が妨げることを許してはならない。人口抑制は、世界でおこなわれるべき最優先事項で最も高い道徳的義務だ。人々皆を養うことができない世界で、最初に犠牲となるのは、常に道徳である。

ビル&メリンダ・ゲイツ財団は、柔軟な対策の採用についてよい手本を示している。財団の本来の希望は、健康を増進し、死亡率を下げ、女性を教育することによって、間接的な形だけで人口抑制を促すことだった。こうした対策がアフリカや南アジアの制御できない人口増加を止められなかった（逆に人口増加に拍車をかけてしまったかもしれない）とわかると、財団は数億人の女性たちに対して、家族計画の教育をおこない、それを実現する手段を与えるプログラムを拡大した[11]。世界中の政府や財団は、こうした例にならわなければならない。マルサスの助言にきちんと従わず、生ぬるい産児制限しかおこなわなければ、われわれは間違いなく、急激に深刻さを増す惨事に見舞われることになるだろう。

世界人口は、いずれにせよ、やがて資源を使い果たしたときに縮小する。われわれは人口について妄想に近い楽観論にしがみつき、最終的に戦争や流行病、干ばつ、飢饉といったありとあらゆる悲惨な結果に苦しむか、あるいは少しずつ丁寧に軌道修正し、生殖に関する賢い政策を推進するために協力し合い十分な資金を得て世界規模の取り組みを始めるかのいずれかである。多くの人々は、産児制限が罪であるという宗教上の固い信念を持っている。私からみれば、産児制限の必要性を妄想にとりつかれたように否定することのほうが、はるかに許されざる罪である。子どもたちは、彼らを到底養うことができない世界に生まれて苦しむべきではない。

トランプはいずれにせよ、避妊や中絶に関心などない。だが、共和党の大事な一翼を担う日和見主義者の福音派の指導者たちと、悪魔のような抜け目ない取引を交わした。福音派の指導者は、トランプがきわめて道徳心の少ない人間であること、また彼が産児制限に対する締め付け（中絶の制限や「プランド・ペアレントフッド」に対する資金の打ち切り）を、アメリカ国内だけでなく世界中でおこなわれている産児制限支援プログラムへの助成に対してもおこなうことを大目に見るだろう。トランプは約束を果たすために、副大統領としてマイク・ペンスを受け入れざるをえなかった——彼は長年、福音派の中でも最も過激な集団の手先となっている政治家だ。トランプは約束を破ることで有名だが、この問題ではペンスが約束を守らせた。年配の白人男性からなる少数グループが、何百万人という若い女性の生殖に関する権利を過激な形で制限した——その過程で、彼らはわれわれの世界を、マルサスが言う破滅的な崩壊への道に導いたのである。どういうわけかヒラリー・クリントンには熱烈な女性の支持が集まらず、その結果トランプに大統領職を奪われてしまった。以来女性たちは、生殖に関する容赦のない政策を実施するトランプへの不満を団結して表明し始めた。だがその規模はあまりにも小さく、行動を起こすのが遅すぎたようだ。二〇一八年と二〇二〇年の選挙が産児制限政策や人口増加に及ぼす影響しだいで、世界の運命が左右されると言っても過言ではない。

消費

ペトリ皿で培養されているバクテリア——その小さな皿には、バクテリアの餌がたっぷりと入っているが、その量には限りがある。大量の餌がある所で数個のバクテリアを培養した結果は間違いなく予想できる——バクテリアが猛烈に増殖し、とめどなく餌を食べる。やがて増殖したバクテリアで皿がいっぱいになり、餌はなくなってしまう——そしてコロニーは完全に死滅する。このペトリ皿のバクテリアが自らを消耗し尽くしてしまうのと同じような現象が人間の世界で起こることを「異化崩壊（catabolic collapse）」という。歴史上、成功を収めた複雑な社会はすべて、最終的に身の丈に合わない暮らしをするようになり、必要とする量、あるいは維持できそうな量以上の物を生産および消費したあげく、資源を使い果たして崩壊してきた。文明が消滅する直前に生産性がピークに達することは、考古学で常に明らかにされている——

最後に残るのは、うず高く積もったゴミの山だ[12]。

われわれの社会ほど、物を作り、消費し、ゴミとして捨てている社会はこれまでなかった。私が子どもの頃、おもちゃはたまにしか手に入らない貴重な物で、子ども時代を通じて一緒に過ごす大切な友だった。それに対して、息子の家でのクリスマスは豪勢なポトラッチ[*3]さながらで、ほんの少しだけ室内に置かれたあと、ガレージに追いやられ、やがてゴミ箱行きとなる物が山のようにあった。子どもは、そうした余分なおもちゃをもらっても必要ないし、そこから得るものはない。また大人も、欲しがるように教え込まれてきた余分なつまらない物は要らないし、そこから得るものはない。われわれが消費率を下げることができれば、われわれの社会はもっと長く生き延びることができるだろう。

残念なことに、われわれの経済政策はすべて、致命的欠陥のある正反対の想定に基づいている——つまり、絶え間ない経済成長は、国が生き残るために本来よいことであるだけでなく、基本的に必要不可欠なことだという想定である。経済成長が妨げられれば、「景気後退」「不景気」などと罵られ、人々にもっと金を使わせ消費させるための苦肉の財政・金融政策によって景気を「好転」させる。GDPのうちの相当な割合（七〇パーセント）は、役に立たないことが多い製品に対する個人消費に由来し、もっと効率的で持続可能な世界につながるインフラプロジェクトや研究のための支出は少なすぎる[13]。新車の生産台数は多すぎるが、公共交通機関のシステムは少なすぎる。また、需要先導で意味のない薬品研究は多すぎるが、いつか枯渇し大気を汚す化石燃料に代わるクリーンな核融合エネルギーに対する研究は少なすぎる。さらに中国からくだらない役にも立たない物を買いすぎている。広告業界全体が、ハクスリーの『すばらしい新世界』で痛烈に皮肉られた見境のない過度な消費を促すことに力を注いでいる。「流行遅れ」などによる商品の計画的陳腐化は、われわれの経済において重要な役割を果たしている。こうした状況はすべて、企業の利益をあげるという点ではすばらしいことだが、われわれの目標を単に「人々を幸せにすること」とした場合は、持続不可能で本質的に不要なことである。

発展途上国は、人々を貧困から救い出し近代化に向かう過程で、消費を増やさなければならない。ただし、これが公平で正しくかつ持続可能な社会となるのは、先進国が消費を減らすことによって途上国で増えた消費を相殺する場合に限られる。われわれは、経済成長や消費主義から、持続可能性や足るを知る方向に自らの姿勢、制度、経済を転換させなければならない――本当に必要としない物を大量に製造することをやめ、手が届く範囲の物から費用がかからない良質の幸福を得ることを重視するのだ。これまでよりも質素な生活は、たいていもっと幸せな生活である。

テクノロジー活用の見直し

現代のテクノロジーがもたらした、とてつもなく高い効率によって、（1）ますます多くの物を生産する、（2）労働時間が減る、（3）失業者がますます増えるという、わかりやすい三つの選択肢がわれわれに示されている。ジョン・メイナード・ケインズは、その時代の最も優れた経済学者で、資本主義の暗黒時代の救世主となった。彼は一九三〇年、人類に必要とされる労働時間はまもなく週に一五時間だけとなり、それによって自らの関心を深めるための余暇の時間が増えると、熱い思いを込めて予測した。それ以前の五〇年の間に急速なテクノロジーの進歩と週労働時間の削減の両方が実現したことを考えると、これは理にかなった予測だった[14]。資本主義を激しく批判していたヘルベルト・マルクーゼは、短縮し続ける週労働時間を道徳的観点からみていた――つまりそれは、浅はかな大量消費主義の「一次元的社会」から人類を守る唯一の方法だと考えていたのだ。マルクーゼはこう述べている。
「人々は手に入れた商品の中で自己を認識する。自動車、ステレオセット、スキップフロアのある家、キッチン設備に自らの魂を見いだすのだ」
そのような社会には、教養を高めるために許される時間はなく、自立する余地もない。過剰な労働が人間の生活を平板にするとすれば、労働時間を少なくすることは、われわれを三次元的人間に戻すために欠かせない。マルクーゼは「労働日数を減らすことは、自由を実現するためにまず必要となる条件である」と述べている。[15]
ケインズもマルクーゼもきわめて賢明な人物だったが、二人ともテクノロジーが余暇に与える影響に関しては、ほとんど予測できていなかったことがわかった――少なくとも現時点ではそう言える。テクノロジーの進化によって、労働者はさらに奴隷化するか、テクノロジーにまるごと取って代わられるかになった。歴史のさまざまな段階で、テクノロジー革命が起きるごとに、人々はその革命が起きる前よりも忙しく働くようになった。それは、常に生産性の向上によってさらに多くの産物が作られ、さらに多くの人手が必要とされたために、余暇の時間が増えなかったからだ。農業革命が起きる前の狩猟採集民には、革命後の農民よりも余暇の時間があった。また、産業革命が起きる前の農民には、工場労働者よりも余暇の時間があった。さらに、情報革命が起きる前の工場労働者には、コンピューターを操作する人よりも余暇の時間があった。おそらくグーグルは最善を尽くしてハイテクのユートピアを創り、今後も並外れて優秀で幸運な人々を採用し維持していくと思われる。羨望の的となっている特別な待遇は、美しいキャンパスのような労働環境、無料で食べられるグルメ志向の朝食・昼食・夕食、コーヒーとジュースバー、無料のフィットネスセンター、通勤用の無料送迎バス、手厚い出産・育児休暇制度などである――もちろん破格の金銭的報酬、自由に使える自社テクノロジー製品、優秀な同僚と働くチャンスを忘れてはならない。だが、スマートフォンやコンピューターでオフィスにつながれ、一日二四時間、三六五日対応することを期待され、倒れるまで喜んで働く競争相手がいるとわかっている中で、仕事から逃げる術はない。

持続可能な経済の重要な成果と言えば、誰もが労働時間が減少するものの、誰でも何らかの仕事はあるという状況であるのは間違いない。われわれは、ケインズやマルクーゼが思い描いたとおりにテクノロジーを活用する必要がある——われわれをもっと面白い人間にし、もっと何かに関心を持つ人間にし、物質的に貧しくはなっても、時間、知恵、幸福、人間関係ではもっと豊かになるようにテクノロジーを活用するのだ。生産性の大きな向上は、ほぼ無駄にされてきた。ほとんど必要のないものを作り、労働者を役立たずにしたのである。コンピューター化とGDP成長の抑制に伴う最大のリスクは、大量の失業者が出ることだ。これは生活の満足度に致命的な影響を与え、自殺の重大なリスク要因となる。週労働時間を短くして雇用を分散させ、失業者の保護を手厚くするのが、自殺を防止する最善の形であり、国全体の幸福の最も強力な誘因である。興味深いことに、北欧諸国で失業はさほど大きな不幸の原因とはならない。それは各国がきわめて強力なセーフティーネットを用意しているからである[16]。

資本主義のよい点は、市場の不均衡が税金や助成金、規制によってそれなりに容易に是正できることである。一方、悪い側面は、税金、助成金、規制条項に関連した不正が簡単におこなわれることで、優遇されている者はさらに優遇され、不利な立場にある者はさらに不利になる。われわれの税金や規制の規定は、ほとんどが産業界のロビイストによって起草されており、それが公共の利益や将来の世代を犠牲にして産業界の短期的利益を重視するものになっていることは驚くにあたらない。よいニュースは、簡単な調整をすれば、産業界に対する奨励策を正しい方向に修正できる可能性があることだ。たとえば、企業に対する、税金は、現在の収入だけでなく、企業の活動によって犠牲になった将来の利益である直接的機会費用にも課されるべきである（炭素税がその一例）。化石燃料や農業関連産業に対する手厚い助成金は、クリーンで持続可能なエネルギーや食品を製造できる競合企業に向けられるべきだ。また廃棄物の削減、インフラの強化、最も持続性のある社会的利益の創出のために、最高の効率を生み出す技術に対して減税がおこなわれるべきである。さらに、常に交換が必要な使い捨てのゴミではなく、長持ちする質の高い製品を作る技術に報賞を与えることで、買い換えを促すだけのモデルチェンジを終わらせる必要もある。われわれの経済はその健全さを保つのに、短期の消費者購買に依存するのではなく、長期の産業投資に頼る必要がある。現在長期の投資が停滞しているのは、企業が何兆ドルもの金を（税金逃れの目的でほとんど海外に）ため込んでいるからだ。

新たなテクノロジーは、燃料、金属、食料をかつてない効率で地球から取り出している――だが同時に、人口のさらなる増加、将来の世代のために残される資源の減少、汚染や環境の劣化、雇用の喪失という予期せぬ影響も出ている。われわれは世界を荒らすのではなく、きれいにする方向にテクノロジーを活用し直さなくてはならない。トランプ派の企業や富裕層が、政府の税・規制に関わる有力者を抱え込んでいることを考えると、税と政策の改革などは、非現実的で夢のように見えるかもしれない。間もなくやって来る恐ろしい難局が無気力を打ち破り、いつの日か分別のある指導者が、もっと公平で持続可能な政策を実施するだろう。だがこうしたことが本当に間に合うかどうか、悩ましい問題である。

人々の協力

集団の中のアリには、互いに協力したいという、持って生まれた欲求がある。差し迫って、あらがうことのできない完全なる欲求である。それぞれのアリは同じ集団（コロニー）にいるほかのアリと遺伝子的にきわめて近い関係にあるため、DNAにプログラムされた複雑な行動アルゴリズムによって、「皆は一匹のために、一匹は皆のために」というアリのスタイルが徹底され、コロニー内のすべてのアリに対し、生まれてから死ぬまで遂一取るべき行動が伝えられる。アリのコロニーの中では内戦もなければ、クーデターもなく、特定の主義に偏った論争も、わがままな言い争いも、けんかも、契約上のもめ事も、協定違反もない。一つのコロニーに属するアリの集団は「超個体」として機能している——孤立したアリは単体では生きられず、他のアリとの協力がすべてであり、コロニーの中での争いなど考えられない[17]。異なるコロニーに属するアリ同士は死ぬまで激しく戦うが、それぞれのコロニーは一つの生物体のように振る舞う。人体の臓器が単体では機能しないように、アリのコロニーもアリ単体では機能しない。人間の体が健康に機能しているのは、あらゆる細胞がその役割をわきまえ、他のあらゆる細胞と十分協力し合っているからなのだ。ある臓器の細胞が他の細胞を犠牲にして自分勝手に増殖したら、それはがんと呼ばれる。社会における協力の欠如は、社会のがんと言えるものになってしまうのである。

人間の内臓同士が完璧な形で協力し合うことには期待できても、異なる人間同士が完全に協力し合うことは、たとえ彼らが近い関係にあったとしても期待できない。自然選択によって、人間の設計仕様はアリとは大きく異なるものになった。これは幸いなことであるはずだが、今では悪いことである場合が多い——共通の利益のために尽くすことが、アリの場合ほど人間の性質には組み込まれていない。人間はせめぎ合い競い合う生き物で、協力と共有の能力はほんの限られたものでしかない。家族以外の場合なら当然、近い家族の間でも互いに競い合う。アリがこれほど生まれながらに社会的で、私利私欲のない見事な生き物に進化したのは、コロニーの中でアリ同士がきわめて近い類縁関係にあるからだ。人間は親類であっても、共有する遺伝子の数はアリに比べるとはるかに少ない――利他的行為に対する能力はいくらか持ち合わせているが、もともとは自分本位で個人主義であり、みな自分が一番大切なのは間違いない。お人よしはビリになるという恐怖を持つようにプログラムされているのである。血縁など近い間柄の利他的行為は存在するがその強さも、それが及ぶ範囲も非常に限られている。崇高な意図であっても、自分本位の関心事や、言い争い、公平・正義・善についての考え方の相違によって駄目になることが多い。だからこそアリのような共同体のスタイルで人間が生活する試み（たとえばユートピア的村落を目指したイスラエルの農業共同体である「キブツ」）は、最終的につまずき失敗するのである。

アリに対するわれわれの感じ方に矛盾が生じるのは当然のことだろう――共に働くその器用な才に感心せずにはいられないが、われわれが共通の利益に向かってこれほど自動機械のように動き、集団の中に埋もれてしまうと考えると恐ろしい気もする。人間は遺伝子によって、少なくともある程度はフランク・シナトラの歌にある「自分らしくなければ（I gotta be me）」という感覚を持つ――むしろそう感じるように仕向けられている。だが、歴史や地理的理由から、そうした感情の強さは文化によって大きく異なる。たとえば、遺伝的に同質で、混み合った環境の暮らしの中で圧迫感を早くから経験していた中国や日本のような社会では、個人主義よりも、孔子が唱えた協力を重んじる合意形成のスタイルが発達した。それに比べて、地理的にも遺伝子的にも異質な要素を抱えるヨーロッパでは、もっと個人主義が強くなる傾向にあり、そうした傾向が最大限に現れているのが、遺伝子的に異種が混じり合い、かつては開かれた国だったアメリカなのである。

世界は縮小し、アリのコロニーと同じくらい混み合い互いに依存するようになったため、われわれが必要とするものも変化した。徹底した個人主義がもたらす最悪の影響を克服できなければ、成功を収めた種として生きられる日数は残りわずかとなる。アリのように常にそろって協力することを人間に期待することはできないが、その協力の様子から何かを学び、それを現在の状況に生かしていかなければ、われわれは破滅する運命をたどることになる。

孔子の知恵は、人間の試み全般において、もっと大きな役割を果たさなければならない。世界の歴史の中で、世界規模の協力がこれほど欠かせないものとなったことはなく、また協力がこれほど容易になったこともこれまでなかった。協力が必須であるのは、人類の生存に対するあらゆる脅威が世界規模で生じ、そのすべてに対して世界規模の対策が間違いなく必要とされるからである。われわれは皆、とても混み合った小さな同じ船に乗っているため、自分の家族や地元の部族だけを守り、それ以外の人々をひどい状態に追いやって安心するわけにはいかない。われわれは共に沈むか泳ぐかである。幸い、われわれの問題を解決するために必要な世界規模の組織はおおむね順調に機能している（たとえば、国際通貨基金〈ＩＭＦ〉、ＷＨＯ、世界銀行や、数多くの非政府組織〈ＮＧＯ〉、慈善基金など）。企業の世界はもはや国境で分断されておらず、国境を越えて最大限に協力し合うときビジネスは最善の形で機能する。ヨーロッパは、世界で最も犠牲者を多く出した戦場から、世界最大の規模に統合された市場に生まれ変わった。

人々が世界規模で協力する必要性がかつてないほど高まり、また明白になっているにもかかわらず、これまでの達成状況にはがっかりさせられる。国連は到底連合とは言えないし、ヨーロッパ連合は移民やテロ、通貨危機に対応できる連合にはほど遠かった。ＷＨＯは感染症と戦うにあたっての組織づくりが不十分だったし、ＩＭＦと世界銀行は多くの批判にさらされた。またロシアと中国をめぐって何度か緊張が高まった。

ストレスが加わることで制度は強化されることもあるし、分解してしまうこともある。これまで見てきたのは、ほとんどがトランプ率いる解体チームによる破壊だ。だがまだそれは始まったばかりで、この状況が変わることを私は期待している。間もなく目をそらすことは不可能になるだろう――世界の人口増加は支えきれなくなり、石油やガスが底をつき、人間が気候をすっかり変えてしまい、空気を吸うことも困難になる。問題は、こうした事実に早く気づき、協力の規模を拡大して、修正できないほどひどくなる前に現状を持続可能なバランスにできるかどうかである。

自然の維持

私は幼い頃、家族と共にニューヨーク市の緑豊かな郊外に引っ越した。当時そこは、緑で覆われた場所とコンクリート地帯がほぼ半々だった。私は曲がりくねった道を歩き、小さいけれども、とても心を奪われる野原を抜けて小学校に通った。その野原には木々が茂り野の花が咲き、蝶やホタルが飛び、空想のカウボーイやインディアンがいた。その後、開発業者がやって来て空き地を食い尽くす開発を始めた。私が高校生になる頃には、不気味にそびえ立つアパート群がコンクリートの渓谷を作り出し、その間に点々と配置された、切手の大きさほどに見える芝生のエリアを見るにつけ、自然の世界が失われたことが悲しく思い出された。少しの間都会から逃れ、広々したビーチや公園、山などに行ったとき以外は、閉所恐怖症のような息苦しさを感じた。私が一番幸せを感じるのは、当時も今も自然と触れ合う瞬間である。

ウディ・アレンのような都会人――コンクリートに囲まれた世界を強く求め、土や風、砂、太陽を毛嫌いするような人間は確かに存在するが、少数派だ。人類の先祖は何千世代にもわたって自然の中に生き、自然の糧を得て暮らしていた。食料を見つけたり、何者かの餌食になったりしないために、彼らは実際の経験から得た植物学、動物学、地理学、気候に関する知識を持つすばらしいナチュラリストになる必要があった。また、そうした学習に秀でるためには、自然を好きにならねばならない。われわれ人類は、自然を美しいと感じ、生き物に魅力を感じるように出来ている(E・O・ウィルソンが言う「バイオフィリア〈人間が生得的に備えている生命への愛〉」)。森の中を歩いたり湖で泳いだりすること、美しい夕焼け、獲物を追うことを楽しめなかった祖先(のなりそこない)は、生存に必要とされる熱意に欠けていたと思われる。彼らの遺伝子は自然を愛する者の遺伝子に太刀打ちできなかった。農耕社会の始まりは一万年前、都市の誕生は六〇〇〇年前、工業社会の始まりは二〇〇年前、コンピューター社会の始まりは三〇年前だ。われわれはいざとなればどんな環境にも適応できるが、自然に反した環境に適応する力はわれわれの遺伝子に組み込まれていない[18]。自然保護運動家ジョン・ミューアの言うように、「森羅万象に通じる最もはっきりとした道は、森林の自然にある」[19]。

われわれがいつまでも変わらずに自然を必要としているにもかかわらず、自然に触れる機会は急速になくなり、われわれと自然との距離はますます広がっている。われわれは動物園、植物園、国立公園、キャンプ、魚釣り、狩猟、ガーデニングが大好きである(私が個人的に好きなのはビーチでのんびり過ごすことだ)。それは、少なくともしばらくの間、われわれを本来の居場所に戻してくれるからである。多くの途上国では近年、多くの人が田舎暮らしをやめ人口が密集してじめじめした都会に移り住んでいる。先進国の多くでは、悲しいことに関心を引く対象が現実からコンピューター上の仮想現実に変わっていってしまっている。子どもたちはほとんど自然の中で遊ばなくなり、先進国に住む大多数の人々は、ほとんどの時間、室内に閉じこもって生活している。われわれが自然のことを知り、その喜びを満喫することがなくなれば、自然と自然界の生き物を保護する適切な責任感を持たなくなるだろう。われわれは自然に帰り、その現実を生き、その中で息をしなくてはならない――そして子どもたちの顔をコンピューターの画面やタッチスクリーンから背けさせなければならない。

かつて母なる存在だった地球は今、われわれの子どもとなり、その保護と監督はわれわれの手にかかっている。人類が母なる自然を支配するまでには数十万年かかったが、それを破壊するのに要した期間はたったの数百年である。木を見て森も見える人なら誰でも、森が燃えていることがわかる――私が住むカリフォルニア州南部では、実に文字どおり森が燃えているが、喩えて言うなら今は世界全体が燃えている状態だ。自然界にとっての最大の脅威は、人口過剰、消費、経済的便宜という致命的な組み合わせである。「人々を養い雇用を生むために、この熱帯雨林を伐採しなければならない」「このパイプラインはわれわれの経済にとって必要不可欠になる」「これらの環境規制によってわれわれの仕事がなくなる」といった偽善的な発言が繰り返されていることは周知の事実だ。環境破壊を正当化するために用いられる経済計算は、ほんの数年間にごくわずかな人だけを利する短期間の収益性に常に基づいていて、何世紀にもわたってそれ以外の人々全員が負担する長期的コストを無視している。莫大な資金を持つ大企業・財界勢力は、毎年何百億ドルを投じて政治家を買収し、科学にケチをつけ、われわれが責任ある環境政策に従えば雇用が失われ経済が崩壊すると脅して一般市民を怯えさせている。企業と超富裕層は、全人類にとって明らかに有益とみなされるべき場合でも、環境保護の課題を醜い党派的な政治問題に変えてしまった。宗教とは関係のない大企業も、急進的な宗教右派と不自然だが強い同盟関係を結んだ。宗教右派は、道徳を細かく管理し規制することで頭がいっぱいになり、地球のよき保護者になるべきだという聖書の教えをほとんど無視している（彼らは、それをするのは神の仕事だと考えている）。幸い、見識ある宗教団体が近年「環境保護

(green)」の方向に向かっている——神から授かった美しい地球を守る責任を彼らは認識しているのだ。

環境保護運動はそれなりに活発ではあるものの、大資本や少なくなりつつある時間との苦しい戦いを強いられている。きわめて学識があり説得力を持つ代弁者の一人E・O・ウィルソンは、こう絶望の念を表している。

「われわれは妄想状態の中で生きている。特にアメリカは、世界にとてつもない重荷を背負わせている。われわれのこの贅沢な生活水準は、莫大な費用をかけて実現されている。現在のテクノロジーを活用して、世界に住む七〇億の人々の生活水準を、平均的なアメリカ人の水準にまで引き上げるためには、あと四つ地球が必要になるだろう」

現在も将来も、さらに四つの地球をわれわれが持つことはない。生き残るためには、たった一つの孤独な地球を、もっと賢くかつ優しく活用しなくてはならない。ウィルソンの解決策は驚くにはあたらないだろう。まず世界中の生物多様性ホットスポットにある広大な自然保護区域を保存する。また女性を教育し自立を支援することによって人口を抑制する。エネルギー消費量を徹底的に削減し、環境に優しい持続可能なエネルギー源の使用を劇的に増やす。さらに、新たな緑の革命によってより多くの食料を少ない土地で生産できるようにする。

地質学的時間の尺度では、人間が少しくらい手を出したところで地球はびくともしない。マンハッタンから人間を追い出した場合、ほんの数世紀で美しい森林がよみがえるだろう[20]。一二世紀、カンボジアは世界でもきわめて裕福で人口が多い場所だった。だが今は非常に多くの都市が再び生い茂ったジャングルで覆われていて、そんな場所だったとは思えない。一方、人間の短い時間尺では、われわれは自然を大きく傷つけ、自分もひどく傷つける可能性がある。自然は洞窟のカナリアだ——自然を破壊すれば、次に破壊されるのはわれわれ人間だ。自然を維持するには、長期にわたる経済的投資と道徳的義務、そして愛に根ざした努力が必要なのである。

夕暮れか、それとも夜明けか

人類は薄明かりの中、転機に立たされている――それは新たな暗黒時代が始まる直前の夕暮れ時かもしれないし、暗黒時代を抜け出す直前の夜明けの時かもしれない。ただ間違いなく言えるのは、われわれが持続可能性を達成できること、また達成しなければならないということだが、それが実現するかどうかは、いまだに恐ろしいほどはっきりしない。現在のやり方は少しも見込みがなさそうだ――実質的に持続不可能で、道徳的に崩壊し、信じられないほどばかげたやり方である。多くの国々は向こう見ずで無能な船長にかじ取りを任せ、われわれの小さな船は、人口過剰、貪欲な消費、激しい競争という最悪の嵐に向かって進む。ぎりぎりの所で航路を修正するのは難しく、成功する見込みは低いと思われる――しかしやらなければならない。それが不可能ではないことはほぼ間違いないのだ。イギリスの批評家サミュエル・ジョンソンは「絞首刑になるとわかった者は……すばらしい集中力を発揮する」と述べている。必要に迫られることは、徹底した改革の最良の母となるはずである。ひとたび改革を実現できれば、持続可能社会を維持することは容易になるだろう。難しいのは現状から先に進むこと――われわれが浸っている社会の妄想から逃れ、トランプ流のディストピア的暗黒時代に背を向けて進むことである。

トランプは石器時代の感情と中世の信念を持った矯正のしようがない男である。彼の政策は五重の惨事をもたらし、持続可能な世界に必要とされるそれぞれの局面にマイナスの影響を与えている。まずトランプは、国内外の家族計画への資金を打ち切ることで世界人口を増やすことに全力を尽くしている。また消費を促し、節約をよしとしていない。廃棄物や汚染を減らす可能性のある科学やテクノロジーに反対し、廃棄物や汚染を増やすプロジェクトを後押ししている。さらに公有地や自然保護区を高値をつけた入札者に売却するための大統領令に署名しようとしている。そしてこの大統領はおよそ他者とうまく折り合って働く気などないのだ。われわれの唯一の望みは、トランプが、とてつもなくばかげた政策のシンボル的存在となって、そうした政策に対する信用が永久に失われるようになることだ——大統領選挙のときだけでなく、議会においてもそうなることが重要だ。

[訳注]

＊1　母親世代の女性が等しい数の娘世代の女性を生み残す水準のこと。近年、ほぼすべての先進国、多くの中所得国、一部の発展途上国において出生率は置換水準を割り込み続ける状況となっている。

＊2　少子化対策として、カップルへの特典ツアーを企画した旅行代理店のキャッチフレーズ。そのCMでは、デンマーク国民がセックスをする割合は普段よりも旅行中のほうが四六％も多く、旅行中に受胎した母親から生まれた人はデンマーク国民の一〇％を占めるとされている。

＊3　北アメリカ太平洋岸のインディアン社会に広くみられる、威信と名誉をかけた贈答慣行。主催者は盛大な宴会を開き、客に蓄積してきた財物を惜しみなくふるまって自らの地位と財力を誇示し、客もその名誉にかけて別の機会にそれ以上のもてなしをする。

第八章
幸福の追求

幸せになるのに多くの幸せは必要ない。

——マーロウ

見知らぬ場所でのちょっとした出会いが心から離れず、その後の人生に対する考え方や生き方を変えることがある。二〇年ほど前、私はアマゾン川の支流で休暇を過ごしていた。すすけたように見える最寄りの石油の町から小さなボートに乗り、四時間かけて川を下った。泊まったのは小さなエコロッジである。土砂降りの雨が降ればすぐにでも流されるか、迫り来るジャングルに飲み込まれてしまうかのような建物だった。ロッジで働いていたのは一人だけだった——几帳面で有能な、ウィーン出身の小柄な男性で、整った口ひげを蓄え、口調には愛嬌のある訛りがあった。彼は、支配人、船頭、ガイド、料理人、ウエーター、バーテンダー、修理工、掃除係の仕事を一手に引き受けて働いていた——すべての役割を楽しそうに、しかもすばらしく落ち着いた様子でこなしていたのである。だが、そうした姿とは裏腹に、洗練された雰囲気も目についた――なぜこんな知的な男性が人里離れた所で、ほぼ肉体労働のようなことをしているのかと……。

身の上話を打ち明けたそうな人が目の前にいると常に、自分が精神科医であることを認めざるをえない――とはいっても、そういった話に耳を傾けることが、私の好きな休暇の過ごし方というわけではない。だがこの男性には話さなければならない過去があり、その話は聞いていてとても興味をそそられた。他に誰もいない湿っぽい暗闇の中で話を繰り出す彼の声は、コンラッドの小説の語り手のようだった。この男性をマーロウと呼ぶことにしよう。マーロウは二年前まで、典型的なヨーロッパの裕福な頭脳労働者として何不自由ない平凡な生活を送っていた。土木技師の彼は医師と結婚し一〇代の娘がいた。広く美しいアパートで、本やアンティークの家具、小型のグランドピアノに囲まれて暮らしていた。古いコインと現代アートの熱心なコレクターで、モーツァルトを愛し、グルメ料理と上等のワインが好きだった。

そして突然何の前触れもなく、順調だったマーロウの生活は破綻した。妻がちょっとした出来心で、たびたび彼の親友と性的関係を持っていたことを告白したのである。何の配慮もせずに真実を語ることを勧める、愚かな精神療法家にそそのかされての告白だった。親友が妻と最後に会ったのは数年前だが、妻はまだ罪の意識にさいなまれ、マーロウの理解と許しを求めていた。だが、彼は妻を理解することも許すこともできなかった。マーロウは、このことに「過剰に反応」した（彼がこう表現している）。冷ややかに頑として妻を拒絶し、激しい嫉妬にかられ、殺意につながるほどの怒りを感じ、深い悲しみに暮れ、深刻な自己不信に陥った。そうした苦悩をさまざまな処方薬や街で手に入る薬物で紛らわせようとしたがうまくいかず、もっと確実に、つかの間の気晴らしができる方法をアルコールに見いだしたのである。

マーロウはもともと乱暴な男ではなく、醜態を演じるようなこともなかった。しかし今回は自分の思考をコントロールすることができない。妻を殺すべきか、それとも自分が死ぬべきか、親友を殺すべきか、あるいは三人全員で死ぬか。彼の脳裏には、自分を裏切った二人が激しく愛し合う姿が絶えずありありと浮かび、二人のイメージ、音、匂い、思考、そして存在そのものに耐えられなくなった。不信感から妻との距離を置き、黙って怒りを抱えながら耐えがたい思いで六カ月を過ごしたのち、彼は妻から離れるか自分の命を絶つかしなければならないと決めた。そして、この二つの目標を同時にかなえる計画を思いついた。それは、父親を自死で失うとき娘が当然感じるであろう痛みと悲しみから娘をできるだけ守るための、しっかりと計算された計画だった。マーロウは、エクアドルの生態系と文化に親しむため二週間の休暇を取ると伝えた――手つかずの自然にある動植物を観察し、人里離れた村で現地の慣習を学ぶと伝えたのである。

このもっともらしい作り話は、彼が以前ラオスやマダガスカル、タイに同じような目的で一人旅をしたことがあったために、まったく疑われなかった。マーロウはひそかに、そして入念に自分の仕事、所持品、身の回りの事柄をきちんと整理し、遺言書を用意して自死の旅に出た。エクアドルのキトで、彼は森林地帯への旅に向けてチャーター機のパイロットを雇い、町から最も離れたジャングルの中の滑走路に飛行機を着陸させたあと、船頭を雇ってできるだけ奥の上流まで行かせた――それはマーロウ自身の心の闇に向かう、まる一日かけた旅だった。四日後に迎えに来てもらう船頭との偽りの取り決めは、マーロウの異国での自死を隠ぺいする方法だった。彼はもうどこにも戻れないほどに迷ってしまうまで、ジャングルの奥深くに歩いていった。確実にやって来る死をどのように迎えるかは運命が決めることである。

だが、計画は予定どおりには進まなかった。何日かたって、マーロウは朦朧としているところを、外界とほとんど接触のない親切な半遊牧民に発見された。彼らの看病によって、マーロウの健康状態は徐々に回復した。さらにその次の一年間、彼らがマーロウの心身に活力を与えたのである。マーロウは彼らの言葉を断片的に学んだが、彼の疎外感を癒やし自殺願望を取り除いたのは、彼らの無条件の優しさと、マーロウのようなみすぼらしい人間を彼らが温かく受け入れてくれたことだった。

マーロウがこれまでの生活の「中途にある家」として小さなロッジを経営する試みを始めてからすでに六カ月がたっていた。いまだに今後の人生で何をするべきかはっきりしないが、生きたいという熱い気持ちがあるのは確かだった。自分は過去に経験した二つの生活の境界にあるこの場所に、これからもずっととどまり続けるべきだろうか、それとも家族のもとへ、あるいは新たに友人となった半遊牧民のもとへ戻るべきだろうか。彼は、こうしたきわめて重要と思われる人生の決断を下すことに、あまり不安を感じなかった——マーロウは今、心の中心に安らぎがあり、それは予期せぬ外的環境に左右されないものだとわかったのである。私は最後の別れ際に彼を抱き締め、この尋常ではない波乱の旅から何を学んだかを尋ねた。すると彼はすかさずこう答えた。

「私たちに多くの幸せは必要ない、ということだ」

これは、身の丈に合わない暮らしをやめることをわれわれの世界に促す最良のアドバイスだと私は思う。本当に大切なものから生まれる持続的な幸福をもたらす選択肢を受け入れ、過剰な消費の追求から生まれる偽の幸福を、われわれは捨てなければならない。マーロウは本当の意味で賢く幸せな人間に見えた。一方トランプは、本当の意味で愚かで不幸な人間の一人に違いない。持続可能な社会にするために払う犠牲は、実は犠牲ではないのである。

快感原則と現実原則

快感を最大限に、痛みを最小限にするということは、最も基本的で古くから存在するあらゆる行動の動機である。数十億年前に初めて誕生した生細胞には、感触のよいものに近づき感触の悪いものを避けるという識別能力があった。ぜん虫やハエなど、数億年前に初めて神経系を進化させた地球上の下等動物がいまだに人間とまったく同じ神経伝達物質（ドーパミン）を活用していることは、進化の連続性と保守性をきわめてはっきりと裏づけている。食料、飲み物、セックス、他者との交流など生存によいことの追求を促す仕組みは、まさに人間と同じだ。扁桃体は人間の報酬系にとって重要な役割を果たすが、快感は、脳のあらゆる部位、特に記憶や意思決定の中枢との強いつながりを形成するほど大切なものである。

よい決断を下すには、快感の誘惑になんとか負けないようにし、苦痛がもたらす不快感に耐え、各人がどれだけのことを期待できるかについて現実的な観点を持つことが必要だ。ほぼすべての哲学者と心理学者は、快感と苦痛、さらにそれらと日常の現実との関係に向き合わなければならなかった。

古代ギリシアやローマのエピクロス学派の人々は、ニュートンやアインシュタインが登場する二〇〇〇年程前に実在した注目すべき科学者であり、現実に対する最も反直観的な原理をいくつか考え出している。彼らの理解によれば、まず単一のそれ以上分割できない原子が、万物を構成する基本的要素である。こうした原子が空間を四方八方に休みなく動き回り、時々互いに衝突して、自然界の複雑な物体を形成する。原子には所定の場所、番号、重量、形があり、われわれは高速で感覚器官に到達する原子を通して物事を知覚するという。エピクロス学派の哲学は、あくまで唯物論的である——神も迷信もユートピア的妄想もない。われわれにあるのは一度きりの人生と、たった一つの目標である――それは快感を追求し苦痛を最小限に抑えることによって、人生を精一杯生きることだ。そしてそれが可能になるのは、われわれが幻想に惑わされることなく、真正面から現実と向き合う場合だけである。[1]

エピクロスは自宅の美しい庭園や、地中海のそよ風、おいしい食べ物・飲み物を堪能した――だが、彼が定義する快感は、ハリウッドや『すばらしい新世界』の快感とはまったく異なるものである。快感は、つましい生活がもたらす平静さ、限られた欲望、自分と世界に関する知識の獲得、よい仲間、そして自らの勤めを果たすことから得られる。死は恐れるべきものではない。なぜなら、死は意識がない状態であり、われわれが生まれる前の状態（われわれがいない状態）と変わらないからである。エピクロスが最後に残した言葉は、生と死に関する彼の冷静で現実的な評価を表現している。

「この手紙をあなたに宛てて書いたのは、私にとっての幸せな日であり、私の人生最後の日でもある。というのも、私は排尿の困難と赤痢に見舞われていて、これ以上の苦痛はないと思うほどつらい。だが、哲学について思いを巡らしてきたことすべてを思い出すと心が明るくなり、こうした苦しみを埋め合わせてくれる[2]」

これは心の平静と度量の大きさを示す、われわれ皆にとってのすばらしい手本である。

ストア主義とエピクロス主義は、紀元前三世紀の同時期に発展したことから、相対する主要な哲学となった――一方は苦痛をなんとか耐えることに重点を置き、他方は快感を生み出すことを重視する。だが、これは些細な違いを強調するナルシシズムによる差異にすぎない――どちらの哲学も、世界を唯物論的に見るところや、世界での最善の振る舞い方に関する考えはよく似ていた。この二つの主義のうち、より厳格なストア主義は、残酷な運命が放つ石や矢に対する感情的な反応を抑えることの価値を教えた。「自然に従って生きよ」――もし自然が理性に導かれているなら、われわれ人間の本性も完全に理性的になるよう努めるべきではないか、また、苦痛や病、貧困、熱情、幸運にも無頓着であるべきではないか、と考える。ストア学派の人々は、われわれの社会の妄想に我慢できないだろう。彼らなら、地球の問題を解決するために理性を働かせ、問題解決の過程で直面する苦痛にひるむなと、われわれに忠告するだろう。[3]

唯物論に基づいた倫理学に次に大きく貢献したのは、二世紀前に登場したジェレミー・ベンサムだった。啓蒙運動につながる古代学問の復活に感化されたベンサムは、個人の道徳的判断と社会的決断に関する実用的な指針として、功利主義にのっとった計算法を編み出した。「自然は人間を、苦痛と快感という二人の王の支配の下に置いた。苦痛と快感だけが、われわれのしようと思うことを決定するばかりでなく、われわれのすべきことを指示している。その王座には、一方には正・不正の基準が結わえられ、もう一方には、原因と結果の鎖が結わえられている。苦痛と快感が、われわれのすること、言うこと、考えることすべてにおいて、われわれを支配している」とベンサムは述べている。ベンサムによれば、快感と苦痛は、その強度、持続期間、予測可能性、直接性、危険性、他者にも広がる一般性に従って、可能な限り正確に計測することができる。さらに、これらの数値を個人ごとに合計し、さらにそれを合計して社会全体の数値とすることができる。公共政策のよし悪しは、抽象的な原則ではなく、むしろ政策がもたらす実際の結果に即して判断される――最大多数に対して最大の善を、現在も将来にももたらしているかという観点で考えるのだ。[4]

功利主義は、欠点はあるが、必要不可欠なものでもある。その欠点というのは、価値判断から離れて功利を計測することはできないという点だ――たとえばヒトラーは、人類に対するきわめて残虐な行為をはたらく一方で、自分はドイツのために最大の善を促進する功利主義者だと主張できる。一方、功利主義が必要とされる理由は、個人の行動や公共政策にとって、これ以上よい指針がないからである。生存するうえで最も本質的な価値は何か、その達成の度合いを計測する最善の方法は何か、未来の長きにわたって人類の快感を守り、苦痛を最小限に抑える責任を考慮しつつ世界の快感を増やし、苦痛を減らす可能性が最も高い政策は何なのか――こうした課題に対して、気難しく面倒なわれわれ人類が協力して解決策を見いだせるかどうかが、まだ答えの出ていない重大な疑問である。

ジークムント・フロイトは、われわれの時代でひどく過小評価されることで、彼が生きている間に過大評価されたツケを払っている。神経病理学と進化論に対する確かな知見を持っていたフロイトは、人間の精神が、動物の祖先の脳を基本とし段階的に層をなす人間脳の構造を反映しているものだと直感した。無意識の脳の働きのほとんどは原始的な本能を満たすように機能し、即座の満足を得ようとする「快感原則」に従う。これに対して、意識的な脳の働きは「現実原則」に従う――これは、外界の要請や機会に対して、満足を遅らせ、合理的な理由づけをおこない、適切に対応する能力である。フロイトは「こうして教育された自我は『理性的』になり、もはや自らを快感原則に支配させることなく現実原則に従う。実は現実原則も快感を得ることを求めてはいるが、快感は現実を考慮したうえで確保され、延期されることもあれば軽減されることもある」と述べている。乳児は純粋に快感だけに従って生きている。その精神は、健全な現実検討の経験とともに快感原則を抑える能力が向上するにしたがって成熟する。[5] フロイトは、のちのダニエル・カーネマンによるシステム1とシステム2という思考モード区分に先駆けて、こうした区別をしていた。

社会の妄想は快感原則の具現化である――現実に向き合わず、誠実さも打ち捨てられる。フロイトはセラピーの目標について「イド（本能的欲動）あるところに自我をあらしめよ」と述べた。同様に、われわれの社会の目標は、合理的な長期計画を適用し現実世界の問題に対処することであって、短期の放縦な快感を助長する否認や願望的思考に従うことであってはならない。

トランプは快感原則を体現した人間だ――現実や真実などどうでもよいと思っている。羽虫のように集中力がなく、二歳児のようなかんしゃく持ちで、一〇代の若者のように衝動的で自分を大きく見せようとする。大多数の人々にとって現実は身にこたえるものだ――経験によって、われわれは自分が世界の中心にいないことを教えられ、自分をコントロールできないときは罰を受け、成長してルールに従うことを余儀なくされる。非常に裕福な家庭に生まれたトランプは、甘やかされて育った悪ガキの典型で、自分のニーズよりも他者のニーズを優先する方法を決して学ぶことがなかった。自分の人生で現実原則に悩まされることがなかったトランプは、大統領の決断に現実原則を適用できない類いまれな人間である。頭脳ではなく直感で国を支配し、本当の事実に向き合わずに「もう一つの事実」をでっちあげ、彼のわがままなレンズを通してあらゆる出来事をゆがんだ形で見る。われわれは、社会として成長し、われわれの未来の難題に対して現実原則を適用する必要がある。「快感原則」大統領であるトランプは、間違った時期に、間違った職についてしまった。

幸福の設定値

成長優先の経済から持続可能な経済に変わることは当然、混乱を伴う大きな影響をもたらす。そうした影響の帰結には、意図されたものもあれば、予想もできなかったものもある。一万年前の農業革命の到来とともに、まず不断の成長ということが人類を導く目標になった。四〇〇年前には、成長を加速させることが資本主義革命の目的となった。二〇〇年前の産業革命時とともに始まった桁違いの急激な成長は、現在のシリコンバレーで十二分に実現されてきた。世界を支配する多国籍企業は今、四半期の収益に一喜一憂し、長期的未来を守ることなどどうでもよいと思っている。一万年にわたって思うがままに浪費を続けてきたあとに、われわれの身の丈に合った生き方を学ぶのは簡単ではない。持続可能な社会に移行することは、避けられない困難と不公平を生むだろう。もし現状そのものが危険な選択肢でなかったとしたら、困難や不公平は、到底正当化できないかもしれない。

だが、多くの不安要素があるなかにも安心できることが一つある。多くの物を手に入れてもさらに幸せになることはなかったのだから、手にする物が少なくなれば幸せではなくなるということでは必ずしもない。収入がある一定の水準を上回ると、収入がさらに増えても幸福にはほとんど影響しない。こうした予期せぬ、直感に反した現象を最もうまく説明するのが「幸福の設定値」である。[6]

ホメオスタシス（生体恒常性）は、科学全般における最も大切な概念の一つである――一部の人々が生まれながらにして他の人よりずっと幸福を感じる理由、および外的環境が大きく変化しているように見えるのに個人の幸福が安定した状態を保ち続ける理由は、ホメオスタシスによって説明がつく。ほとんどの物理システムとすべての健全な生体システムは、フィードバックと自己調整により一定のバランスを保って自らを維持することができる。常に変化する内的・外的環境はそうしたバランスを乱す恐れがあるため、安定した状態を実現することは簡単ではない。結果として起きるのは動的平衡である。一時的にさまざまな動揺が起きても、連続的に起きる短期間の変化がそれを相殺し、長期にわたって比較的規則正しい状況を生み出す。人体の細胞は、高度なホメオスタシスの典型で、それらが一体となり機能する様は、チームワークの奇跡と言える。われわれは意識することなく、体温、血糖値、心拍数、血圧、酸素量、酸塩基平衡[*1]、水分補給などきわめて多くのことを安定状態に保っている。一年間、一日に一本ずつ余分にキャンディ・バーを食べ続けたとしたら（私のような人間は、いとも簡単にそんなことを考えてしまう）、体重は三〇ポンド（約一四キロ）ほど増え、数年後には相撲取りのような姿になるだろう。だが、われわれの体内の神秘的な働きのおかげで、体重は適度なバランスに保たれている。

さらに不思議なことに、幸運や不運によって人生に浮き沈みがあった場合でも、人間は恒常的な幸福のバランスを維持することができる。私は一九八〇年代半ばに、ＨＩＶ感染のリスクが高い男性を対象にある調査をおこなった。男性たちに対し、ＨＩＶ検査の直前と直後、さらに六週間後に再び一連の感情評価をおこなった。当時はエイズに対する治療が開発される前で、エイズと診断されるのは死の宣告に等しく、たいてい患者は一年以内に終末期の強烈な苦痛を伴って亡くなっていた。ＨＩＶ陰性というよい知らせを受けた人の精神的幸福の度合いが、突如として大きく上昇したことは当然のことだ。一方、ＨＩＶ陽性という命に関わる知らせを聞いた人の気持ちが突然落ち込み、うつや不安に陥ったことも同様に当然だった。だが、とりわけ驚いたのは、両グループとも六週間以内に、その幸福度が基準値に近いところまで戻ったことである。最高と思われる知らせも最悪と思われる知らせも、よい気分状態と悪い気分状態に、重大かつ永続的な影響を与えることができなかったのだ。

われわれの体内には幸福のサーモスタットのようなものがあり、無意識のうちにわれわれの感じ方を調整している。人生の中でのよい出来事と悪い出来事に従って、幸福の度合いは平均的な幸福の水準を中心に常に変化しているが、サーモスタットがそうした変化を水準値に戻すのである――ちょうどわれわれの体内にある自動的な調整システムが体温を保ち、体重をバランスよく維持するように。数々の短期的な幸福度の変化が均衡した状態になる理由は「快感順応」によって説明がつく。たとえば、宝くじが当たるスリルはそれほど長続きせず、やがて生活の中で抱えるいつもの心配事が押しよせてきて、われわれを現実に引き戻す。また、人は自動車事故で重傷を負うと打ちのめされるが、そうした大きなダメージは普通ずっと続くものではない。欲しかった物を手に入れることは、決して望んでいたほどすばらしいことではない。また持っている物を失うことは、われわれが恐れるほどひどいことではない[7]。

幸福の度合いは、長い目で見た場合、比較的一定の水準にあり、収入、年齢、健康状態、婚姻状態、友人の数よりも、われわれが持つ幸福の設定値によって決まる。まず間違いなく言えるのは、幸福はわれわれが持っている物の量によって決まらず、ずっと少ない物しかない将来に適応していくことは難しくないということだ。遺伝研究によれば、幸福のサーモスタットの設定値は半分が遺伝、もう半分が運や幼い頃の環境によって決まる。人生に対し安定した姿勢で臨むほうが、進化の過程で有利であることは明らかだ。すばやい快感順応によって、われわれは今この瞬間の出来事に反応するが、長期的に見れば、幸せの設定値に縛られている。人生でよいことが起きても悪いことが起きても、喜びの感情に圧倒されたり、絶望に打ちひしがれたりすることなく対処することができる。これがホメオスタシスの最も重要なところだ。自分の幸福の設定値にどれだけ近い所にいるかは人によっていくらかばらつきがある——なかには他の人よりも一時的に外的環境に大きく反応する人もいる——だが遅かれ早かれ、われわれの多くは幸福の設定値に戻るのだ。

なかには幸福の設定値をアルコール、薬物、向精神薬でごまかそうとする人もいる——だが、ホメオスタシスに打ち勝つことは難しい。アルコールと薬物は一時的に幸福感を高めるが、その後の幸福度はたいてい元に戻るか逆に低くなる。向精神薬は、幸福の設定値が精神疾患によって落ち込んでいる場合、その回復に役立つが、健常な人の幸福の設定値を上げられるというエビデンスはない。

幸福の設定値は、ずっと一定で絶対に変わらないというものではない。極度の貧困、長期にわたる失業、離婚、配偶者の死、慢性の病気、重い傷害はすべて、長い期間、おそらくは生涯にわたって設定値を下げる可能性がある。また人生を変えるような人との関わりがあったり、生涯の処世訓を得たり、治療で大きな効果が得られたりすると、設定値が上がる場合がある。だがほとんどの場合、われわれ自身の本質は変わらない。一方、われわれの経済は、成長重視から持続可能性に向かうように改め、生産するものをもっと少なくできる。それでもなお、われわれ大多数の幸福を維持できるだけの量よりも、はるかに多くのものを作り出せるのである。

人間のライフサイクルにおける、年齢と幸福の度合いを示したグラフは、きれいなU字型のカーブを描く。幸福のピークは二〇代で、その後中年期の四〇代で下降し、最終的には年齢を重ねるにしたがって上昇して、六〇代後半から七〇代前半で二度目のピークを迎える。こうした結果は性別や国、時代、さらには種が違っても変わらず（チンパンジーやオランウータンにも、彼らの年齢で言う中年の危機があり晩年の喜びがある）、財力、婚姻状態、子ども、雇用などの変動要素を調整しても変わらない。U字型カーブは、長生きし健康な老後を送る人々がいる裕福な国々でさらにはっきりと見て取れる。こうした幸福のパターンは直感とはかけ離れているように思える――高齢者が幸福感の競争でトップに立っているなどと誰が想像しただろうか。しかしよく考えてみると、これは当然の結果である。われわれを幸福にするものは年齢を重ねるにつれて変わる。若者が投稿するブログで強調されているのは「興奮、有頂天、高揚感」だが、高齢者が好むのは「平和、ゆとり、平穏、安心」である。われわれのような「年寄り」にはプレッシャーがない。人生のレースを走り終え、あまり心が乱されることなく、本当に大切なものを重視する――今あるちょっとしたよい事柄をありがたく思い、過去のよかったときのことに思いを馳せるのである。(8)

性別と幸福度の関係について不可解な矛盾が二つある。まず、女性はうつ病や不安症にかかる割合が男性の二倍であるにもかかわらず、全体的な幸福度は、男性よりも女性のほうがわずかに上回っていることだ。この矛盾を説明するには二つの説が考えられる。まず一般的に女性は男性よりも感情の幅が広いこと、あるいは非常に不幸な少数の例外を除いた大多数の女性が、男性よりも幸福である可能性が高いことだ。その両方が少しずつ影響していることも考えられる。二つ目の矛盾は、女性の幸福に関わる客観的条件が着実に改善してきたにもかかわらず、主観的幸福度が過去四〇年にわたって常に下がってきたことである。この矛盾はおそらく、現在一人で家計を支える女性が増え、仕事と家庭、子育てのストレスが強まっていることを反映していると思われる。成長にとらわれない経済政策の下、労働時間が短縮されることによって特に恩恵を受けるのは女性だろう(9)。

パーソナリティが幸福に及ぼす影響に関する多くの研究からは、一貫して外交的な人のほうが幸せで、神経症的な傾向のある人（たとえば罪悪感、怒り、不安の強い人）のほうが不幸だという結果が出ている。これは驚くような話ではなく、当たり前のことを言っている感が強い。人間関係は人を幸せにする。外交的な人は人間関係を作るのが得意だ。加えて、幸せなときにはずっと外交的になりやすい——幸福は内向性よりも外向性を生むのである。一方、罪悪感や怒り、不安があると、幸せになりにくい。思うに、幸福を、幸福以外のその人の特性や行動の決定を助ける独立した個人の特性としてみるほうが、意味があるのではないだろうか。実際、個人が持つ幸福の設定値は、その人の人生の行方を予測する最良の判断材料の一つだろう。もし私が誰かと結婚したり誰かを雇ったりする前に何か一つだけ知ることができるとしたら、その人がこれまでどのくらい幸せであったかを知りたい。また子どもに対する願いが一つ叶うなら、きちんとした幸福の設定値が子どもに与えられることを願いたい——それは見た目の美しさや頭のよさよりもずっと大事だ。魅力的な容姿は、女性の幸福に対してごくわずかな役割しか果たさず、男性に至っては何の役にも立たない。また、頭のよさと幸福の関係性は、知性に関わるほかの要因すべてを考慮した場合、ほとんど消えてしまう。(10)結論を言えば、持続可能な社会はとても幸福な社会になりうる。そして持続不可能な社会は、短期的な幸福を保証せず、長期的な苦痛を確実にもたらす。

国民総幸福量

一〇億ドルの財産、大邸宅、夢に見た自動車の購入、宝くじの当選、高級レストランでの食事、もしくはピカソ作品の所有から永続的な幸福が生まれるということは、幸福の判断材料としても、科学文献でも、賢者の格言でも、一般的な経験からも、裏づけられていない。幸福は、店舗で購入したり、インターネットで注文したりすることができない——広告でどんなことが謳われていようと買えるものではない。われわれは幸福を商業化し、まったく見当違いの場所で幸福を探している。人間の遺伝子は、五万年前に小さな集団で世界をさまよっていた祖先が入手できたものとまったく同じものから最大限の喜びを得るように出来ている。人生で最良のものは、ほとんどただで手に入る——内から生まれるシンプルな喜び、心を満たし長く続く快感だ。それ以外のほとんどは幻想で、はかなく消えてしまう——派手な現代の暮らしは貴重なものではない。

われわれは、国内総生産を気にするよりも、もっと頑張って国民総幸福量を向上させることで、世界を改善し幸福度を上げられるようになるだろう。かなりの活動がすでにこうした方向でおこなわれている。たとえば国連の持続可能な開発ソリューション・ネットワークは、二〇一一年から「世界の幸福プロジェクト」を開始し、参加国に対して、国の開発目標として幸福に重点を置くよう推《すす》めている。このプロジェクトは、おもにギャラップの世界世論調査をもとにしていて、毎年『世界幸福度報告』を発表している。[11] 国民総幸福量（GNH）の指数は、国の長期的な成功を測る指標として、現在の標準である国内総生産（GDP）よりもはるかに優れている。[12] GDPは、経済活動の利点を強調し、気づかないうちに人々に大きい幸せをもたらしている非経済的活動を著しく過小評価している――たとえば余暇、健康、家族や友人との共生、文化、教育、運動、安全、自然といったものだ。無駄なものを常に競って生産し消費する国は、資源を浪費し、環境を汚染し、人生を楽しむための時間と安心を国民から奪っているにもかかわらず、GDPの数値が高くなる。

国民一人あたりの経済生産と消費だけに重点を置くよりも、一人あたりの幸福を向上させる努力をしてはどうだろうか。政府は国民の幸福をその最も高い目標として掲げるべきだという発想には長い歴史がある。孔子が「よい統治が広く実現するのは、近くの人々が幸せになり、遠くの人々がそれに引きつけられるときである」と述べたのがその始まりだ。イギリス、フランス、ドイツ、シンガポール、タイ、韓国は、生産性や金銭的な蓄えだけでなく、「社会的な蓄え」の創出に政策決定の根拠を置くことに特に関心を示してきた。ブータンはGNHの実現に関して最も進んでいて、経済の健全性、環境、肉体の健康、精神の健康、職場の健全性、社会の健全性、ガバナンスを定量的に測定している。それらの数値の合計を人口で割り、「一人あたりの幸福度」を算出するのである。[13]

住んでいる国は幸福度に大きな影響を与える。国の幸福度を予測する最も重要な判断材料は、富、長寿、公平さ、自由な人生の選択、腐敗がないこと、頼りにできる人々や制度が存在することである。国の幸福度は時代によっても変わる――過去五年間に、六〇カ国で幸福度が上昇し、四一カ国で低下した。世界の貧困が軽減されるにしたがって、世界はいくらか幸福になりつつあり、地域による幸福度のばらつきがいくらか修正される傾向がみられる――幸福度は、その他のあらゆることと同様、グローバル化しつつある。幸福度ランキングでトップになる国に少し変動はみられるものの、スカンジナビア諸国、特にデンマークは常に上位グループをリードしている。そうした国々は経済が活発で、効率的な政府、効果的な医療、強力なセーフティーネットの仕組みを持ち、富の分配に不公平が少ないため、最上位に来るのは容易に理解できる。多少驚かされるのは、凶暴な悪党バイキングが暗躍した時代からほんの一〇〇〇年後に、北欧諸国の人たちが世界で最も優秀で理性的な市民になったことだ――おそらく社会の妄想を育む可能性は最も小さいだろう。かつて北欧諸国は成長重視の経済を世界で最も積極的に推進していたが、現在は合理的な持続可能性を実現した最良の手本となっている。他に高いスコアを示しているのは、オランダ、スイス、オーストリア、カナダ、オーストラリア、ニュージーランドだ。また近年ラテン・アメリカ諸国はスコアの上昇幅が最も大きく、経済力の割に健闘しているが、それが家族やコミュニティの強い絆に至上の価値を置いているためであることはほぼ間違いない。下位の国々は、著しく人口過剰で戦争やテロに苦しむ中東諸国、アフリカの大多数の国々、およびアフガニスタンである。持続的な幸福は、国の安定と安全に依存している。[14]

アメリカは、その富と国力にもかかわらず、幸福度ランキングではたいてい一五位から二〇位の間に終わっている。つまりアメリカ人は裕福になるにしたがって幸せになるという風にはなっていない。ＧＤＰが驚くほど増加し、物が格段に入手しやすくなっているにもかかわらず、現在のアメリカの幸福度に対する評価は、ほぼ四〇年前のレベルにとどまっている。富の格差が拡大しているために、富裕層には使い道に困るほどの金がある一方、中間層の人々はどうにか生活をやりくりし、貧困層は絶望している状態だ。

富をもっと公平に分配し、貧困に陥っている人々に社会的支援を与えれば、アメリカは全体的にもっと幸福な国になるだろう。超富裕層に必要な金は、今持っている額よりもずっと少なくてよい。とても貧しい人々は、基本的な最低限の金額を得る必要がある。貧困層および中流階級の収入と富裕層の収入がそれぞれ同じ割合で少し増えるとしたら、貧困層と中流階級のほうがずっと幸せになるだろう。アメリカの経済と税政策が、富裕層が他の人々を犠牲にして（国の平均的な幸福度を低下させ）、さらに裕福になることを許している現状を考えると、もっと幸福な国になるための一番の近道は、巨額の富や派手な消費に課税し、その税収を社会的サービスや持続可能性のプロジェクトに充てることである。強欲を減らすのはよいことだ。それが「皆は一人のために、一人は皆のために」の理想に近づく道だ。

他人の幸福を気にかけていては、億万長者になどなれない。トランプは金が第一の貪欲な人間で、自分と仲間がもっと大きなパイの切れ端を得られるように、ロビン・フッドの逆を行く税制度を提案した。億万長者で固められたトランプの閣僚は、リンカーンの「人民の人民による人民のための政府」を、超富裕層の超富裕層による超富裕層のための政府に変えている。当然ながらトランプは、派手な消費を促す世界の象徴でもある。彼自身の人生においても同様で、必要のない贅沢な（そしてまったく悪趣味な）物を皆に買うよう唆すのを習慣としている。一方、恵まれない世界の人々に対しては、「パンがなければケーキでも食べさせろ」と言わんばかりの態度だ。

正しい場所に幸福を見いだす

幸福がもたらされるには太陽が必要だと考える人は、雨の中で踊ってみたことがない人である。

——作者不詳

五万年前の人々を本当に幸福にしたものは、今の時代のわれわれも幸福にする。何千年何万年という時間の経過の中で、人類の歴史を引き継いできた世代は、時間をやり過ごすための新しい洒落た贅沢品を生み出してきたが、よい生活に必要とされる基本的な要素は長年驚くほど変わっていない。たとえば家族、友人、意味を見いだすこと、感謝の気持ちを持つこと、他人に与えること、自然を愛すること、体調を整え健康でいること、生命の計り知れない不思議を心から感じることなどだ。これらを実現するのに、今どれだけの物を持っているかは実は関係がない。またこれらを経験せず億万長者になったとしても、自分が救われるわけではない。幸福度に関する数々の調査結果はすべて、われわれがまったく間違った場所で幸福を探しているという重要な点に行き着く。幸福はわれわれの目の前、日常のありふれたものの中にある。それは自然やわれわれ本来の人間性との調和から生まれる。ショッピングモールやトランプホテルで埋め尽くされた成長型経済の歯車となることからは生まれないのだ。

イギリスの詩人ジョージ・ハーバートは、シェークスピアと同時代の目立たない人物だが、「よい暮らしをすることが最高の復讐である」という一節だけは、時代の試練を乗り越えて有名になった(15)。この言葉は、これまで実に多くの場合、われわれの社会がもはや楽しむ余裕のない、トランプ流の贅沢なライフスタイルを正当化するために使われてきた。二〇〇年前にアメリカの実業家エドマンド・バークはこう戒めた。

「われわれは、富を意のままにできれば、豊かで自由になる。だが、富がわれわれを意のままにすれば、われわれは実に貧しくなる」(16)

富で幸福を手に入れることはできないが、貧しければ確実に不幸を招くことになる。また、富で不幸を招く場合もあるが、それは（よくあるように）富を得ること自体が目的となったり、それを消費することにとらわれてしまったりするときである。幸福度は、年間一人当たりおよそ七万五〇〇〇ドル（他国なら相当の金額）までの収入と密接に関係している。その水準に達したあとは、いくら稼いでもそれまでよりずっと幸福になることはない[17]。絶えず動き続けていて疲ればかりがたまる室内ランニングマシンに乗って走り始めるようなもので、手に入れるものが多くなればなるほど、もっと多くのものが必要になり、成功を測るための競争相手はますます手強くなる。ひとたび基本的なニーズが満たされれば、人生で最良のものはプライスレスでありお金で買うことはできない。私が治療した最も不幸な人のなかには並外れて裕福な人もいた。一方、最も幸福そうな一人は、サンディエゴに住む私の親友だ。二〇年にわたってホームレスとなることを余儀なくされているが、それでも「生き生きと充実した時間」を過ごし、図書館や書店を回って、われわれの世界について知るべきことはすべて学んでいる。

貨幣の発明は人類史上ごく最近のことなので、われわれは、金に対する欲望を抑えるための健全な恒常性を保つ仕組みを進化の過程で身につけることができていない。われわれは通常、菓子店の商品を全部食べ尽くす前に満足できる――だが金銭の場合は、そういった満足感がなく、持てば持つほどもっと欲しい、もっと必要だと感じるようだ[18]。金銭のせいで、もっと満足感が得られるささやかな快感に目が向かなくなる。私が知り合った大金持ちたちは、新たに建てる豪邸のことを延々と気にかけ、常にその手直しをしていて、実際にそこに住んで楽しく過ごすことができない。実業家ハワード・ヒューズは、億万長者であることに伴う特別な不幸を身に染みて味わい、斬新な表現ではないが実に正確に、自らの人生経験について「金で幸福は買えない」と後悔の念をこめて述べた。ＧＤＰが少しずつ着実に減少する場合――これは世界規模の持続可能性を実現したいならどうしても必要だが――突如として幸福が崩壊することはないというのはよい知らせだろう。将来のよい生き方とは、もっとつましく、賢く、無駄のない暮らしをするということでなければならない。質素であることと幸せであることは、たいてい同じである。トランプは世界有数の金持ちで権力のある人間だが、とても不幸な人間に見える。彼が持っているものも、彼が成し遂げたことも何一つ、彼を心から満足させることがなかったのだと思う。

「主観的幸福」に関する調査をおこなった心理学者たちは、幸福を二つのタイプに区別している――その時々の快感と、人生に対する長期的な満足感だ。[19] これらの違いを最もよく示す例は、母親に見いだすことができる。子どもと一緒にいてもいつも満足できるとは限らない。特に子育てを忙しい仕事の合間にするときや、子どもの数が多い、あるいは気難しい子どもの場合はそうだ。だが、そうした人たちは母親であることを後悔しているわけではない――子どもを持つことは、長い目で見ればとても満足感のある経験であり、たいていの場合、一時のちょっとした犠牲や不快を経験するだけの価値があるものだ。

社会の妄想に屈したくないと思うのであれば、長期的な視点も持たなければならない。将来の世代の幸福を守るために今われわれが払う犠牲には、われわれの中にある即座の快感への期待を抑えることが当然含まれるだろう。だが、われわれの子どもや孫たちのために正しいことをおこない、われわれが見いだした世界よりも悪くしないでよりよい世界を将来に残すことが、深い満足感を抱かせる。われわれは皆、自分の家族のためになることをすると、こうした充足感を抱く。今この感覚を、人類、人類以外の種、そして皆が共有する地球の長期にわたる未来に向けて正しく振る舞うことに広げていかなくてはならない。

哺乳類であること

人間は哺乳動物である。その最も基本的な特徴は、人を愛し、絆を結び他者から愛されるという能力である。人生の最初（母親の胸に抱かれるとき）と最後（愛した人々に最後の別れを言うとき）、そしていつも、われわれにとって最も意義深い瞬間は誰かと分かち合うひとときである。これまで数十年の研究では、幸福な人とは他者との絆がある人だということが一貫して示されている。人間は孤立した状態では十分幸せになれない。人間関係を作るには時間がかかるが、現代人にはもはやその時間がない。起きている間のほとんどの時間を仕事や通勤、コンピューターの画面を見ることに費やしている。物の生産量と消費量を減らせば、われわれはもっと人生を楽しむ時間が持てる。物をどうしても手に入れたいという欲求の大部分は、誰かと共に過ごすという、もっとずっと深い心の底からの喜びを失ったところから生まれている。

人を幸せにするもののなかでトップに来るのは、常に人間関係だ。人との強いネットワークを持つことは、大きな幸福を保証するものではないが、その必要条件ではある。幸福な人の上位一〇パーセントは、愛する人と多くの時間を過ごしている人たちである。[20] 見かけだけの光りものを追いかければ、意味のある愛情を注ぐ対象が人間から物に移り、その結果、そうした愛情の意味が薄れてしまう。マルクーゼが提唱したように労働時間を短縮すれば、物質的な豊かさは減っても、家族や友人との絆はずっと豊かになる。

もちろん、すべての人間関係が同じように大切だというわけではない――大事なのは質であって量ではない。非常に親密な交友関係、もしくは家族との関係は一つか二つ、あるいは三つくらいで十分かもしれない。親しい人間関係のネットワークを広く持つことはよいことではあるが、本質的な価値はずっと小さい。最も大事なことは、いかに気持ちよく自分を相手にさらけ出し、また相手がさらけ出したことを自分も共有できるかだ。最も親密な人間関係というのは、最も開かれた関係であり、共有と協調を促す関係である。因果関係ははっきりしないが、結婚していることは、さまざまな問題があっても、幸福と強い相関関係を持つ。これには、多くの夫婦が親友のような関係であること、よいセックスをしていることも一部関係しているのだろう。ハリウッドの夢物語と違って、既婚者のほうが単身者よりセックスの回数が多く、それを満喫している——お互いによく理解し合い助け合えることが夫婦の魅力だ。よい性生活を送ることと幸福との間に非常に強い相関関係があっても、特に驚きというわけではない——進化というのは、まさにこうした形で進んだのである。[21] だが、一部の人々にとっては、家族よりも友情が大きな幸せになる——アメリカのコメディアンであるジョージ・バーンズは、「幸福とは、愛情深く、思いやりにあふれ、固い絆で結ばれた大きな家族が、別の街にいることである」と述べている。

人生の意味、受け入れること、感謝すること

アリストテレスは人間の幸福について、初めての、そして最良の哲学的分析を示した。彼は「人間が存在する究極の目的は何か」と問いかけ、「幸福こそ人生の意味および目的で、人間が存在する一番の狙いであり究極の目標である」と答えた。アリストテレスの幸福（エウダイモニア）の定義には、つかの間の快感も含まれているが、幸福とはそれらをはるかに超越するものだという。彼は世界の至る所に目的を見いだし、人間が生まれながらに持つ目的は、精一杯道徳的に生きることだとしている。「一羽のツバメが来ても夏にはならないし、一日の好日だけでも夏にはならない。同様に、一日の、あるいはわずかな期間の幸福で人は完全に幸せにはならない」。アリストテレスにとって幸福になることとは、善の実践に捧げる生涯を意味した。[22] このすばらしい忠告は現在にも通じる。アリストテレスが生きていたら当然、トランプを見て愕然とするだろう。だが同時に、理性的な思考と大人の責任を犠牲にして、つかの間の快感に走るわれわ

れの社会の傾向にも絶望するだろう。

人生に深い生きがいを見つけるには、一部のうわべだけの快感を犠牲にすることが常に必要だ。子育ては、子どもの快感と引き換えに親の快感を捨てることを意味するが、われわれの大多数が懸命に（おそらく懸命すぎるほど）そうするのは、長期間にわたる満足が短期間に払う犠牲よりもずっと重要だからだ。私が知る最も幸福な人は、他者を手助けする人生を送り、自分が心から信じる仕事に私心なく取り組んでいる人である。教師、看護師、ソーシャルワーカー、セラピスト、僧侶、ジャーナリスト、NGO職員、ボランティア、その他慈善行為をする人々にとって日々つらいことは、仕事に追われ、ストレスが多く、過重労働を強いられ、十分な報酬がないことである。だが、そうした彼らの善行が、十分な金銭的報酬がなくても成り立っているのは、その見返りとして、とても大きな満足感を得られるからに他ならない。一方、私が知る最も不幸な人は、生きがいをすべてなくしたと感じている人である――たとえば、子どもを亡くした親、仕事から引退した人、失業した人、生きる目的がない大金持ち、生きる糧が何もない極貧状態の人、孤独な人だ。

人生を快く、ありのままに受け入れることは、われわれ皆にとって日々の課題であり、ほとんどの宗教における中心的なテーマである。神学者のラインホールド・ニーバーが語った、キリスト教徒の人生の受け入れ方に関する言葉が私は好きだ。それはアルコホーリクス・アノニマス（飲酒問題の解決をお互いに支援し合う自助グループ）のモットーにもなっている。

「神よ、変えられないものを受け入れる心の安らかさと、変えられるものを変える勇気と、その両者を見分ける知恵をわれらに与えたまえ」

また、道教で「無為を為す」と言われていることは、文字どおりの解釈だと「何もしないこと」だが、アメリカのバスケットボール用語で大まかに言い換えると「無理せず流れが来るのを待て（Let the game come to you)」、つまり、不可能なことを目指して頑張るのではなく、時や場所に合わせて自然に振る舞うということである。孔子は「すべてのものには美しさがあるが、すべての人にそれが見えるわけではない」と言った。ユダヤ教の教えの中で私が好きな「何事にも時があり、天の下の出来事にはすべて定められた時がある。生まれる時、死ぬ時……」。「目には目をという考え方では、世界中を盲目にしてしまうことになる」という言葉は、ヒンドゥー教徒であるマハトマ・ガンジーの名言だ。仏教の教えで私が好きな言葉はダライ・ラマの「私は世界を裁かない」である。

感謝の念を持つ人は、嫉妬がなく寛容で、物質的なものに大きく依存せず、日常生活の痛みや苦労によりしなやかに対処する。私の臨床経験のなかで精神療法がうまく進み、成功したと言えるのは、人生をすばらしいもの、あるいは少なくとも耐えられるものにする些細な物事すべてに対し、患者の感謝の気持ちが劇的に向上した場合だ。われわれには感謝すべき対象がたくさんある。感謝祭の日だけ感謝するだけでは済まない。

「受けるよりは与えるほうが幸いである」（『使徒言行録』二〇章三五節）

古くさい言葉に聞こえるが、経験からこれは真実だとわかる。人間の本性について皮肉な見方をすれば、われわれは自分本位の受け手である。これはわれわれ全員に時々当てはまり、一部の人間（たとえばトランプ）にはいつも当てはまることが、経験から裏づけられている。だが、社会的行為や満足感に大きな影響を与える愛他心の遺伝子も、われわれの中に生まれたときからしっかりと組み込まれている。

共有することが生存にもたらす価値をめぐってはいろいろと議論がある――これほど多くの善良な人たちが進化の競争で敗れて最下位にならなかったのはなぜなのか。ある学派の主張によれば、近親者に対して何かを与えたり尽くしたりすることは、遺伝子の賢い働きによるもので、近親者が当人と同様の遺伝子構成を持つために、そうした働きをするという。私の我がままなDNAは、私を我がままにさせないことによって恩恵を被る――私のきょうだい三人が生き残れるように私が死を選んだとしても、私の遺伝子は生存競争で優位に立てるだろう。私一人が負けても遺伝子は勝つということだ。あまり有名ではないがもっともだと思われる別の進化理論では、愛他心が集団レベルで生き残ってきたという――仲間内の協力をとても上手に進めてきた部族は、そうでない部族よりも繁栄する確率が高かった。愛他心の遺伝子は、おそらく個人の向上と集団の生き残りの両方を通じて生き残ってきたのだろう。[23] いずれにしても、そうした遺伝子はわれわれをもっと善良な人間にすると同時に、人類の大きな希望となっている。

与えるほうが受けるほうよりも大きな快感を生み出すという事実は直感に反するように思える――贈り物を与える側と受け取る側のどちらが幸せかと聞かれたら、われわれのほとんどが受け取る側だと思うだろう。だが、われわれは一方的に貪欲で自分の利益だけを図る「ホモエコノミクス（経済人）」にとどまらないという、うれしい「快感主義の逆説」が研究で一貫して裏づけられている。あらゆる種類の実験で、被験者は受け取ることよりも与えることのほうに大きな幸福を感じることが明らかにされている。われわれは他者に共感する能力に恵まれ、他者の快感に喜びを感じることができる。誰かを幸せにするときが一番幸せであるというのは、なんとすばらしいことだろう――われわれの遺伝子は、われわれが我がままで意地悪なだけでなく、寛容で善良であるようにもプログラムされているのである。[24]

われわれが他者に寛容であると、他者もわれわれに寛容になる――互いの絆と社会的結束を強める相互作用のよいサイクルが生まれるのだ。社会的な交流は、厳しい時期にあるとき、互いの協力と富の分かち合いを促す。人類学にみられるその典型的な例は、北米大陸の太平洋側北西部に住むアメリカ先住民がおこなっていたポトラッチ・パーティーだ――これは誕生、結婚、死、勝利など、個人や部族の生活における特別な瞬間を記念する高度に儀式化された慣習である。最も成功した人々なら、一年を通して猛烈に働き、莫大な量の財物を蓄えているだろう。それをあまり恵まれていない人、あるいは進取の成果が上がらない人々に、派手に底抜けに気前よくすべて贈り物として振る舞うのだ。そんな「大物」は、政治と宗教の世界で権威ある肩書きと、部族の意思決定に関わる大きな力を与えられる。そしてその集団は、確実に冬を越せる再配分の仕組みを持つことによって報われたのである。[25] こうした気前のよさを競う戦いは、槍や拳で威信を確立することよりもずっとよい。生活に必要な物資を調達すること――そしてそれを与えることが得意な者だけが、人の上に立つ者となる。

ところが今あるのは破壊的な逆ポトラッチのシステムで、少数の大物がさらに大物になれるように、地球上の多くの人々を不利な立場に追い込んでいる（他人の物を奪いその人たちを食いものにするトランプや彼の閣僚たちのことだ）。幸い、地球をよくするために何十億ドルと投じている別の大物たち（ビル・ゲイツ、ウォーレン・バフェット、ジョージ・ソロス、マイケル・ブルームバーグ、マーク・ザッカーバーグなど）がいる。正気の沙汰とは思えない不公平さを考えると、さらに加えて八〇人の超億万長者（世界の貧困層に属する三五億人の総資産よりも多くの富を持つ人々）のなかから、もっと多くの人々がこうした例にならうことを願わずにはいられない。いったん基本的なニーズが満たされると、金銭というものは地位や権力を得るための一つの抽象的概念あるいは手段として働く。現状では、金銭がいびつに集中しすぎることで、あまりに多くの高値がつけられた実につまらないものが競うように追い求められている。ジェフ・クーンズの奇妙な作品が六〇〇〇万ドルで売れたとき、われわれの価値観は完全に崩壊した。その一方で、世界をよくするための真剣な取り組みに対する資金供給は著しく不足している。

乏しくなっていく地球の恵みを、奪うのではなく分かち合うための協調した取り組みにおいて、われわれは超富裕層が持つ巨額の資金だけでなく、市民一人ひとりの良心の力も動員しなければならない。公共政策は、ボランティア活動や、コミュニティの関与、市民としての行動を後押しすべきだ。公平な相続税の課税制度は、非金銭的な奨励策にあまり関心のない人々を動かす一助となる。また、与えることが一部の範囲にとどまってはいけない。われわれは地球全体の事柄に親近感を持たなければならない。はるか遠くで起きている問題が、すぐに身近な問題になることがあるからだ。名誉は、富を蓄えることだけでなく、それを公平に再配分することに対して与えられるべきだ。他人を食いものにすることではなく、人々を向上させることに対して与えられるべきである。『フォーブス』誌の富裕層上位四〇〇人を称賛するのではなく、最も心が広く賢明な、与える側の人々を誉め称えるべきだ。「大物」の満足感は、すべての人々の幸福に貢献するところから生まれるべきである。つまり、われわれ全員がささやかな形で「大物」になれるのだ。

不幸から幸福に向かう最も自然で最良の道筋は、自分が信じる理想を見つけ、それに向かって頑張ることである。私の友人の多くは、トランプの攻撃から民主主義を守るために盛り上がっている市民運動に参加し、期せずして芽生えた愛国心と満足感を経験している。微力ながら、本書がさらに多くの人々をそうした例にならうよう促すことが私の願いだ。

身体をいたわる

古代ローマの詩人ウェルギリウスは、二〇〇〇年も前に「最大の富は健康である」と述べていた。健康と幸福は持ちつ持たれつの関係である。健康であることは幸福になるために必ずしも必要ではなく、十分な条件でもないが、健康によって幸福に向けた最良のスタートを切れる。また、幸福は長寿を予想できる強力な判断材料である——それは喫煙と同じくらい大きな影響を及ぼす。大げさな宣伝とは裏腹に、幸福は病人を癒やしたり寿命を延ばしたりはしないだろうが、健康な人々を守るものではあるようだ。公衆衛生の観点からみると、もしわれわれが、過剰な（害になることが多い）医療に対して無駄金を使わず、人々の幸せと安心感を大きくするような社会的プログラムにもっと支出していれば、アメリカはさらに健康な国になるだろう。国民総幸福量の指数を向上させることは、ＧＤＰを向上させようと努めるよりも、健康改善のためのよい方法であることは間違いない。

運動は、心臓、頭、心、ウエストラインのためによい。肉体的・精神的健康を改善し、今のところ認知症を防ぐと実証された唯一の方法である。肉体的活動は、長い間人間に欠かせない本質的要素であったが、もはやそうではない。五万年前の時点で当然とされた平均的環境にあらかじめ適合した人間の遺伝子は、比較的少ない食料を得るために、人間が日々頑張ることを想定している。石器時代の人間の祖先は、とても元気だった。元気でいなければならなかったのである。生き残るためには、日々肉体的重労働が必要だった。たとえば狩りをしたり、あちこち探し回ったりして食料を集めること、準備を整え調理すること、薪を集めて火をおこすこと、水をくんで運ぶこと、住居を建て維持すること、性行為をすること、子育てをすること、季節ごとに移住すること、戦い身を守ること、共に歌を歌ったり踊ったりすることだ。その後の農業革命や産業革命によって肉体労働の性質は変わり、それほど多様ではなくなったが、引き続き並はずれて強健な人々は必要であり、数多く生み出されてきた。

このような状況が一変したのは、近年われわれが筋力の代わりに化石燃料を使うようになってからである。現在われわれの四〇パーセントはカウチポテト族で、残りの大多数は、自然や遺伝子が意図していた以上に座っている時間が長く、動かない。かつては必須の行為だった運動は、ある種の贅沢になった。われわれの遺伝子は、肉体的活動がほとんど必要なく、十分な食料が入っている冷蔵庫やファストフード店、そして食べきれないほどの大盛りが当たり前という環境に合うように作られてはいない。運動不足と過食は最悪の組み合わせだ。命に関わるパラドックスは、必要とするカロリーが大きく減少したのと同時に、カロリーの摂取量が爆発的に増えたことである。その結果、筋肉量が大きく減少し、体脂肪量が著しく増えている。

われわれの間ではまさに肥満が蔓延中で、喫煙に代わって公衆衛生上の一番の敵となっている。アメリカでは成人の三分の二、子どもの三分の一が太りすぎで、アメリカ人全体の三分の一が肥満である。そのため、ますます大きくなる身体に合わせて、あらゆるもののサイズを変えなければならなくなった――それは洋服、飛行機の座席、さらには棺にまで至る。肥満は、命に関わる多くの病状に対する大きなリスク要因であり、不幸や、恥ずかしさ、自尊心の低さの原因となることも多い。過去に多くの食糧難を経験した集団――たとえば、ポリネシア人やアメリカ先住民のピマ族の体質は、現在最もエネルギー効率がよく、摂取したカロリーを脂肪として蓄えることができるため、肥満およびそれを原因とする不快感や病気に苦しむ確率が高い[26]。肥満に関して、アメリカは世界のトップに立っているが、他国も急速にアメリカに追いつきつつある――それは途上国も同じことだ。さまざまな食料や味覚が世界に広がり、食生活が乱れた結果、至る所で健康問題が生じている。

ところが、アメリカ政府の政策は事態を悪化させている。健康な低カロリーの食品に対して助成金を出すべきだ。現状は、健康に悪いあらゆるものを食べたい気持ちにさせる異性化糖と呼ばれる甘味料に対して、農業関連の強力なロビー団体が政府に莫大な金額を投じさせている。儲けようという企業の欲のために、健康に悪い食べ物が安価になり、健康によい食べ物が高価になる。大盛りのサラダは、ビッグ・マックの三分の一の価格になるべきである。また、コカ・コーラの小サイズの価格は、大サイズ価格の小サイズ容量分に相当する額とし、特大サイズはなくすべきだ。私は現状を正当化する議論を信じない――肥満になることも公民権の一つ、太ることの多様性を支持するべき、太っていることは美しい、太っているのは人間の「本当の」姿、肥満はただの遺伝病、などといった議論だ。肥満を抑制するには、社会政策と個人の行動を変える必要がある。これが不可能だと思うなら、市民の怒りによって気弱な政治家たちが大手タバコ会社と戦わざるをえなくなったときにわれわれの健康に起きた奇跡を思い出してほしい。喫煙量が三分の二減少したのである。肥満に対しても同じような公衆衛生の取り組みをしていれば、同様のよい影響があった可能性がある。われわれがより健康で幸せになりたいのであれば、もっと運動を促し、カロリーの過剰摂取を抑える政策が必要となる。

健全な身体に健全な精神が宿っていた古代ギリシアと同様、身体を動かすことは幼稚園から大学院までの教育のなかの不可欠な要素であるはずだ。不要であることが多い治療に何兆ドルも費やすのではなく、数十億ドルを支出して、市民全員に対しスポーツジムの会費を助成すべきである。また、薬品や食品の広告ではなく、運動や健康な食生活に関する広告をテレビで流すべきだ。われわれは自らの身体との生き生きとした直接のつながりを失ってしまったため、それを取り戻す必要がある。ある人にとってそれは、きちんとしたトレーニングをすることであり、またある人にとっては、車での通勤やエレベーターの使用の代わりに徒歩で通勤したり階段を上ったりすることになるだろう。

カウチポテト族に運動を始めさせるのは大変なことだが、いったんカウチから離れれば、よいサイクルが始まる。運動によってエンドルフィンが分泌され、気持ちのよい満足感が得られる。運動をすればするほど、そうした満足感を繰り返し得ようとして、さらに運動をしたくなるのだ。身体と気持ちが一体となればなるほど、もっと身体を使いたくなり、身体によい栄養を与えたくなる。私はそのやり方を知っている――体重が増えないよう日々戦いを続け、少しずつだが体重は減り続けている。

心に糧を与える

この広大な宇宙に目的というものはないのかもしれないが、われわれは人間の尺度に基づいて、宇宙の中に一人ひとりにとっての意味を見いださなければならない。一般的に言われている意味では私は信心深い人間ではないが、宗教的な信仰や体験から人々が得る恩恵をとても大切なものだと思っている。とりとめがなく意味がないように思える世界に対して、宗教は意味を与える。また宗教は、孤独な世界にコミュニティを与え、希望がないと思える状況に希望をもたらし、喪失感に直面したときに慰めを与え、危険や死と向き合う勇気を与える。宗教的感情はどこにでも存在する。そうした感情の芽は、われわれの脳にしっかりと組み込まれているに違いない。われわれの祖先が暮らしていた生きるか死ぬかの過酷な世界では、宗教的信念と信仰共同体に支えられ、苦境に立ち向かうことができる人々に、生きるための闘いを勝ち抜く力が集まったはずだ。

ギャラップ、ピュー・リサーチ・センター、アメリカ世論調査研究センターの調査によると、アメリカでは宗教を信じる人々が信仰を持たない人々よりも幸せで、人生に満足し、よい性生活を送り、薬物中毒やうつ病、自殺の割合が少ないことがわかった。当然ながら、こうした相関に因果関係があることは証明されていない。幸せではない人、もしくは多くの苦しみを抱えた人ほど幻滅を感じ、宗教から離れているという可能性がある。また、信仰を持たない人のなかに不幸な人がいるのは、彼らが信仰心の厚い国で少数派となっているためだとも考えられる。ちなみに、オランダとデンマークは、世界で最も幸福な国として上位にあげられている——だが同時に最も信仰心が薄い国々でもあるのだ。

組織化された宗教にもその限界があり、数々の問題を生む場合がある。われわれの多くが、世界の宗教の物語や信条に詩的な美しさを認めながらも、それらが事実としては到底ありえないことがわかっている。これほど広大な宇宙の中で、「一羽の雀さえ、あなたがたの父のお許しがなければ、地に落ちることはない」(『マタイによる福音書』一〇章二九節)ということは、ほんのわずかでもありえないだろう。また、神が自分をかたどってわれわれ人間を造ったということよりも、われわれが自らをかたどって神を造ったということのほうが、はるかにそれらしい話だ。さらに、自分が信じる神が、相手の信じる神よりも優れているなどというのは、単純で危険な考え方である。選ばれし民というのは、自分勝手な主観の中だけに存在する。われわれ皆が神の子であるか、そうでなければ誰一人神の子ではないかだ。宗教が道徳的であることの必要な前提条件だという考えは、道徳的な無神論者と非道徳的な宗教上の偽善者がたびたび現れていることによって、誤りであることがわかる。われわれが戦争につながる宗教上の対立の橋渡しをし、保守的な人々が競うように子どもを産み人口過剰を招くことをやめさせることができさえすれば、もっとよい世界になるだろう。組織化された宗教は、社会の妄想を解決する助けにもなれば、妄想が手に負えないものになる後押しをする可能性もある——それは、過去の原理主義の信条にどの程度強くこだわっているか、また彼らが現在のニーズと将来の要求に対して責任ある対応をしているかどうかによってほぼ決まってくる。

正統派の宗教には祝福と呪いが混在しているが、そうした宗教のさまざまな形態すべてに備わる精神性は、ほぼ常に恩恵をもたらし、危険はほとんど伴わない。日常生活には快感もあれば、当然ながらつまらなさや失望もある。スピリチュアルな体験によってわれわれは精一杯豊かに生きることができる――落ち着き、心の安らぎ、受容、肉体的・精神的健康の向上を実現できるのだ。日々の体験という森の中で道に迷ったり、自分が存在することの不思議を見失ったりすることは簡単に起きる。幸福の絶頂は、過ぎていく一瞬一瞬に没頭し、過去に対する後悔や、将来に対する不安・期待を感じていないときに訪れることが多い。

心を豊かにしマインドフルネスを実現するためにきちんと訓練する流派は、何百、何千とあるだろうが、私は、ただこの瞬間を生きるという自己流のやり方が好きだ。私にとって心が豊かになる行為とは、自然の中に迷い込むこと、今生きているという信じがたいことに胸を躍らせること、『ユリシーズ』の中のすばらしい一節を読むこと、歌を聴くこと、チョコミントアイスクリーム、孫の笑顔、その他に私を感激させ心を高揚させる多くのものである。人は皆、自分にとって心の糧となるものを見つけなければならないが、平板な現実を超越した境地に一時的にでも入ることができなければ、人生は間違いなく退屈で空しいものになる。幸福な人はたいてい精神的なものに価値を置く人であり、精神的なものに価値を置く人はたいてい幸福である。

間違った場所で追求する幸福――薬物の罠

マルクスは、宗教は民衆のアヘンだと言った――宗教によって民衆は世の中の問題に目を向けなくなり、受け身の姿勢をとって、受け入れがたい現状を受け入れるようになる。今では、向精神薬が人々をよい気分にさせて、社会を否認することを助長している。アメリカの成人のほぼ三分の一が、肉体的もしくは精神的苦痛を和らげる目的で、合法のあるいは違法な薬物を摂取している。また、非常に多くの人々がさまざまな薬物を同時に摂取していて、薬物の過剰摂取がおもな死因の一つとなっているほどだ。[27]

『すばらしい新世界』でハクスリーは、気分がよくなる万能薬を「ソーマ」と呼んだ。この名前は二五〇〇年前にサンスクリット語で書かれた聖典から取られたものである。[28] ソーマは神の名であり、祭式で供される飲み物でもあった。行動を刺激し薬効や精神的効果の高いソーマは、聖典にある数多くの賛歌で讃えられている。ソーマに含まれる刺激成分はおそらくマオウ（麻黄）で、今でも薬品に使用されている化学物質であり、パフォーマンス向上薬として、またメタンフェタミンを作る原料として用いられている。ハクスリーの向精神薬についての態度はひどく幅があって明確ではなかったが、生きていく中で向精神薬によって自らの体験が広がったことを認識して、その考え方は大きく変化した。一九三二年に出版された『すばらしい新世界』の中では、ソーマは人々を危険に導くもの――人間の精神を麻痺させ、人間以下の存在におとしめるものだった。二六年後、彼は『人間の精神を形成する薬物』（原題 *Drugs That Shape Men's Minds* 未邦訳）というエッセイの中で、「薬物は人間が自らの魂を見いだし、知覚を研ぎ澄ます一助となる有益な手段である」と述べている。[29] 気持ちのよい幻覚状態を十分に経験すると、薬物にきわめて懐疑的で自制していた人でも、極めつきの信奉者に変わってしまうのだ。

ハクスリーは、薬物愛好者の古くからの伝統にならっている。考古学や人類学で示された証拠によれば、人類はその歴史が始まったときから、薬物による興奮状態を経験している。さらに動物は人類が登場する以前からそうした経験をしていた。薬物中毒は種の違いを超えて生じる弱みで、人間が作り出したものではない。われわれ霊長類の祖先も、母なる自然がバーテンダーとなって飲み物を出してくれるときは常にそれを好んで飲んでいた。誰にも食べられず地面に落ちた果物は発酵してアルコールを醸成し、それによって高いカロリーと心地よい陶酔感という最高の組み合わせを摂取する者に与える。野生のベルベットモンキーのアルコール摂取パターンは、人間と非常によく似ている。若いベルベットモンキーは、大人のベルベットモンキーよりも酔うことが多く、大人は、まったく飲まない者、付き合い程度にたしなむ者、大量に飲む者、そして最終ステージのアルコール中毒者に分類され、それぞれの割合は人間とほぼ同じである。[30] 神がアダムとイブに禁断の果実を食べないように命じたのは、彼らがその虜《とりこ》になってしまうことを恐れたからだろう。リンゴはどのくらいの間、地面に落ちていたのだろう。最初に薬物の密売者となったのはヘビだったのだろうか。

植物が寄生虫や若芽を食べる動物から身を守るために出すさまざまな自然由来の精神作用物質を、野生動物も乱用している。そしてわれわれ人間もそうした物質を好む。アヘンの原料はケシ、マリファナは大麻、コカインはコカ、サイロシビンはキノコ、ニコチンはタバコ、カフェインはコーヒーだ。アラビアチャノキにはアンフェタミンに似た興奮物質が含まれる。馬はロコ草が好きだし、ネコはイヌハッカ、ジャガーは精神作用のある熱帯性のツタ、トナカイはキノコ、ワラビーはケシ、ブタはカンナビノイドを含むトリュフを好む。一部の動物は自らの身を守るために、幻覚作用のある毒を作り出している。キツネザルやそれ以外のサルも、ヤスデが分泌する有毒化学物質から陶酔感を得ている。毒アリを羽毛にこすりつける鳥もいる——これはおそらく寄生虫から身を守るためだけでなく、陶酔感を得ているからだろう。毒を持つヒキガエルからは、精神作用のある分泌液を毎月絞り取ることができ、その液には商品としての価値がある。自然はまるで、精神作用薬を各種取りそろえたドラッグストアだ。[31]

人間は自然の薬物をもとに創意工夫を凝らして、ますます強い薬物を作り出した。人間のシナプスは、一〇〇以上の神経伝達物質の効果のバランスをとるように進化し、各物質は調和のとれた平衡状態を維持するチームの一員として働く。ところが現代の薬物は、言わばオーケストラピットを占拠し、オーケストラの他のメンバーを完全に圧倒している状態だ。コカインとアンフェタミンは、シナプスから放出されたドーパミンの回収を阻害し、報酬系をこれまで意図されていなかったレベルまで急激に活発化させる——その後、ドーパミン濃度の急上昇がなくなると、避けがたい禁断症状に襲われ無性に薬物が欲しくなる。体外から侵入した薬物が、快感をつかさどる報酬系を完全に支配し奴隷にしてしまうのである。飢えたネズミは（飢えた人間のコカイン中毒者と同じように）食料ではなくコカインを選び、コカインが与え続けられるようにするためだけに、一時間に何千回とレバーを押すことを数日続けたあげく、疲れ切って死ぬ。ネズミはコカインをもらうためなら痛みを伴う電気網の上を歩く——それはまるでコカインから引き離された中毒者が、魔法の粉を得るためにとんでもない行動をとるのと似ている。ニコチンとカフェインは、ドーパミンにそこまで大きな影響は与えないが、それでも何億という人々が中毒になるほど強力な効果を持つ物質である。

ヘロインと処方薬のオピオイド系麻薬は、こうした物質と似ているが、快感を脳内でつかさどるエンドルフィンの働きをさらに危険な形で圧倒し、命に関わる可能性もある。オピオイド受容体部位が飽和状態となることによって、普段は制御され有効に働く報酬系が著しく活性化され、薬物に対する抑えきれないほどの強い欲求が生まれる。大脳皮質が薬物の使用をやめたいと思っても、貪欲なオピオイド受容体との戦いに負けてしまうのだ。[32]

アルコールは神経伝達のさまざまな側面に影響を及ぼすため、毒にも薬にもなる。アルコールは神経細胞膜にすばやく作用する高い親和性を持ち、細胞膜にあるイオンの通り道で正常なイオンの流れを妨げる。また、酵素の働きに影響を及ぼし、アセチルコリン、セロトニン、ガンマアミノ酪酸（GABA）、N-メチル-D-アスパラギン酸（NMDA）の各受容体に結びつく。アルコールは適度に摂取すれば健康に害はなく、かえって身体によい場合があるが、大きな負の側面がある。アメリカ人のおよそ八パーセントは、短期的には行動の悪化、長期的には認知症や肝臓病につながる可能性があるアルコール中毒に陥っている。アルコールは事故死、殺人、自殺、病死のおもな誘因の一つだ。[33]

アメリカは、これまでで最悪のオピオイド中毒の蔓延に直面し、今やそれは全世界に広がっている。毎年三万人以上が亡くなり、何百万という人々が医療行為を原因とする中毒にかかっている。ケシは医薬として、精神を高揚させるものとして、また気晴らしとしてずっと用いられてきた——それは常に何らかの害をもたらしているが、今ほど惨たんたる状況はない。これは、医薬品業界が薬物を強力に売り込んだことに加え、ますます強い効果を持つオピオイド誘導体（たとえばカルフェンタニルの作用の強さはモルヒネの一万倍）を合成したことも大きな原因である。鎮痛剤の不用意な処方の根本的な原因は、医師や患者の間で、どんな問題にも対処できる薬物があり、どんな痛みや苦痛もすぐに抑えられる対処法があるという期待が広まっていることにある。個人であろうと社会であろうと、複雑な問題に対して簡単な解決策を求めると、事態をさらに悪化させることが多い。[34] 世界の歴史上、街角で薬物を買うことがこれほど危険を孕んでいたことはかつてなかった——今はきわめて多くの薬物に、超強力な効果で死に至らしめるような合成物がひそかに混ぜられている。それでも薬物の取引は終わらない——合法であろうと違法であろうと、そこには莫大な利益が生まれ、薬物の虜《とりこ》となっている者が大勢いるからだ。

マリファナは、脳内で自然に発生する神経伝達物質によく似ている。独特のさまざまな危険性はあるも

の の 、 オピオイドが持つ破壊的効果に匹敵する危険性はない。まともな世界であれば、マリファナが合法、処方薬のオピオイドが違法であって、その逆ではないだろう——だが、製薬会社は麻薬組織よりも政治的なロビー活動にずっと長けている。ちなみにマリファナを合法とする州では、オピオイドの過剰摂取による死亡者数が大幅に減少している[35]。

セロトニンがなければ、脳内にはほとんど何も起こらない。セロトニンの一四種類の受容体は、セロトニン以外のあらゆる神経伝達物質が持つ機能の調整を助け、気分や不安、攻撃性、性機能、食欲、睡眠、学習、記憶、吐き気、体温を調節する。遠い昔、セロトニンはミミズの体内でつつましく誕生したが、今では精神医療で最も広く用いられる薬物がセロトニンをターゲットとしたり、セロトニンが(吐き気や片頭痛を抑える)医薬品に使われたりしている。選択的セロトニン再取り込み阻害薬(SSRI)は、本当にそれを必要とする比較的少数の人には有効だが、製薬会社のマーケティングに踊らされた多くの人々が過剰に使用すると効果がなく、かえって害をもたらす。SSRIは、精神疾患の症状を治療する場合にのみ効果を発揮し、ソーマのように幸福感をもたらす驚くような性質は持ち合わせていない。また、ソーマでは副作用も禁断症状も起きないが、SSRIではその両方が起きる。つまり、治療以外でSSRIを摂取する大多数の人々にとっては、ほとんどメリットがなく大きなリスクを伴う、きわめて高価な偽薬でしかない[36]。

アメリカは特に薬物に溺れている。世界人口の五パーセントを占めるアメリカ人が、世界で販売されているすべての処方薬の五〇パーセント、および処方薬としてのオピオイド系鎮痛剤の八〇パーセントを消費している。またアメリカ人の一〇パーセントは過去一カ月以内に違法薬物を使ったことがある——つまり、二〇〇〇万人がマリファナを吸い、五〇〇万人が別の薬物を使用している。皮肉なことにアメリカでは、アルコールだけは比較的適切な量が使われている――一人あたりのアルコール年間摂取量でアメリカは世界で四八位だ。実際、深刻な精神上の問題や苦痛の治療のためにどうしても薬品を必要とする人がいる。また節度を守れる大多数の人々が、気晴らし程度に薬品を使う場合は、おおむね害なく楽しむことができる。だが、薬物は多くの人々にとって非常に破壊的な影響があり、一部の人には死をもたらすことさえある。さらに、薬物使用の蔓延によって、アメリカは病んだ社会になる危険がある。化学物質が即座に問題を解決してくれると期待することは、政治がすぐに問題を解決してくれるという期待につながりやすい。一日を乗り切るために、市民の三分の一が薬物や飲酒を必要としている中で、成熟し、苦境にめげない、責任感のある市民層を形作ることは難しい。薬物にまみれたアメリカ社会は、社会の妄想を助長し、社会の妄想を持つ人を助ける。社会の成熟を否認することをやめ、ありのままの現実に向き合える成熟した社会を実現したいと思うのであれば、われわれは、かつてない薬物依存から少しずつ抜け出さなくてはならない(37)。

大切なもの

長く生きていると、大切なものと、そうでないものとがわかるようになる。私を幸せにするものは、すぐ近くにあり、だいたいはほぼ無料で、簡単に手の届くものだ。たとえば、肌に太陽を感じること、髪を通り抜ける風。妻に朝刊の内容を要約すること。成長した孫たちと歴史について語り合い、小さい双子の孫とバスケットボールをすること。昔の映画を観ること。新しい事実を学ぶこと。大好きだった本を読み返すこと。ビーチでの昼寝を存分に楽しむこと。未知の新しい場所を訪れること、またよく知っている大好きな場所を再び訪れること。ピザ。ミネラル炭酸水。スニッカーズのチョコバー。私が、まだ歩き、泳ぎ、テニスボールを打つことができるという事実。ハグ、ジョーク、家族との食事、子犬、オレンジ色の夕焼け、正しいことをしたときの満足感、子どものくすくす笑い、面白い言い回し、足首の形。物忘れがそれほど進んでいないこと。そして愛を交わすこと。今の私の希望は、数週間以内に使い切れないほどの物を買うことでは決してない。新しい服も家具も飾り物のがらくたも買わずに余生を送りたいと思っている。車や機器の類は、駄目になるまで使う――できれば私が駄目になったあとも使ってほしい。形のある物との新たな煩わしい関係は要らない。物はあなたを幸せにしない。あなたを幸せにするのは人である。運がよければ、私は自分が好きな人々を失うことなく、可能な間はそうした人たちを助け、あまり重荷になることはないだろう。

われわれは、物の豊かさ、長寿、個人の安全、比較的平和な状況、低い犯罪率、きれいな空気と水、驚異的なテクノロジーに恵まれたかつてない時代に生きている。歴史上の標準的な環境と比較して、現代は先進国に住む大部分の人々にとって最高の時代である。船がスムーズに進んでいるときに満足を感じるのは比較的簡単だが、犠牲を免れた未来の幸福を期待することは、誰一人としてできない。われわれは皆、物を持つことよりも、人々との関わりを重視して生きることを学ばなくてはならない。

われわれには絶望する理由も、自らを気の毒に思う理由もない。人間として生きることはこれまでも決してやさしいことではなかった。今われわれが抱える難題は、困難に思えるかもしれないが、黒死病や三十年戦争、聖書にある干ばつに比べれば大したことはない。われわれの文明、そしておそらく人類そのものは、自分本位の期待を抑え、愛他的な協力を広げることによってのみ生き残ることができる。そのためには、われわれの行動と制度を大幅に変えることが必要になるだろう――ただ、未来を守るか破壊するかが、完全にわれわれ自身の手にかかっているとわかっていることは心強い。
社会の妄想は、蓄える価値のないもの、また本当の幸福と健康にとって本質的でないものを守ろうとする。人類は今の状況にすぐに気づき、うまく手段を講じさえすれば、まだすばらしい能力を発揮できる。われわれ人類には、危機に直面したとき、それを跳ね返してきた長い歴史がある——われわれは繰り返し困難に立ち向かってきた。今われわれに求められている犠牲に対して、しなやかに、そして効果的に対処する強さを内に秘めていることは間違いない。私は今でも、われわれがトランプのことを耐え忍ぶだけではなく、彼に打ち勝てる——さらに彼が体現する社会の妄想も克服できると信じている。

[訳注]

＊1　体内で体液や細胞内の水素イオン濃度が一定に維持され、複雑な生化学的反応が一定に保たれている状態。

第九章

チーム・アース(地球チーム)

われわれは皆、違う船でやって来たかもしれないが、今は同じボートに乗っている。

——マーティン・ルーサー・キング・ジュニア

孤立した島のような人などいない

われわれアメリカ人は、相反する性格を持ち合わせている——競争心のある一匹狼のような一面と、まとまった群れに属する協力的な狼の一面だ。映画俳優のジョン・ウェインは、一匹狼の一面を見事に表現している。「デューク」の愛称で親しまれた彼は、五〇年にわたって一六九本の映画に出演した——映画の中の彼は常に偉そうで押しが強くタフ、自信過剰で人と打ち解けず、わが道を行き、誰の助けも必要としない。その姿はアメリカを象徴するヒーローの典型だった——だが、愛される人間の典型ではなかった。さらに、アメリカ人の本当の姿を最も正確に表現しているわけでもなかった。毎年クリスマスに私や家族が見たいと思うのは、それとは別の、もっと親しみやすく魅力的なアメリカ人像である（おそらくほとんどの人がそうだと思う）。ジェームズ・スチュアートが出演した映画『素晴らしき哉、人生！』は、公共心にあふれたコミュニティ精神、隣人の思いやりのすばらしさ、人が助け合うことの喜びを高らかに讃えている。その映画の幸せな結末は、町中の人々が勝ち取った町全体にとっての勝利である――誰にも頼らない一人の人間の戦いが報われたことではないのだ。

個人主義は、アメリカ人の意識に脈々と生き続けてきた――それは、アメリカの建国神話の中核をなし、近年の政治プロパガンダにおける主要な謳い文句として生き残っている。財をなし、新世界で自らの信仰を実践し、旧世界での外圧から自由になった最初の入植者を、われわれは自由を愛する者として崇拝している。その象徴となる姿は、ハリウッドの西部劇の孤独なカウボーイにも見てとれる。自分の機転、度胸、銃だけを頼りに、悪者や「インディアン」、牙をむく自然と対決する人間だ。そのあとに登場したのは政治家である。ハーバート・フーバーは「強固な個人主義」という言葉を初めて使った。これは一九二八年の大統領選挙における勝利を後押しし、その後、世界大恐慌の苦難に対しては彼の消極性を明らかにした言葉でもあった。「われわれは強固な個人主義というアメリカの体制と、それとは正反対の父親的保護主義や国家社会主義というヨーロッパ的哲学のいずれかを選択することを迫られた。後者の考えを受け入れていたら、中央集権化を通じて自治は崩壊することになっただろう」とフーバーは述べている。彼は政府による援助が「アメリカ人の自発性と進取の気性」を損なうと信じていた。だが彼は完全に間違っていた――徹底した共和党の個人主義は、世界大恐慌に対する経済的・人道的対応としては最悪で、本来あるべき状況よりもずっと悲惨な状況を招いてしまった。これに対しフランクリン・ルーズベルトのニューディール政策は、雇用を創出し、経済の回復に貢献し、政府以外に支援を受けるあてのない人々に対する打撃を和らげた。トランプとコーク兄弟は、現代のフーバーで、ニューディール政策に組み込まれた（また、それ以来民主党大統領によってずっと続けられてきた）一般市民のための保護をなくそうとしている。アメリカはすでに、先進国のなかで最も不十分な社会的・経済的セーフティーネットしか存在していない国である。共和党は、富裕層に対してさらに減税措置をおこなうために、そうしたセーフティーネットをすべてなくしたいと考えている。これこそが、トランプケアをめぐる戦いの本質である。

当時のフーバーと同様、現在の共和党は間違っている。アメリカ人の生活は常に、競争よりも協力を拠り所としていた。初期の入植者は、とても固い絆で結ばれた共同体に住んでいた――集団の外で生きることはほぼ不可能で、皆の承認なしにやっていくことはできなかった。さらに、映画とは違って、昔の西部の住民は（アメリカ陸軍によって排除あるいは殺害の対象とされた先住民でなければ）、多くの近代的な大都市の住民よりも礼儀正しく、協力的で、暴力に訴えることはきわめて少なかった。法規が日常生活のあらゆる側面を支配していた。たとえば、ほろ馬車隊は、西部を目指す前にさまざまな決まりに同意した。鉱山の町には、土地所有の主張や採掘権を定める厳しい規則があった。牧場主や自作農民は土地管理の組合を作り、土地の所有権や境界に関するもめ事の解決にあたった。さらに、昔の西部では現在よりも銃規制がずっと厳しかった――まず保安官に銃を預けてから、その町での自由な生活が許された。ならず者が既婚女性に近づくことは厳しく禁じられていた。人々は毎週日曜日に教会に出かけた。一匹狼や無法者、ガンマンに対してさほど寛容な社会ではなかった。治安判事が法を解釈し、保安官と民警団がそれを施行していた。

共同体の責任は、いつでもアップルパイと同じくらいアメリカ的なものである。協力はアメリカ人の良識を表し、成功に欠かせない。今日隣人を助ければ、明日は隣人が自分を助けてくれるというのが開拓者の伝統だった。家や納屋、教会を建てるために、共同体の皆が進んで協力した。努力や天性と同じくらい運が人生で大きな役割を果たすことを全員がわかっていた。分かち合うことは逆境や不運に対する保険となり、集団の中で個々のリスクと負担を分散した。つまり、われわれの祖先が強固な個人主義を掲げてアメリカに上陸し、それぞれが自分だけを頼りにして道を切り開いたなどというのは、根拠のない神話だ。ほとんどの場合、(私の家族のように) 一人だけが先にアメリカに来て、いくらか貯蓄して、そして徐々に兄弟、姉妹、両親、近親者を呼び寄せた。皆は共に分かち合い、他者に対する責任感を持っていた。

「エ・プルリブス・ウヌム (E Pluribus Unum)」は、最初の独立記念日である一七七六年七月四日に、アメリカのモットーとなった言葉である。「多数からなる一つ」──キケロは「おのおのが自分を愛するように他者を愛するなら、多くの人々は一つになる」と表現している。独立から二二八年後、オバマはこれと同じくらい心を揺さぶるスローガンを掲げた。

「リベラルのアメリカ、保守のアメリカというものはない──あるのはアメリカ合衆国だ。黒人のアメリカ、白人のアメリカ、中南米系のアメリカ、アジア系のアメリカというものはない──あるのはアメリカ合衆国である……共和党系の赤い州も民主党系の青い州もない。あるのはアメリカ合衆国だ」

トランプによる分断に対抗し、アメリカを再び一つにするのは、今や国民の仕事である。政治家がわれわれを団結させるとは到底思えない──われわれを分断するような財政およびイデオロギー上の利益相反にとらわれている者が多すぎるのだ。ほとんどの政治家は、今彼らを脅し指図している特殊利益団体よりも、一般市民を恐れるようになって初めて公共の利益のために働くようになるだろう。政治家の行動指針を少しずつ形作っていく国民の意思がなければ、女性には投票権が、黒人と同性愛者には公民権が与えられず、環境はもっと悪くなっているだろう。トランプに対抗する人々の力が強く湧き上がることが、今の政治の狂気から立ち直る最善の方法だ。

　進歩的ポピュリズムが成功してきたのは、人々が固く信じるものを求めて、進んで努力したからである。最も意味のある幸福は、よりよい世界の実現とわれわれの子どもたちのために努力することから生まれる。多くの人々は、トランプのディストピアの中で生きることに絶望している――左派は打ちひしがれ、将来に対する希望をなくしている。一方右派は、支持者の多くがトランプ本人に裏切られたと感じ、生活を改善できないと思っている。絶望することは、個人にとっても社会にとっても敗北を意味する。重圧があるときアメリカ人は団結する。そうすることで気分がよくなり物事をやり遂げられるのだ。第六章で論じた「われわれ人民の契約」は、大多数の支持を得て、左派と右派両方のニーズの多くを満たすだろう。公共の利益を実現するために人々に働きかけ、あらゆる忌まわしい対立を止めることほど、「アメリカを再び偉大にする」ためのよい方法はない。われわれは正義のために立ち上がり、権力が不正に行使されているあらゆる所で、それをやめさせなければならない。

　私は、これまでの大小さまざまなポピュリズムの成果に励まされている。その中で特に私がよいと思う例をこれからいくつかあげよう。私に希望を与えるこうした例が、あなたにも希望を与えることを願う。大きな川の流れも、その始まりは小さなほんの数滴の雨なのだ。

犬の糞

　これは、一般市民が起こした社会の変化についてのちょっとした、でも大事なことを教えられる話である。彼らは独自のささやかな方法で世界を動かし、もっと清潔できちんとした、快適に住める場所を実現した。すべての始まりは四〇年前である。一匹の大型グレートデンが所かまず大量の糞をすることに、ニューヨーク市郊外にある小さな町の市民が怒りの声を上げた。その後、市民は団結し、犬を飼う住民に対して通りを汚すことを禁じることに成功したのである。目立たない片隅でのこうした小さな一つの取り組みが、まったく予想外の連鎖反応を引き起こし、世界規模の永続的な取り組みへとつながる。この新たな社会運動は、すぐにハドソン川を越えてニューヨーク市にも広がった。当時ニューヨーク市では、五〇万匹の犬が飼われ、一日に一〇〇トンの犬の糞が発生していた。ニューヨーク市では、多少の議論と政治的内紛があったものの、なんとか世界初の「犬の排泄物処理法（Canine Waste Law）」を可決し、「犬、猫、その他の動物を所有もしくは管理する者は、いかなる公共の場の歩道においても、その動物が迷惑行為をおこなうことを許してはならない」と、婉曲的な表現で命じた。法を守らず犬の排泄物を処理しなかった飼い主には重い罰金が科せられる。ただ警察は、事実上強制しにくいこうした法律を施行するよりも、もっと他の緊急業務で多忙なため、違反切符を切られた人は実際にはあまりいなかった。だが、この法律は、常習的な法律違反者に対する強い社会の圧力を正当化し、それを有効に働かせるきわめて効果的な手段になった。真夜中に犬を連れて出かける人は、公の場で辱めを受けずにすむこともあるのだろうが、昼間にあえてペットに糞をさせようとするのは、並外れた度胸のある者だけになった。犬を飼わず、ひどくぼんやりと歩く癖のあるニューヨーク市民としては、通りや歩道が突如としてきれいになったことは個人的に歓迎だし、それによって大きな恩恵を被っている。この犬の糞に関する法律は、急速にアメリカ国内、そして世界に広まった。とても小さな町の一匹の大型グレートデンに対する怒りが、一〇〇〇年にわたる犬の飼育習慣をほぼ世界規模で覆すきっかけを作ったのだ。これよりもはるかに重要な社会の妄想は、今は揺るぎないもののように思えるが、ひとたび市民の公共意識と怒りがある分岐点を超えれば、いつかこのケースと同じように攻め落とすことができるだろう(1)。

ポイ捨てする人

読者の方々の多くは若い人で、いかにうんざりするほど至る所にゴミが散らかるものなのか知らない人もいるだろう。私が子どもの頃、世の中はまるで豚小屋で、そこら中にゴミが散乱していた。映画館、公園、ビーチはゴミ捨て場のようだった。町の通りや側溝はゴミであふれ、火がついたタバコも、ついていないタバコも無造作に投げ捨てられていた。注意していないと、ガムの塊が靴底についてしまう。高速道路を走る車から何も考えずにゴミを投げ捨てる人までいた。平均的なアメリカ人は、一日あたり四ポンド(約二キロ)のゴミを出す――これを所かまわずあちこちに捨てると、町はひどく汚くなってしまう。ゴミを捨てることは、まるで侵すことのできない人権であり、現代の生活にはつきもので、避けられないことのように思われていた。ちょうど現在の社会の妄想に対して、解決できる問題として対処するなどという姿勢が妥当ではないように見えるのに似た状況だったのである。

非営利団体であるキープ・アメリカ・ビューティフルの運動が、こうした状況を一変させた――しかも急速な変化をもたらしたのである。コミュニティの改善を目指すこの団体は、少ない予算ながら大きな志を掲げ、わずか一〇年以内に、ゴミに対する一般市民の姿勢と行動を大きく変えることに成功した。その成功の鍵は三つある。まず、最も重要な鍵は、その時期に合った正しい目標を掲げていたことである。次に、全米の一〇〇〇を超える支部に属する熱心な草の根ボランティアが多数いたこと。そして最も効果的だったのが、見る人を恥じ入らせる優れた広告キャンペーンである――一般市民に対する教育、プロパガンダ、行動を促す説得が、非常に優れていた。たとえば「ポイ捨てする人（Litterbug）」という、軽蔑と嫌悪をこめた新語を流行《はや》らせた。「どんな小さなゴミも害になる（Every Litter Bit Hurts）」と謳った運動で、些細な不注意や配慮がない行動を非難した。

さらに、「泣いているインディアン（Crying Indian）」と呼ばれた一分間のテレビ・コマーシャルが世界を変えた。ネット検索してでも見る価値があるコマーシャルで、それを初めて見たときから四五年後の今でも、私は胸が詰まる思いがする。このコマーシャルでは、重苦しい表情をした一人のアメリカ先住民が、多くのゴミが浮いた川を船で下っている。両岸に立ち並ぶのは川を汚している工場だ。彼が岸に上がり、打ち上げられた多くのゴミの上を歩いて高速道路に近づくと、車から無造作に投げ捨てられたゴミが、いきなり彼の足元に落ちる。そのとき、静かな表情をした彼の顔に一筋の涙が静かに流れ、「汚染を始めたのは人間、止められるのも人間（People start pollution, people can stop it）」というナレーションが入る。大きな反響を呼んだこのコマーシャルが、今では毎年世界規模でおこなわれているアースデーの取り組みの始まりとなった。アメリカ国旗の模様にならった緑と白のストライプ柄の「エコロジーフラッグ」は、ゴミを捨てることを非愛国的なおこないだと位置づけた。さらに追加でおこなわれた取り組み（クリーン・コミュニティ・システムとグレート・アメリカン・クリーンアップ）によって、運動の勢いは衰えることなく、アメリカは少しずつきれいになっていっている。

ただし、この複雑な話には、もろ手をあげては喜べない（ただし現実問題として重要な）道義上の矛盾が存在する。キープ・アメリカ・ビューティフルは、これまでも、そして現在も活動資金の一部を食品、タバコ、飲料各社から得ている――結局はゴミとなる使い捨ての製品の多くを製造するいただけない者たちから資金を得ているのだ。ゴミ問題を解決するためには、善と悪の言わば同盟関係が必要だったということだろう。通りにゴミを捨てさせないようにすることは、確かにとてもよい働きかけだった。だがそれが悪い選択とも言えるのは、ゴミになるものの生産量を減らすほうが、スマートで費用がかからない方法だからである。暗い一面を示す証拠としては、キープ・アメリカ・ビューティフルが、(リサイクルや持続可能性を推進しているにもかかわらず)瓶を回収するための保証金に反対し、(環境を汚染することになるにもかかわらず)ゴミの焼却を支持していることである。皮肉屋の目には、キープ・アメリカ・ビューティフルが、清潔な環境に対する責任を企業から消費者に転嫁しようと狙った、人目を欺くエコ偽装の組織としか映らないだろう。ゴミになるようなものの生産を少なくするよう企業に促す政策をとるほうがずっとよい。特に、企業が出すゴミが最終的に大気や海、川を汚したり、埋め立てられたりするのは避けられないからだ。実際にキープ・アメリカ・ビューティフルは、個人の市民的行動を促し、きれいな通りの実現に成功しただけでなく、企業が素行不良で無駄遣いの多い市民並みになることにも力を貸したのである。ここから得られる大きな教訓は、企業の参加を得ずに世界を変えられるというのは非現実的な考えだが、企業の善意をあてにするのも甘い考えだということである。利害を調整したウィンウィンの状況を作り出すことを目指さなければならない。われわれはゴミをなくすために、個人としての責任の意識を高く持ち続けるだけでなく、ゴミを作り出す企業に対する課税の要求も訴え続けなければならない。[2] こうした取り組みは、炭素排出が原因で起きる地球温暖化の緩和を目指す現在の取り組みに十分つながる。燃料のより効率的な利用は、企業にとっては直接出費を節約することになり、間接的に環境を救うことにもなる。今のところ、汚染を進めるトランプ政権のもとで地球温暖化と戦うためには、企業に頼らざるをえない。企業はそこに利益が生まれるなら、もちろん温暖化と戦うだろう。

人工乳による育児

私が生まれた一九四〇年代の初め頃までは、ほとんどの母親が赤ん坊に母乳を与えていた――それは哺乳類が数千万年にわたりきわめて自然におこなってきた営みだ。すでに一〇〇年にわたり、母乳が出ない母親や母乳を吸わない赤ん坊のために牛乳が代用されていたが、代用ミルクの利用はビタミン不足や感染症を引き起こす危険を招いた。だが、互いに影響し合う三つの社会の変化によって、突如として母乳から人工乳への切り替えが起きた。まず、戦争によって母親が仕事に出なければならなくなり、母乳を与えることが困難になった。また、調合乳の品質が向上し、より安全な配送体制が整った。さらに最も重要な点として、ネスレなどの調合乳メーカーが、誤った情報を流す大々的なキャンペーンをおこない、母乳よりも人工乳で育てたほうが元気な赤ん坊になると母親たちに思わせたのである。さらにその裏で母親たちは、赤ん坊に乳房を吸わせ続けると、乳房の美しさによくない影響が及ぶおそれがあると信じさせられていた。一九七〇年までには、赤ん坊の誕生時に母乳を与える母親がわずか四分の一となり、二カ月を超えて母乳を与え続けている母親はほとんどいなくなった。自然な生きる営みにネスレが勝ったのである。

だが、こうしたずるい広告戦略が常識に勝った期間は短かった。四つの力が反発し、物事の自然な仕組みの中に母乳による育児を復活させ、正しく位置づけたのである。まず、科学者たちが、貴重なかけがえのない多くの成分を母乳に見いだした。それらは感染症に対する赤ん坊の抵抗力を高め、アレルギーの発症を抑える。また、数々の研究から、母乳による育児によって、母親と赤ん坊の絆がさらに強く確かなものになることがわかった。こうした事実から、赤ん坊にとっては、ネスレよりも自然の習性のほうがよいという事実がはっきりした。三つ目は、調合乳メーカーが、その行き過ぎた行為から逮捕者を出したことである――母乳に関して彼らがでっち上げた事例が、科学と明らかに矛盾していたにもかかわらず、第三世界の各国で、母乳に反対するとんでもない宣伝をしていたのだ。広く報道された暴露記事も、先進国の母親の目を覚まさせ、自分たちも以前から同じように騙されてきたことに気づいた。最後に一番重要な力となったのは、ラ・レーチェ（および同様の複数の団体）が懸命に努力し、母乳による育児がもたらす健康上のメリットについて母親たちを再教育し、人間としての経験の一部として、その本来の美しさ、深い満足感をあらためて思い出させたことである。母乳による育児は、一九七〇年代以降、劇的な復活を果たした。今では、赤ちゃん誕生時に四分の三の母親が母乳を与え、六カ月後には半数、一年後に至っても四分の一の母親が母乳で育てている。医療従事者ではなく、母親たちがこうした姿勢の変化を導いた。この話から得られる教訓は、一部の女性を常に騙し続けたり、ほぼすべての女性を時々騙したりすることができたとしても、すべての女性をずっと騙し続けることはできないということだ。また、胸の形と赤ちゃんの健康のいずれかを選ぶ場合、女性のほとんどは次の世代のために正しい行動をとるということである(3)。

シートベルトの着用

一九六〇年に私が車の運転を始めたとき、車にシートベルトはついていなかった。一九六八年までに、さまざまな法律ができて自動車メーカーに対してシートベルトの装備が求められたが、それでもわれわれの多くは、わざわざシートベルトを使うことはなかった。間もなく、車の衝突時の壊滅的な衝撃をありありと描いたテレビ広告が登場し始め、多くの交通事故が起きる自宅近くでの短距離かつ低速走行時にも、シートベルトを着ける重要性が強く訴えられた。だが他の大多数の人々と同じく私もまだ特別な関心を持たず、シートベルトを着けずに運転を続けていた。一九八四年、ニューヨーク州はシートベルトの着用を義務化した最初の州となり、違反者には重い罰金が科されるようになった。ほどなくして、ニューハンプシャー州を除くすべての州が、車に乗る人全員のシートベルト着用を求めた。シートベルトの着用率は、義務化する法律ができる前はわずか一〇パーセントだったのが、現在はほぼ九〇パーセントになっている。今はひどく無責任な者たちを除けば、運転前にシートベルトを締めることは、誰にとっても当たり前の習慣になっている——一般市民の姿勢と行動がすっかり変化したのだ。罰金を科せられる者はほんのわずかで、ほとんどの人はシートベルトの重要性を理解した——シートベルトは毎年およそ一万三〇〇〇人の命を救っている（車から投げ出された場合、七五パーセントは死亡するが、このリスクをなくすことによって救われる命が劇的に増えた）。死亡事故に巻き込まれる人の半数以上はシートベルトを着用していないが、着用していれば、死亡リスクは半分に減る[4]。

シートベルトの着用について、こうした説得力のある事例があるにもかかわらず、いまだに装着をかたくなに拒む者がいる。彼らは、シートベルトを着けることで、より危険な運転が助長されると主張している——しかしこの説は間違っていることが繰り返し証明されてきた。また、ベルト義務化に反対する自由至上主義者の言い分は、事故被害者の治療や障害にかかる多額の費用の大部分を、通常は社会が負担することになるという事実を無視している。シートベルト着用率は急激に伸びた——シートベルトがなかったところから、あっても着けない状態を経て、アメリカ人の日常に欠かせない当たり前の習慣になった——ここまで来るのに五〇年かかっていない。このことは、賢明な法規制が人々の無関心を克服し、行動を変え、命を救えることを証明している。また、自由至上主義者の懸念は、常に公衆衛生・安全のリスクとのバランスを考えるべきであることも明らかだ。われわれはいつか、まったく同じ論理を良識ある銃規制に向けて当てはめることになるだろう――だがそれは、政治家が全米ライフル協会（ＮＲＡ）の束縛から自由になり、銃器メーカーの利益よりも公衆安全を重視するようになってからの話だ。銃所持について憲法上無制限の自由があるという急進派のようなＮＲＡの屁理屈に言いくるめられなければ、シートベルト着用と銃規制の問題が似ていることは、誰の目にもはっきりとわかるはずである。命を救うために、車の運転に対してわれわれが理にかなった規制をおこなうのであれば、同じように危険な銃所持についても厳しい対策を取るべきではないだろうか。

大手タバコ会社

私はデューク大学に八年間勤めていた――タバコから得られた資金で発展したすばらしい大学である。現在はキャンパス内のほぼすべての場所が禁煙となっている。三〇年前、大手タバコ会社は、ワシントンとその政治家を支配していた。しかし今では牙を抜かれたトラとなり、政界では相手にされていない。かつて大手タバコ会社は、たくましい男性とセクシーな女性が性器を扱うようにタバコをもてあそぶ誘惑的な広告を流してメディアを支配していた。だがその後、広告は禁止され、禁煙を訴える広告が多くなった。明らかに死期の近いしわだらけの弱々しい男女が、息も絶え絶えでたんを吐く様子を描く、見るに耐えない広告である。とにかく今は喫煙を支持する広告もそれに反対する広告もほとんどない。それは喫煙がほとんど時代遅れだからだ。私が一〇代の頃、かっこよさを極めようとするなら、タバコの吸い方を習うに限った。今タバコは、汚らしく嫌な習慣と見られている。私が若い医者だった頃、たいていの医者がタバコを吸っていたが、今は誰一人吸っていない。かつて喫煙は普通のことだった。バーやレストラン、飛行機、列車、劇場、映画館、病棟、ホテルの客室、公衆トイレなど、ほぼどこでもタバコを吸っていた。酸素吸入器をつけているのにタバコを吸っている入院患者を見つけたことも時々あった。今では、合法的にタバコを吸える場所が、ますます見つけにくくなり、かっこよく吸える場所を見つけることなどまったく不可能だ。屋内だろうが屋外だろうが、ほぼすべての公共の場、さらにはビーチや公園でも喫煙が禁じられている。

デューク家は、タバコ産業の草分け的存在で、長年にわたりタバコ産業を支配してきた。南北戦争後の数年間、デューク家はダラムでタバコ葉を栽培し、その取引をおこなう無名の業者だった。一八〇〇年代末期になると、世界初の自動紙巻きタバコ製造機の独占的ライセンスを取得した。その後わずかな年数でデューク家は機械製紙巻きタバコの世界市場を独占し、巨万の富を築いた。ピーク時には、成人のほぼ半数、男性の三分の二が喫煙者で、喫煙は公衆衛生に史上最大級の被害をもたらした――アメリカで年間およそ五〇万人、世界で五〇〇万人の死亡原因となったのである。一九二〇年代にはドイツで、タバコと肺がんの関連を調べる初の疫学的研究がおこなわれた。だがこの研究はナチス時代の混乱に埋もれ、まったく影響力を持たなかった。一九五〇年代には、イギリスの疫学者であるリチャード・ドールが、独自にタバコと死亡の関係を突き止めた。これに注目したイギリス政府は、喫煙について初めて公に警告を発した。

その後アメリカでは、さらなる警告を発する内容の公衆衛生局医務長官報告書と、それをかたくなに認めまいとする大手タバコ会社との間で「三〇年戦争」が続いた。科学の進歩によって、喫煙が肺がんだけでなく、他の多くのがんも引き起こすこと、ほとんどの循環器疾患のリスクを高めること、その他のさまざまな病気に関与していることが、ますます否定できなくなった。タバコ産業は、見せかけの「研究調査委員会」を設立して対抗し、本物の科学者の研究をおとしめるために偽りの調査結果を発表して、騙されやすい一般市民の注意を真実からそらせようとした。今日、エネルギー産業とそこにへつらう政治家たちは、まったく同じやり方を踏襲して、驚くほど事実を冷笑するような態度をとっている。

タバコ産業の転機は一九八〇年代後半から一九九〇年代初めにあった。その当時、公衆衛生局医務長官が、ニコチン中毒とそれが招いた死亡事例について特に手厳しい内容の報告書を出したのである。テレビで放送された議会の公聴会で、タバコ産業幹部が発したばかげた発言は一般市民の怒りをあおった。集団訴訟でタバコ産業の内部資料によって明らかになったのは、大手タバコ会社が喫煙の危険性について、一般市民を故意に欺いてきたことだった。この訴訟で支払われた巨額の罰金は数千億ドルにのぼり、効果的な禁煙キャンペーンの資金となった。その後の禁煙キャンペーンの決定打となったのは、他人のタバコの煙を吸う受動喫煙も致命的な病気につながる可能性があり、特に子どもがその影響を受けやすいという、説得力のあるエビデンスだった。喫煙者は哀れなくらいに自身を破壊するだけでなく、他者に対しても著しい害を及ぼす存在として見られるようになった。喫煙率が全人口の一七パーセントに激減したことは、私の人生の中で、健康に関わる最大の勝利である。さまざまな先進医療を組み合わせたあらゆる取り組みで救われた命よりも、はるかに多くの命が禁煙によって救われたのだ[5]。かつて強大だった大手タバコ会社が、禁煙を唱える科学者と禁煙を支持する人々の小さな一団との戦いに破れ去ったという事実は、住みよい地球を求める重要な戦いにおいて、強大な大手エネルギー会社（および腐敗した政治家）に今立ち向かっている追い詰められた小さな一団にとっての手本となり、士気を高めるものとなるはずだ。

オゾンホール

オゾン層問題の経緯は、気候変動に関わる輝かしいサクセスストーリーだ——しかも、深刻な他の環境汚染問題を解決するための完璧な手本にもなる。四〇年前、科学者たちはエアゾールスプレーが大量のフロンガス（CFC）を成層圏に放出していることを発見した。これは恐ろしい健康上のリスクだった。CFCは、紫外線が地表や人間に届くことを防ぐのに必要なオゾン層を破壊する。大気中に十分なオゾンがないと、がんや白内障の割合が急増する。これを恐れた消費者は、CFCを含む製品をボイコットするという適切な対応をした。一方、大手化学薬品会社の行動はいつもながらひどいものだった——言い逃れ、ロビー活動、科学の否定、科学者に対する中傷をおこなったのである。議会はその後、市民の懸念に後押しされる形で、オゾン層回復のための保護策を可決することができた——議会での議論が完全に行き詰まり、かつてないほど議会が公共の利益ではなく企業の利益におもねっていた時期には、ほとんど想像もできないすばらしい成果だった。その後アメリカが信用と道徳的立場を失ったことを考えると、国務省が他の多くの国々に対してオゾン層を守る厳しい法規則にならうようようまく説得できたことも、信じられないほどだ。

レーガンが政権を執るまで、先行きはとても明るかった。ところが、世の中を愚弄するかのように言葉の意味がゆがめられ、環境を守る責任があるはずの環境保護庁では、レーガンが任命した職員たちが（トランプが任命した者たちと同じく）、環境を破壊するためなら全力で何でもすると決意しているように振舞った——化学汚染物質や汚染者の中で、彼らが好ましくないと思ったものはまったくなかったようだ。

だが、気候変動を反射的に否定していたレーガンも、南極のオゾン層に明らかなオゾンホールの拡大が見つかった事実には逆らえなかった――目に見える紛れもない脅威は、全世界を奮い立たせ行動を起こさせた。その後、一九八九年に発効したモントリオール議定書によって、ＣＦＣの使用が全廃されオゾン層が守られたのである(6)。

二酸化炭素による汚染に対しても、同じように幅広い国際的な対応を実践できれば、地球温暖化を止められるだろうか。当然、その道のりは格段に険しいものとなる。オゾンホールの修復は、比較的費用がかからず簡単におこなえた。二酸化炭素の排出削減は、はるかに費用がかかり、大きな犠牲を必要とするだろう。さらに、かたくなに気候変動を疑う者たちに、地球温暖化はでっち上げではないとわからせる目に焼き付くほどはっきりとしたオゾンホールの写真に匹敵するものが、二酸化炭素の場合にはない。だが、これらの違いは、問題の種別ではなく程度の違いにすぎない。二酸化炭素による温室ガス効果が定期的に害をもたらし、莫大な出費を要する予測可能な災害を起こし始めれば、おそらく世界は分別のある行動をとるだろう。答えることのできない疑問というのは常に、それでは不十分なのではないか、遅すぎるのではないかというものだ。まだ時間がある今のうちに直ちに行動を起こさせるオゾンホールに相当するような目に見える証拠がないのがとても残念だ。二酸化炭素濃度の経年変化を示すグラフを見れば、十分恐ろしさは伝わってくるものの、オゾンホールと同じくらい強烈には感情に訴えてこない。

酸性雨

酸性雨は、珍しい現象の一つとして、およそ五〇〇年前に語られたのが最初だが、実際に酸性雨への関心が高まったのは、産業革命時に二酸化硫黄を含む煙が煙突から吐き出されるようになってからのことだ。二酸化硫黄が大気中の水蒸気と結合してできた硫酸が風下で酸性雨となって降る。ダン・スマイリーは、二〇世紀の長い年月をかけて、酸性雨の変化に関する最も完全な記録をまとめた。スマイリーは、熱意あふれるアマチュアの自然主義者として、ヘンリー・デイヴィッド・ソローの流儀[*1]にならい、ニューヨーク州にある自分が大切にしていた保養地周辺で、計測可能な事実をすべて計測しようとした――一九三一年から亡くなる一九八九年までほとんど休まず計測をおこなったのである。スマイリーが数多く計測したものの中に、モホンク湖の水の酸性度があった。それを毎日測ったことで、pH値が少しずつではあるが着実に下がっていることを彼ははっきりと証明できた。スマイリーの娘で私の友人であるアンナ・スマイリーは、彼が習慣にしていた巡回をするときに、時々一緒について歩いたそうだ。

スマイリーの調査結果と同様の傾向は、世界の至る所、特に硫黄分が含まれた石炭を燃やす発電所付近で確認された。地元住民を守るために建てた高い煙突は、さらに広範囲に問題を広げただけだった。工場が密集している地域の中には、pH値が三を下回ったところもあった。これは、植物が枯れ、動物の命が奪われ、橋の塗料がはげ落ち、石でできた歴史的記念物が大きく損傷する値である。一九七〇年代に、メディアによる大々的な報道と、全米科学アカデミーの衝撃的な報告書によって、一般市民が酸性雨のことを知るようになった。議会は大気浄化法の強化によって対処し、大気汚染物質の排出量規制と取引制度を定めて、酸性雨を六五パーセント減少させた。企業と消費者が負担するコストは、年間一〇億ドルをやや上回るにとどまり、企業が不安をあおって規制反対の活動をする中で出した推測の四分の一以下となった。ヨーロッパ連合が、さらに積極的な行動をとり酸性雨を大きく減らしたことは、よいニュースである。[7]

さて次は悪いニュースだ――中国は将来のことを考えもせずに石炭を燃やしている。全米における現在の石炭火力発電所と同等の能力の新たな発電所を五年ごとに建設しているのだ。平均すると、過去数十年の間に毎週、新たな発電所が一基ずつ出来ていることになり、それぞれの寿命は四〇年とされている。[8] 発電の面で追い上げを狙うその他の発展途上国も、安価で大気を汚す石炭に大きく依存している。酸性雨は、地球上の炭素汚染問題全体に対し、炭鉱のカナリアのように危険を知らせている。

途上国の言い分は、現在世界で起きている汚染の大部分は裕福な国が原因となってきたこと、また、すでに富を得ていることから、さらなる汚染を防ぐコストは先進国が負担するべきだというものだ――たとえ汚染が国境外の途上国内で起きていてもである。先進国は当然ながら、これまでの汚染のことは考慮せず、今では経済上きわめて強力な競争相手となった国々に対する、何百億ドル（何千億ドルかもしれない）という支出を避けたいと考えている。中国はこれまでに蓄えている巨額の富を使って自国の汚染を解消すべきだというのが、アメリカの主張だ。そうしている間にも、世界では石炭が燃やされているのだが、役人たちは暢気に構えている。数々の交渉はスムーズに進まず、意味のある行動は先送りされ続けている。法令遵守の監視と強制は困難だ。遅かれ早かれ、何らかの合意には至るだろう――だが、またしても遅きに失することになるかもしれない。

公民権

一九四二年に私が生まれたとき、女性が投票権を得てからまだ二二年しかたっていなかった。多くの州とアメリカ陸軍では厳しい人種差別がおこなわれ、一部の州・自治体では、異人種間の結婚・同棲や同性愛は犯罪とされ、すべての州・自治体では恥ずべき行為とみなされていた。現在の法律では、女性と男性は平等[9]、黒人と白人も平等であり[10]、性的指向および性自認は、市民としての権利にまったく影響しないとされている[11]。だが、ごく最近までこうした権利を主張する戦いは続いていたのである。

権利章典と合衆国憲法は、仰々しく「人権」に触れてはいたものの、その表現はきわめてあいまいで、個人の「公民権」の保護を示す具体的な文言はなかった。すべての人間は法の下で確かに平等ではなく、黒人と女性は市民としてみなされてもいなかった。法の下での平等が保証されるまでの歩みは遅く不安定で、恥ずかしいほど不完全であり、不公平なことも多く、ほぼ常に混乱を生んだ――だが、この六〇年で、めざましい成功を遂げたのである。

忌まわしい南北戦争の影響が残る中、議会は合衆国憲法修正第一四条を可決した。この条項は以下のように述べている。

「合衆国内で生まれ、または合衆国に帰化し、かつ合衆国の管轄に服する者は、合衆国の市民であり、かつその居住する州の市民である。いかなる州も、合衆国市民の特権または免除を制約する法律を制定し、または実施してはならない。いかなる州も、法の適正な過程によらずに、何人からもその生命、自由または財産を奪ってはならない。いかなる州も、その管轄内にある者に対し法の平等な保護を否定してはならない」*2

特に、新たに解放された奴隷を州政府が差別しないようにするために、連邦政府はそれまでにはなかった権限を与えられたのである。

こうした憲法上の文言は聞こえはよいものの、ジム・クロウ法の阻止にはまったく効果を発揮せず、この黒人差別法は南部再編成による連邦の再建を見事に台無しにした。公民権の法的認定を求める闘いは厳しく、一九世紀には大きな敗北を喫したが、二〇世紀と二一世紀にはほぼ成果をあげることができた。女性、人種的少数派、LGBTの人々が、比較的最近まで想像もできなかった法的地位を獲得したのである。その成果が現れるのは、現実の世界よりも法律上の記載であることがあまりにも多いのだが、それでも、前進を否定すべきではない。黒人の大統領が選ばれたことは、われわれが急速に大きく進歩したことを示している。やるべきことはまだ多く残されているが、すでに多くのことが成し遂げられているのも事実だ。

公民権を推進する個々の戦術は、時代や争点、政治状況、経済状況、人口動態、推進する人々のパーソナリティに応じて変わってきた。だが、そのもとになる戦略は常によく似ている――メディア、一般大衆、法律家の注意を、差別されている側の基本的な人間性、差別をする側の基本的な非人間性に向けさせるのである。差別の不当さ、正義と寛容さを保証することに関して、政治家や判事は、世論を先導するよりも世論に従うことのほうがずっと多い。社会の変化を促すうえで最もよく使われる手法は、デモ、市民の不服従、草の根運動の組織化、有権者への投票の働きかけ、ボイコットによる政治的・法的・経済的圧力である。その目標は、きわめて献身的な人々で構成された小集団をまず動員し、さらに彼らを通じて一般大衆を動員することだ。不当さが訴えられる様子をテレビで見た人は、（ほとんど）誰もが、その被害者が誰であるかがはっきりとわかり、被害者に共感するようになる。

認識や政策の変化を促すうえで、言葉と行動は相乗効果をもたらす。それは、同じくらい重要で、切っても切れない関係にある。公民権法の成立に向けて転機となったのは、レイシズムを終わらせようというマーティン・ルーサー・キングの人々を奮い立たせる訴えだった。リンカーン記念堂の階段でおこなわれた彼の演説は、二万五〇〇〇人の聴衆に加え、数千万人のテレビ視聴者の心を震わせた。

「私には夢がある。それは、いつかこの国が立ち上がり、『すべての人間が平等に造られているということは、自明の真実であると考える』というこの国の信条を、本当の意味で実現することである」

キングは、アメリカを恥じ入らせ、アメリカ自らが宣言した価値観に従った行動をさせることに成功した。もう一つの転機はセルマ大行進の前にあった。リンドン・ジョンソン大統領がキングに、とてつもなく常軌を逸した差別行動はたった一件でも広く宣伝する価値がある、と忠告したのだ。リンドンは、目前に迫った投票権法の成立に向け、一般市民の同情と議会の支援を得るためにそうした活動が必要だとして、「ラジオでもテレビでも教会の説教壇でも集会でも、可能な限りあらゆる所でそれを伝えろ。そうすればすぐに、トラクターの運転しかしていなかった者たちも『それは間違っている。不公平だ』と言うようになる。そうした行動は、われわれが目的にたどり着く後押しをしてくれる」と助言したのである。ジョンソンは人々の力が政策を導くということをわかっていたのだ。

世論というのは、固まっているように見えることが多いが、実は気まぐれで、いろいろと影響を受けやすいものだ――その影響はよい方向にも悪い方向にも及ぶ。国民の多くは今、トランプと富裕層に操られている。彼らは人々の恐怖につけ込み、私利私欲を追求しようとしている。世界は縮小しつつあり、われわれは皆その小さな世界で共生しているのだという一体感を表現した、私利私欲とは正反対のメッセージを体現するマーティン・ルーサー・キングのような人物は残念ながらいない。前進することは容易ではなく、約束されたものでもなく、挫折なしに済むわけでもない――われわれは、黒人の大統領を選んで大きな一歩を踏み出すが、レイシストの大統領を選んで突如大きく後退する。世界中のトランプのような人間がすぐにいなくなったり、悟りを開いたりすることはないだろう。女性、人種の少数派、ＬＧＢＴのコミュニティは、長く厳しい闘いを続けて、ようやく姿勢を変える能力のある人々に姿勢の変化をもたらした。われわれは、地球をわれわれが住める場所として維持するための長く厳しい闘いを今始めなくてはならない。そのために地球全体を包み込む倫理を打ち立てて今生きている全員を受け入れ、これから生まれてくる人々の権利を守らなくてはならない。

われわれは一つの家族

世界の大部分において、国民国家は比較的新しく、今でもきわめて脆い統治形態にある。忠誠の対象は、たいていの場合、今よりずっと範囲が限られていた。たとえば狩猟採集民は、自分が属する小さな放浪集団に忠誠心を感じていた。規模の大きい政治機構が出来るようになったのは、富の蓄えによって土地と権力の蓄えも可能になった農業革命後のことだった。ほとんどの時代、ほとんどの場所で、個人の忠誠の対象は、近親者、村、部族、宗教団体だった――国家ではなかったのである。

現在の国民国家は、つい昨日生まれたような国家や非常に若い国家を含めて、その歴史はさまざまである。最も新しい国家は、わずか三〇年ほど前に、ソ連とユーゴスラビア崩壊後の混乱が収まったのちに生まれた国々だ。アフリカ大陸の大部分の国々が生まれたのは五〜六〇年前、「インド」とパキスタンは、ほんの七〇年ほど前、「アイルランド」の歴史は一〇〇年に満たず、「ドイツ」と「イタリア」は建国から一五〇年ほどである。イギリス、フランス、スペインは、かろうじて五〇〇年の歴史がある。最も古い国家である中国や日本ですら、その歴史の中ではたびたび分断され敵対していた。新たな「国家」の多くは、植民地独立後に植民地の行政官が自分の都合で人工的な国境線を引き、ぎこちない形に作られたものだが、その妥当性は曖昧で、国家の安定性は未知数であることも多い。「国家」の境界では日常的に、多くの異なる部族や宗教団体が、一緒にいたくもないのにひとまとめにされる一方、まとまるべき人々が人工的な境界で分断されていた。「イラク」「シリア」「ソマリア」「アフガニスタン」「スリランカ」という概念は、その土地に暮らす人々ではなく、実情にうとい政治家たちにとって大きな意味を持っている。

われわれの多くは、国を愛するということを、自然で高尚な感情だと当然のことのように考えている。だが実際、こうした感情は人類の歴史の中では比較的最近発達したものだ——それは特に自然でもないし、多くは特に高尚でもない。愛国心という言葉が生まれたのはほんの三世紀前で、宗教的制度を世俗化する啓蒙運動の一環として取り入れられた。国家に対するロマンチックな愛着は、教会に対する忠誠に取って代わり、よりよいものになるとされた。だが、すかさず反発が起きる。それは一七七五年、イギリスの批評家サミュエル・ジョンソンの「愛国心はならず者たちの最後の隠れ家だ」という過激な言い方に、ありありと表現されている。愛国心は宗教と同様に、価値ある活用法があるだけでなく、危険な形で誤用されることもある。

アメリカという国に対する強い愛国心の歴史は、国そのものの歴史の半分ほどの長さしかない。その愛国心は、国を滅ぼしかけるほど苛酷だった南北戦争の予期せぬ結果生まれたものだ。アメリカが一つの国になったのは、国が分裂する危機となった南部一一州の連邦脱退の八五年前のことだ。歴史、人口構成、経済システム、商取引の相手、法律、慣習が大きく異なる一三のイギリス植民地が合体してアメリカは造られた。それぞれの植民地は、言語を除けばあまり共通点がなかったものの、共通の敵と戦う中で同じ目標を見いだした。イギリス国王や議会による専制的状況から自由になるために長く厳しい戦いを続けてきたあとで、新たな各州政府が、強い中央集権的政府の樹立を恐れたのは当然のことだった。そのため、アメリカ独立戦争後、初めての契約となった連合規約は、かつての各植民地の自治を最大限に維持し、それぞれのつながりをできる限り緩くするよう慎重に起草された。こうして出来たアメリカ合衆国は、当初名目だけで合衆した統治不能と言える国だった。もっと完璧な合衆国を求める『ザ・フェデラリスト』に触発されて、合衆国憲法制定会議が立ち上がり、国づくりに向けた動きがさらに進んだ。だが、合衆国は完璧とはほど遠いものだった――州政府は、大統領、連邦議会、連邦裁判所に縛られないかなりの自由を引き続き維持したのである。市民の大多数は、合衆国という抽象的な概念よりも、州政府や地方政府に最大の忠誠心を抱いていた。

州の権利と連邦政府による支配との間に明確な線引きがなかったことが、南北戦争を避けられないものにした。そして戦争がもたらした厳しい試練の中でようやく、本当の意味で国がまとまった。戦争が起きる前、「合衆国」という言葉は「these United States」と表現されることが多く、ほぼ常に複数扱い（these United States are）だった。しかし戦争後、こうした表記は少しずつ単数形（the United States is）に変わっていった。表記上の小さな違いに見えるが意味は大きく違う。忠誠の対象は、かつての南部連合国においても、州から国へと少しずつ移っていった。アメリカ人に広く波及した愛国心は、アメリカ・スペイン戦争や第一次世界大戦によって不動のものとなった。共通の敵を持つことが、アメリカ国民をさらにしっかりと結束させたのである。

ナチスの時代を経験したあと、アルベルト・アインシュタインは「ナショナリズムは子どもの病気である……それは人類のはしかである」と言った。強い国家主義思想を持つことは、今の時代、ますます時代遅れで望まない結果を生む――自国を愛することが他国への憎しみや恐れにつながる場合は特にそうだ。世界規模の問題には世界規模の解決策が必要である。地球という船をめぐって争っているうちに沈んでしまわないよう、われわれの忠誠を、限られた対象ではなく全人類に広げなければならない。

前世紀には国際協力の壮大な試みとして三つの組織が発足した。だが国際連盟は無残に失敗し、国際連合も失敗の道をたどりつつある。この二つよりずっと前途有望と思われたヨーロッパ連合も、あまりの急拡大で今は崩壊の危機にある。こうした思わしくない経過は、人類が「チーム・アース」を簡単に作って協力し、沈みつつある船を救うことができるというユートピア的な思い込みに水を差す。極端な状況を除けば、個人や企業、自国のためだけの利益はほぼ常に、全人類の最善の利益より優先されるものだ。われわれは今、その極端な状況に近づきつつある。愛によって国家という枠組みを乗り越えられると考えるほど、私はおめでたい人間ではないが、われわれはもしかしたら、恐怖心によって、もっと緊密な国際協力を実現できるかもしれない。地域間の相違が溶解し予期せぬ協調が生まれるのは、さまざまな利害が差し迫る外敵に直面するときである。

トランプとプーチンが、世界の不調和を限界まで推し進めようと躍起になり、ヨーロッパの共同体がもはや共同体ではない兆しを見せている中で、世界が団結できると楽観的に考えにくいことは明らかだ。だがわれわれは、必要性の論理が現時点の不条理に打ち勝つことを願わなくてはならない。世界規模の解決策なくして世界規模の問題は絶対に解決できない。地球温暖化は、全世界の協力があって初めて回避できる世界規模の災害である。数々の内戦の発端がある一つの国にあったとしても、その内戦から逃れてきた移民は、世界の至る所に不安定をもたらす勢力となる。流行病に国境は関係ない。また、ある国の銀行制度の失敗が、あらゆる国々の経済破綻の引き金になる可能性がある。われわれにはすでに、政治、貿易、銀行、健康、移住、仲裁、国際法において、国際協力が成果をあげた数多くの事例がある。また、世界規模の協力に向けて整備されたインフラを提供する、数多くの政府・非政府機関もある。インターネットは、これまで不可能だった緊密なコミュニケーションによって、われわれの世界を結びつけている。英語は世界共通語となった。人々はどこでも同じ音楽を聴き、同じ映画を見て、同じ洋服を身につけ、同じスマートフォンを使っている。ひとたびわれわれが偏った考え方を克服できれば、これまでになく簡単にチーム・

アースを思い描くことができるようになっている。われわれ人類は、自らを破壊しつつある一つの種だ。われわれは一つの種として団結しなければ自らを救えない。われわれの手に負えない未来がもたらす影響を恐れることが、今をもっと協力的な時代に固める最良の接着剤となる。

人類が生存に関わる危機に突入しつつあることに、世界が早く気づけば気づくほど、われわれはそうした危機に圧倒されにくくなる。世界の人々と指導者たちが未来に大きな不安を感じ、今この時点で利己的な短期の利益をやみくもに追求するのをやめれば、世界が目的と行動においてもっと足並みをそろえる気運がすぐにでも生まれそうだし、それは十分に実現可能なことだ(12)。

天才と愚か者

アメリカの偉大な庶民哲学者であるヨギ・ベラはかつて、「試合は終わるまでは終わらない」という警句を残した。そして人類にとって、種の生き残りを賭けた大事な試合は、まだ終わっていない。確かに、われわれが生きているトランプの暗黒時代は、息が止まるほどの傲慢さと無知(文字どおり最悪の組み合わせ)、国内での激しい意見の衝突、国外での危機的な対立、科学の否定と特殊利益団体への迎合が蔓延する時代であり、あらゆる社会の妄想に最も愚かで危険な脚色をほどこして推し進める政策と人間に満ちた時代である。われわれの試合は終盤で追い込まれてはいるが、まだ状況を正せる見込みはある。トランプと、悪い方向に進もうとする共和党の政府支配を一掃できれば、新たな指導者が現実を直視し、われわれを一つのチームとして団結させることによって、われわれが今のディストピアを切り抜ける手助けをしてくれると願いたい。

父は亡くなる直前、私のことを「だいたいは愚か者、ほんの少しだけ天才」と簡単に評したのだが、この言葉は人類全体を語る場合にも当てはまる。われわれは最良の種でもあり最悪の種でもある――悪い問題を生み出すことが多い愚か者である一方、時々すばらしい解決策を生む天才でもあるのだ。進化はどういうわけか、トランプのような人間を生み出すことをよしとしたが、アインシュタインや、シェークスピア、エレノア・ルーズベルトも生み出した。人類は、驚くほどばかばかしく自滅的なことをおこない、今もそれを続けている。われわれは、貪欲、我がまま、近視眼的思考という原罪を背負っている。だが、きわめて機知に富み、すぐに立ち直る力を持つ生き物でもある。特に切羽詰まったとき、われわれのよき本性は、非常に分が悪い状況でも勝つことがあることは確かだ。時には正義が堅牢とした権力に勝つこともあるのだ。

生まれながらに与えられた遺伝子には、多くのよい遺伝子と悪い遺伝子が混在している。われわれは群れをなす動物で、群れの生存を助けることに深い満足を感じるようにプログラムされている。またわれわれは、自分より大きな存在の一部となり、自分自身だけでなく、家族、コミュニティ、国、そして今（願わくは）世界に対して責任を負う必要がある。群れをなす動物は脅威を与えられると、群れを保護する輪を作って自らの身を守る。われわれが一つの種として生き残りたいと思うのであれば、群れの外にいる敵に対して、群れに属する者の概念を広げなければならない。われわれが作る保護の輪を、地球全体、あらゆる場所、あらゆる人々、すべての種を受け入れるように広げなければならない。「よそ者」はかつてわれわれのライバルだった。今や彼らはきょうだいや親類とみなされなければならない。われわれは、自身を傷つけることなく彼らだけを傷つけることはできない。彼らを助けることがわれわれ自身を助け、われわれの人生に意味を与えるのである。

私は普遍的な人類愛が簡単に実現すると考えるほど単純ではない。人類の歴史について何かしら知っている人なら誰でも、それが些細で破壊的な争いが絶え間なく続く残念な出来事の連続であったことがわかるだろう。だが、よい地球市民になろうと踏み出すことが自然な行為であり、そのためにはわれわれが群れの定義を広げるだけでよいとわかると心強い気もする。アリストテレスは「共通の危機は、最も憎み合う敵同士でさえも結束させる」と言っている。われわれは間違いなく、自らが招いた共通の危機に直面している。自分たちが生み出した人類生存の危機を克服したいと思うなら、われわれは団結しなければならない。われわれは自らをコントロールできて初めて、自らの運命をコントロールできるのだ。

歴史から学べるか

「歴史とは私が目覚めようとしている悪夢である」と言ったジェームズ・ジョイスの絶望は理解できるが、そうした絶望は避けなければならない。明らかな警告であったはずの事柄に気づかなかった文明が歴史上多々あったことは間違いない——自然の恵みはいつまでも限りなく豊かで、戦争は華々しい成功で幕を閉じ、常に物は多ければ多いほどよいなどと、暢気に考えていたのだ。われわれが、そうした文明とは違うと、どうして考えられるだろうか。このままいけば、歴史からわれわれが学んだことは、自分たちが歴史から学んでいないという認識そのものになる可能性が高い——そして人類は、非常に高くまで上りつめてからハンプティ・ダンプティのように転がり落ちるという、取り返しのつかない惨事を経験するだろう。

私は頭では、この世界があまりにも明白な問題に責任のある行動が取れない、利己的で見る目を失った愚かな所だと考えている——大規模な人口過剰、環境の悪化、資源の枯渇、不平等、気候変動、その他にも多々問題がある。現在までの一〇〇万年にわたる行程で、いろいろと影響をもたらした人間の欲望は、人口が少ない広大な世界には適していたが、人口が多く小さくなった世界では致命的なものである。私の頭は最悪の事態を恐れる現実主義者だ。

一方、私の心は、「過去を知らない者は、過去を繰り返す運命にある」というサンタヤーナのような、もっと楽観的な立場を取ろうとしている——つまりこの言葉は、過去を本当に知ることができれば、その落とし穴を避けられるということを示していると思いたい。運命論は危険なほど自己達成的な予言である——過去にとらわれていると、未来を書き変えることに消極的になる。だが、過去には役に立つメッセージや希望が持てる手本がたくさんあり、駄目にしてしまったチャンスを思い出させるような、気がめいることばかりではない。われわれは、やみくもに過去の過ちを繰り返すだけでなく、過去の勝利から学ぶことができる。

マーク・トウェインの「歴史は繰り返さないが、韻を踏むことは確かだ」という言葉は正しかった。偶発的な事態というのは常に、あまりにも複雑で、どう展開するのかを正確に予測することができない。歴史の力はトランプという人間を生み出したが、信じられないほど重大な結果を生む選挙でのその勝ち負けには、(ウラジーミル・プーチンの介入によって与えられた) 気まぐれなチャンスがとても大きく影響した。いろいろなことが起きても状況というのは長期的には安定に向かうものだが、その長期的な余裕が常にあるとは限らない。私は、われわれが必ずや、最後には自らの問題に気づき、その問題に対する賢明な政治的・技術的解決策を生み出すだろうと考えるほどに人間を信頼している。一方、われわれが歴史の悪夢からよいタイミングで早めに目覚めることについては、あまり当てにできない。世界の問題を長く見過ごせば見過ごすほど、その難度は増していく。私は最悪の事態を恐れると当時に、最良の事態を期待している。

奇跡を信じますか？

われわれが現実に向き合い、社会の妄想を克服して窮地を切り抜けられると考えるのは、私の個人的な妄想かもしれない。私は可能性が低いことに賭けるのが好きだし、そもそもわれわれにはそれに賭ける以外選択肢がない。さらに私は奇跡を信じることもある。一九八〇年、ニューヨーク州のレークプラシッドで開催された冬季オリンピックで、ハーブ・ブルックスは、アメリカの男子アイスホッケーチームのコーチを務めていた。メンバーの大半を占める二〇代前半の大学生に嫌われるほど彼の指導は厳しかった。アメリカ代表チームは、オリンピックの準決勝に進むところまで活躍したものの、次の対戦相手であるソ連チームに勝てる見込みはまったくなかった。何度も世界を制覇したソ連は、長年プレーを共にし、ホッケー人生の頂点を極めている世界有数のプレイヤーを擁していたのである。わずか二週間前におこなわれたエキシビションマッチで、ソ連はアメリカを一〇対三と圧倒し、その試合内容はスコア以上に一方的な展開だった。ハーブ・ブルックス以外の誰もが、ソ連に比べれば経験に乏しく能力が劣るアメリカチームを信頼していなかった。試合前のロッカールームで、ブルックスは選手たちにこう言った。

「すばらしい瞬間……それはすばらしいチャンスから生まれる。そのチャンスが今夜、目の前にある。今夜おまえたちがここでつかみ取ったチャンス。それがこの一試合だ。ソ連と一〇回戦えば、彼らが九回勝つだろう。しかしこの試合で彼らが勝つことはない。今夜勝つことはないのだ。今夜、俺たちは彼らと共に滑る。今夜、彼らと肩を並べて戦う。そして彼らを封じ込めるのだ。必ずできる！　今夜は俺たちこそが世界で最も偉大なホッケーチームだ」

このあとアメリカチームは、およそ信じがたい逆転勝利を収め、本当に世界一のチームになったのである。試合時間終了とともに、アナウンサーのアル・マイケルズが「奇跡を信じますか？」と熱く叫んだ。私はたいてい信じないが、奇跡は時々起きる。われわれは皆、チーム・アースの奇跡を信じる必要がある。

［訳注］

＊1　（一八一七～一八六二）アメリカの随筆家、詩人、思想家。米マサチューセッツ州コンコードのウォールデン池畔に建てた小屋で、二年あまりにわたっておこなった実験的な自給自足生活をまとめた著書『ウォールデン　森の生活』（一八五四年）では、ソローが自然を細かく観察し、それを体全体で感じたことが綴られている。

＊2　出典：https://americancenterjapan.com/aboutusa/laws/2569/

エピローグ

人類はどこへ向かうのか

　奇妙な偶然だが、私が本書の原稿の読み直しを始めたのは、イースター島（ラパヌイ）を訪ねているときだった――人間がいかに偉大であるか、また誤りに陥りやすいかを十二分に教えてくれる場所である。この小さな島で生まれた注目すべき文明からは、人間が持つ輝かしい創造力がみてとれるが、その文明も状況を見抜けない人間の愚かさのために急速に崩壊した。八〇〇年前にイースター島に移住した数十人のポリネシア人は、きわめて賢い人々だったに違いない。彼らは外洋を（海流に逆らって）二〇〇〇マイル（約三二〇〇キロ）以上航海したのち、地球上で最も孤立し先の見込みもない島の一つに移住した。このラパヌイ人は、独自に文字体系を編みだした世界史上数少ない民族である。他に例をみないのは、彼らが完全な孤立状態の中で、こうした知的偉業を成し遂げたことだ――一般的に必要とされる、物品の交易に伴ったアイデアのやりとりもなくそれは成し遂げられたのである。また、それほど肥沃でないこの小さな島が、効率のよい多産な土地に変わったことによって、急激な人口爆発が起き、数十人だった人口が一万人を超えるようになった。

農作物が豊富になると常に起きることだが、社会の階層化と人口過剰が進み、頂点に君臨する者の権力と威信を確立するための建造物を造ることに励むようになる。これほど狭い場所にこれほど多くの巨大建造物が造られたことは、いまだかつてない――一〇〇〇体の石像は、驚くべき工学技術、芸術的創造力、職人の技能だけでなく、人間の貪欲さと虚栄心を示している。当初、石像は高さ一メートル前後、重さは数トンくらいで、荒削りなものだった。それが時間の経過とともに次第に大きくなり、最大の功名心を表す最も新しく出来た石像は、高さ四〇フィート（約一二メートル）、重さは八〇トンに達した。それぞれの石像は、石切り場から設置場所までの長距離を人の力を最大限に利用する巧みな牽引技術を用いて、歩いて運ばなくてはならなかった。さらに、全体の半分ほどにあたる巨大な石像は、文明が崩壊しつつある間にも引き続き彫られていたのである。人間の偉大さだけでなく、その分別と自制の欠如を絶えず思い起こさせるものとして、石像は今も立っている。イースター島は今、地球上で有数の悲しい場所だ――低木しかない荒れ地に、失われた過去の栄光を今に伝える壮大な遺物が点々と残されている。

イースター島の悲劇は、時代と場所を問わず、これまでの世界文明の多くにみられる。そのパターンは、気が滅入るほどお馴染みのものだ――栄華を極めたあと、決まって人口過剰、資源の枯渇、気候変動によって崩壊に向かう。一般的に歴史家やジャーナリストは、根元に隠れた原因を無視し、表面に現れた結果（内戦、侵攻、政治的策略）ばかりに注目しがちだ。こうした結果はよりドラマチックな物語を提供するだろうが、人口や気候が運命を左右したという本当の物語を見落とすことにつながる。偉大な文明はどれも同じサイクルをたどってきた――繁殖とテクノロジーで成功を収めたことが、結局悲しい運命につながるのである。われわれは自分たちの限界を押し広げ、環境の悪化、天然資源の減少、気候の変動という壁に直面している。われわれの文明が早くわれに返らなければ、未来の考古学者は、われわれが賢明であったと同時になぜこれほど愚かでありえたのかと不思議に思うだろう。イースター島は、逃れることができないように見える人間の運命を完璧に示す例であり象徴でもある。私はイースター島の滞在を楽しんだが、運命の象徴を目にして涙する人もいるだろう。われわれはイースター島から学ばなければ、その過ちを繰り返してしまう。

今後半世紀のシナリオは二通り考えられる――人類が団結するか、もしくはバラバラになるかだ。人類の生物学的性質と社会構造は、いずれの結果にもぴたりと合わせていける。「悪い性質」を持つ遺伝子と社会制度は、われわれを貪欲、競争、攻撃、近視眼的意思決定へと駆り立てる。しかしわれわれには「よい性質」を持つ遺伝子と社会制度もあり、愛他心や、共有、責任、理性的な意思決定を促すことができる。人間性の基本的なところは変わらないものの、行動のしかたは状況に大きく左右される。たとえば以前は凶暴だったバイキングが、今は北欧の合理主義者となっているのだ。

最悪のケース――水とエネルギー源が枯渇する。人口過剰、気候変動によって、世界の一部地域は住めない場所になる。さまざまな部族化した存在が完全武装し、縮小し続けるパイからより大きな切れ端を奪い、それを守るために、ほぼ永久に続く戦争で死ぬまで戦う。無政府状態、混乱、飢饉、病気が急速に進み、ますます頻繁に起きる自然災害や人為的な災害に対応できなくなる。大規模な文明が崩壊する最終段階として、このシナリオが何度となく繰り返される。われわれは、こうした希望のない未来の前兆を、すでに最近、そして今も数多く経験している。

最良のケース――経済大国――アメリカ、中国、ヨーロッパ連合は、自分たちが沈みつつある同じ船に乗っていること、また人類が直面する大きな問題に対して緊密にしっかりと協力しなければならないことに気づく。大幅に軍事予算を縮小し、廃棄物や汚染の減少と人口抑制を目的としたインフラ計画に資金を投入する。この三大勢力が共に分別を持って他の国々を統率し、その手本となる——財政的支援策や技術移転によって、協力的な国々を引っ張り、関税や制裁措置、ボイコットによって、協力しない国々を排除する。また、自分たちほど裕福ではない先進国と共に、持続可能な地球の実現に向けた世界規模の運動に加わる。これは、そんなにありえない空想ではない。こういったことが起きると期待する根拠は十分ある。というのも、すでに起きていることが少しばかりはあるからだ——まだ少な過ぎるだろうが、少なくとも遅すぎではないことを願う。

われわれは、共に手を取り合って世界規模の問題の解決を後押しするか、それとも全面戦争をしてそうした問題を悪化させるかのいずれかしかないだろう。将来は今まさに作り出されていて、現在はおそらく今以上に悪くなりえない——アメリカは最悪のディストピア的暗黒時代に深く沈んでいる。トランプは時代の転換点となるだろう——将来、世界的規模で民主主義が衰退し環境崩壊が起きること、もしくは危機のあとにようやく社会の妄想の熱から冷めることの、彼は予兆となっているのである。歴史上で起きる不測の事態は危ういバランスをとり、不確かで予測ができないその結末とぴったり平衡に釣り合う場合が多い。トランプはいかなる中庸の立場も奪った——与えられる選択肢は、トランプに従って社会の妄想を支持するか、あるいはトランプにも社会の妄想にも反対するかのいずれかだ。責任感のある人なら、誰かの言いなりになったり運命論を盾にとったりしている暇はない。

たった一冊の本が、われわれのすばらしい新世界を救うために大きく貢献することなどできないことは私にも十分わかっている。だが、正気の社会の実現にあたって、われわれは皆小さな役割を担っている。エドマンド・バークが「ほんの些細なことしかできないからといって何もしなかった者ほど、大きな過ちを犯した者はいない」と言ったとおりだ。われわれは目を開き、精神を開き、心を開いて未来に向かわなくてはならないと私は思う――最悪の事態を恐れつつ、最良の未来を引き出すためにあらゆる力を結集して取り組むのだ。それは、子ども、孫、さらにその子どもと、あとに続く世代に対してわれわれが果たすべき最低限の義務である。あなたが孫にこう尋ねられる日を想像してみてほしい。

「トランプが世界をめちゃくちゃにしたとき、おじいちゃんは何をやってたの?」

謝辞

私の妻ドナ・マニングはあらゆる意味で常に私のパートナーだった――本書の心のすべてと知識の多くを与えてくれた。エージェントのキャリー・カニアは、私にアイデアとインスピレーションを与え、無駄になるリスクをいとわず仕事をしてくれた。編集者のピーター・ハバードは、私に進むべき方向を示し、すばらしい提案をくれ、正しい道に導いてくれた。息子のクレイグとボブ、孫のタイラー、オリビア、アンジェリーナ、ジャレッド、ジャック、これから生まれてくるひ孫たちは、私に意欲を与えてくれた。そして父ジョー・フランセスは私が手本とする人物だった。

解説

「ドナが髪の毛を引き抜かんばかりに掻きむしって嘆き悲しんでいる」

ドナルド・トランプ氏が第四五代アメリカ合衆国大統領になると決まったとき、本書の著者のアレン・フランセス教授から届いたメールにそう書いてあった。常軌を逸した言動が話題を呼んでいたトランプ大統領の誕生は、ともに精神科医で民主党が好きなフランセス夫妻にとってとうてい受け入れられない現実に写ったのだろう。

しかし、フランセス教授は、トランプ氏が大統領に就任するという現実に悲観しながらも、その感情に流されずに冷静にその社会的背景を分析し、社会に発信する道を選んだ。トランプ氏の精神状態をあれこれ分析し、その適格性に疑問を投げかける議論が多いなか、フランセス教授は、精神疾患を持つ人をおとしめるようなそうした議論を批判し、トランプ氏を大統領に選ぶ社会の病理に目を向けたのだ。

さて、本書を読み進めながら、正直なところ私は、これほどまでに現状を悲観的、批判的に考えなくてもいいのではないかと思った。現実の問題から目を背けたまま、つかの間の欲望に身を任せる現代社会を厳しく非難する内容に、そんなに理想論をかざさなくても世界が破滅するわけではないだろうと考えたのだ。

しかし、本書が出版されて三年たった今、フランセス教授の指摘が次々と現実化していることに気づいて、ある種の恐ろしさを感じている。トランプ大統領のもと、アメリカが孤立していくのはやむをえないとは思うが、その結果、世界の政治と経済に極度の混乱が生まれている。その混乱に、私たち日本人も否応なく巻き込まれていっている。

トランプ大統領は、地球温暖化など起こってはいないと言い放ち、アメリカ東海岸が冬に大雪に襲われたことを例に挙げる。じつにわかりやすい発想だが、じつに子どもじみている。こうしてアメリカは国際協調から距離を置くようになったが、それもあって地球の気候変動が進み、日本も今までになかったほどの大型台風や大雨に襲われるようになっている。

そして、二〇二〇年には、COVID-19（新型コロナウイルス）の感染が一気に拡大し、世界中で多くの人が亡くなった。これもまた、フランセス教授が指摘している、目の前の満足に私たちが心を奪われた結果だ。

幸いなことに日本は感染者数も死亡者数も欧米や南米ほどには広がらなかった。しかし、効率化を求めて保健所機能が縮小され、感染症に対応できる医療体制の整備が十分に行われてこなかったことも影響して、対応の遅れが生まれた。その点では、日本に住む私たちもまた健康な想像をする力を失っていたのだろう。

いくら科学技術が発展しても、人類は、自然との戦いに勝ち支配することなどはできない。そのことを忘れた結果がCOVID-19の世界的な感染拡大だ。結局私たちは、自然と上手に共存するしかない。

COVID-19の感染拡大は、社会の分断も浮き彫りにした。アメリカはもちろん、世界的に、感染をするのも重篤化して死亡するのも、社会的に恵まれない立場にいる人たちのほうが明らかに多かった。そこに、オクラホマで白人警官が黒人男性を窒息死させた事件がきっかけになって、Black Lives Matterの運動が一気に広がった。

Black Lives Matterという表現はこの本の中にも出てきていて、「現状のままではBlack Lives Matterで象徴的に表現される人種差別社会が大きな問題になる」と本書は指摘していた。正直に告白すると、その文章を最初に読んだとき、私は問題の本質を今ひとつ理解しきれていなかった。しかし、今になってみると、これもまた重く重要な指摘だったことがわかる。

本書の内容を改めて読み返してみて、本書は、コロナ禍の中で顕在化してきている問題を的確に予測した預言書でもあったのだと考えている。確かにこのままでは、人間社会に夜明けは訪れず、破滅してしまう可能性だってある。

しかし、フランセス教授は人間自体に悲観しきっているわけではない。こうした多くの問題を生み出した人間だが、それを解決するのもまた人間だし、それだけの力があると信じている。本書を読んでいただければわかるが、問題を解決できるのは、私たち誰もが持っている、お互いを思いやる人間らしい力だ。これは、じつにフランセス教授らしい発想だ。

私が渡米してアメリカ社会になかなかなじめないでいたとき、助けの手を差し伸べてくれたのがフランセス教授だった。その一部は、拙著『「心の力」の鍛え方』（岩崎学術出版社）で紹介したが、エリート集団のコーネル大学医学部でほとんど無視され仲間に入れてもらえなかった極東から来た日本人である私に声をかけ、勉強する機会を積極的に与えてくれたのがフランセス教授だった。

妻に暴力を振るう患者の治療で私が苦労していたときに、私と患者を自分のオフィスに呼び入れて、静かに患者を諭してくれて、その後の治療が進展したのを思い出す。私がまた別の患者と面接していて上手に話ができたのを見たときの嬉しそうなフランセス教授の笑顔に励まされたこともある。

フランセス教授は精神医療の世界的権威で、世界標準の診断分類である『精神疾患の診断統計マニュアル』（医学書院）の第4版作成の作成委員長も務めた人物だ。それぞれの専門家が学問的立場をかけた激しい議論を交わして一定の方針を出していくチームの取りまとめ役に選ばれたのは、フランセス教授の精神科医としての優れた見識知性だけでなく、医療者としての温かい人柄によるところが大きい。

フランセス教授は、本書で、私たち一人ひとりがごく当たり前のようにお互いに支え合う人間的絆こそが、私たち一人ひとりの心を強くし、社会の力を強くすると書いている。地球人が力を合わせて世界的な問題に取り組んでいってほしいという思いを込めて「チーム・アース」と名づけたフランセス教授の提言は、現代社会が正気を取り戻し、より良い方向に進んでいくうえで、きわめて大きな意味を持っている。

現在、日本でCOVID-19の感染爆発が抑えられているのも、国民全員が力を合わせた「チーム・ジャパン」によるところが大きいと、私は考えている。それを「チーム・アース」につなげていけるかが、今後の重要な課題になってくる。ぜひ、多くの方に本書に目を通していただくことを願っている。

二〇二〇年八月

大野　裕

ブックデザイン　鷺草デザイン事務所
ＤＴＰ　東　浩美

■著者
アレン・フランセス（Allen Frances）
デューク大学医学部、精神医学・行動科学学科名誉教授。医学博士。『精神疾患の診断と統計マニュアル』第4版（DSM-IV）作成委員長、DSM-IIIおよびDSM-III-Rの作成の主導メンバーの一人でもある。著書に、世界的ベストセラー『正常を救え』（講談社）のほか、『精神疾患診断のエッセンス』（金剛出版）、『DSM-IV-TRケーススタディ』（医学書院）などがある。

■監修者
大野　裕（おおの　ゆたか）
1950年、愛媛県生まれ。1978年、慶應義塾大学医学部卒。コーネル大学医学部、ペンシルバニア大学医学部留学を経て、慶應義塾大学教授（保健管理センター）。2011年6月より、独立行政法人 国立精神・神経医療研究センター 認知行動療法センター センター長（現在は顧問）。現在、一般社団法人認知行動療法研修開発センター理事長、ストレスマネジメントネットワーク（株）代表。著書に『こころが晴れるノート』（創元社）、『はじめての認知療法』（講談社現代新書）など多数。

■訳者
北原陽子（きたはら　ようこ）
翻訳者。兵庫県生まれ。関西学院大学文学部卒。アメリカ在住。

アメリカは正気《しょうき》を取《と》り戻《もど》せるか
精神科医《せいしんかい》が分析《ぶんせき》するトランプの時代《じだい》

二〇二〇年一〇月三〇日　第一版第一刷発行

著者　アレン・フランセス
監修者　大野　裕
訳者　北原陽子
発行者　矢部敬一
発行所　株式会社 創元社
〈本社〉〒五四一－〇〇四七
大阪市中央区淡路町四－三－六
電話（〇六）六二三一－九〇一〇（代）
〈東京支店〉〒一〇一－〇〇五一
東京都千代田区神田神保町一－二田辺ビル
電話（〇三）六八一一－〇六六二（代）
〈ホームページ〉https://www.sogensha.co.jp/
印刷所　株式会社 太洋社

ISBN978-4-422-36013-3 C0036